Lithium pour Médée

Kate Braverman

Lithium pour Médée

Traduit de l'anglais (américain)
par Françoise Marel

Ouvrage traduit avec le concours du
Centre National du Livre

Quidam Editeur

ISBN : 2-915018-15-4
ISBN-13 : 978-2-915018-16-5

Lithium for Medea

Publication originale par Seven Stories Press, New York, USA

Lithium pour Médée

Quidam Éditeur 1, rue Mansart 92190 Meudon
Tél. : 01 45 07 14 66.
www.quidamediteur.com ou www.lekti-ecriture.com
Diffusion-Distribution Les Belles Lettres

Le logo de couverture est de Moebius que nous remercions de sa générosité spontanée.

A mon père

Préface

Certains livres s'adressent à la jeunesse. Non parce qu'ils sont simplifiés par volonté d'atteindre ce public spécifique ni parce qu'ils exploitent délibérément les passions relatives aux habitudes et aux stratégies de cette jeunesse. Mais avant tout parce qu'ils s'attachent avec justesse à décrire ce que l'on ressent lorsque l'on est jeune et confronté au désespoir imminent de l'âge adulte. Chacun de nous possède sa propre liste de tels livres. Chacun de nous a son livre ou ses livres fétiches auxquels il s'est accrochés tel un naufragé à une planche de survie surgie des flots. Ces expériences de lecture sont exquises, essentielles, inoubliables. Comment oublierais-je, à l'Université, ma rencontre avec *Murphy* de Samuel Beckett en cours de littérature anglaise première année. C'était comme si je venais de déterrer un parent disparu depuis longtemps. Ou la première fois que j'ai lu les pièces de Sam Shepard, ou ma découverte de la Beat Generation. *Le Festin Nu, Howl,* et tous les autres. Mon premier Thomas Pynchon, *Vente à la criée du lot 49.* Les histoires de James Thurber. Dorothy Parker, Lydia Davis.

Et aujourd'hui, c'est une autre histoire que je vais vous raconter. En 1987, je travaillais comme assistant éditorial chez Simon et Schuster pour un éditeur chargé de s'assurer que la maison gardait un pied dans le « créneau » de la littérature de fiction. J'étais moi-même un lecteur vorace de cette entité particulière qu'est la littérature de fiction. J'avais même étudié avec certains des auteurs de cet éditeur notamment, à une période, avec John Hawkes, Robert Coover, William Gaddis, Stanley Elkin, Toby Olson et d'autres. Un jour, mon patron me remit un manuscrit et me dit : « Je pense l'acheter, je voudrais savoir ce que tu en penses. » Je me suis attelé au manuscrit pendant plus d'une semaine, prenant mon temps. C'était l'un des romans les plus difficiles que nous avions eu entre les mains parce qu'il était mu non pas par son intrigue mais presque entièrement par la sonorité de certains mots et images répétés avec constance. Il se composait à vrai dire de quatre histoires différentes au sein desquelles évoluaient quatre personnages principaux différents, tous issus des quartiers hispaniques de Los Angeles. C'était un livre bouleversant et magnifique, un de ceux forgés dans les feux de friches de Los Angeles, et il s'agissait du deuxième roman de Kate Braverman, l'auteur du livre que vous tenez aujourd'hui entre vos mains. J'ai adoré ce roman, *Palm Latitudes,* vraiment, et lorsque nous avons été sur le point de le publier, j'ai effectué de nombreuses recherches sur Braverman, recherches qui, à l'époque pré-Internet, se réduisirent à un dossier de renseignements biographiques qu'elle avait envoyé à son éditeur : un dossier de presse d'une cinquantaine de pages, des extraits de sa poésie et, comme j'allais le découvrir, d'un exemplaire de son premier roman, *Lithium pour Médée.*

J'avais vingt-six ans. Kate devait avoir la trentaine. J'avais à peu près le même âge que la narratrice de *Lithium,* anonyme tout au long du livre (hormis l'occurrence où elle s'approprie un prénom, Rose, celui de sa grand-mère). Si j'avais aimé *Palm Latitudes,* je me suis retrouvé tel un réceptacle vide dans l'attente que le premier roman de Braverman se déverse en moi et vienne remplir mon intérieur altéré. Dès les premiers mots, j'ai senti que j'étais en présence de cette forme d'art puissante et intuitive qui a toujours su m'exalter au plus haut point.

Je faisais couler un bain. Plaisir d'être liquide. Je n'avais plus de peau. Poisson miroitant, écailles et ouies délicatement dessinées. Je connaissais le doux chemin des profondeurs. Je pouvais me réfugier sous cette masse bleue. Porter en relief une crête d'écume sur le dos, comme une sorte d'arête dorsale.

C'était l'époque de Raymond Carver. Les lignes claires de la nouvelle réaliste dominaient le monde littéraire, et tout ce qui n'adhérait pas à ce système de pensée avait du mal à trouver un cadre analytique, à se soumettre à l'interprétation. Pourtant, j'aimais les œuvres travaillées par les émotions qui bouleversent. Pour le coup, *Lithium,* avec sa thématique inquiétante et décadente, était bel et bien travaillé à chaque détour de page par le désespoir et les émotions qui bouleversent. Quelle que soit la page choisie, surgissaient nombre de phrases dérangeantes, inquiétantes et impressionnantes.

J'errais, seule, et pratiquais l'abandon dans des parcs aux collines basses et asséchées.

Ou encore :

Ici s'arrête la piste. Après Death Valley et Donner Pass, il ne reste que cette ultime oasis de précarité.

Quant au sujet du livre, il s'est avéré aussi terrifiant que les meilleures phrases qui en étaient tirées. Le personnage principal, narratrice anonyme, était aux prises avec le deuxième cancer de son père et le traitement relatif à cette maladie, alors que sa mère, extirpée en totalité, semble-t-il, de Sunset Boulevard, passait son temps à la réprimander ou à implorer sa pitié. Pendant ce temps, chez elle, la narratrice partageait sa vie avec un adepte de l'intraveineuse doublé d'un inconstant affectif, qui avait également réussi à la rendre accro à la cocaïne. Il n'était de surcroît que le second d'une série de liaisons romantiques minables puisque son ex-mari et premier amant était lui un impuissant psychotique doublé d'un accro à *Star Trek.* Et ainsi de suite.

Pourtant, ce que raconte *Lithium pour Médée* n'est pas le plus important. Ou du moins, pour être plus précis, sa construction temporelle, qui oscille en permanence entre passé et présent avec une rapidité étourdissante, n'est pas ce qui compte le plus. À vrai dire, la première fois que j'ai lu *Lithium pour Médée,* j'ai commencé par la fin et poursuivi ma lecture sans perdre une seule fois, je pense, le fil narratif de l'histoire. C'est l'atmosphère du livre qui m'a séduit et captivé et, lorsque plus tard j'ai commencé à réfléchir sur son intrigue, c'était comme faire le travail secondaire d'interprétation des rêves. La réussite de Braverman, ici, – et en ce sens, *Palm Latitudes* comme ses excellents poèmes l'étaient déjà –, était à rechercher dans la singularité de sa voix. La langue de Braverman procède entièrement de l'urgence de la parole, la licence poétique y est à son comble, la métaphore y est primordiale ; les événements et les accumulations inhérents à la narration ne sont que des effets et non pas une fin en soi.

Une coque de canoë et une coque de hors-bord, éventrées, s'étirent comme des amants dans un terrain vague où se rencontrent deux canaux. Des chaises rembourrées et cassées pourrissent au soleil. Ici et là, entre les maisons, de vieux écrans aux fils entremêlés gisent en tas. Travail de la ruine. Pendant des années, la poussière a fait ce que bon lui semblait, déposant ce que le vent portait, ce qu'une main poussait.

Voilà sans aucun doute une observation très juste de Venice, Californie ; pourtant, la poussière peut-elle vraiment être incriminée ? Le réaliste se refuse à imputer un motif secret à la matière inanimée et, au quotidien pourtant, par la conscience exacerbée des compositions de Braverman, tout se trouve travaillé par de tels motifs. Tout est nomade. Tout est en mutation.

La méthode mise en œuvre ici est bien celle de la Beat Generation, héritière de cette liberté débridée qui caractérise ses auteurs. Dans le paysage de *Lithium* pourtant, les Beats ne constituent qu'une simple bifurcation. La révolution que fut le surréalisme, et ses retombées poétiques, est une source bien plus convaincante. *Poisson soluble* d'André Breton est en effet un point de départ parfait pour quiconque envisagerait de venir à bout de cette Kate Braverman qui écrit ainsi :

La nuit est une saison terrible, même lorsqu'elle est enveloppée d'un brouillard grisâtre épais et lumineux comme le souffle des condamnés à mort.

Citons Breton :

Entre la source. La source a parcouru la ville à la recherche d'un peu d'ombre. Elle n'a pas trouvé ce qu'il lui fallait, elle se plaint tout en racontant ce qu'elle a vu : elle a vu le soleil des lampes, plus touchant que l'autre, il est vrai.

D'autres voix issues de l'effervescence de la première partie du vingtième siècle sont autant de sources convaincantes, je pense aux excès d'un Artaud :

Lorsque vous lui aurez fait un corps sans organes vous l'aurez délivré de tous ses automatismes et rendu à sa véritable liberté.

Ou encore, le désordre tranquille et austère d'un Apollinaire.

Les charbons du ciel étaient si proches que je craignais leur ardeur.

De la même manière, Lautréamont, Eluard, Huysmans...

La différence immanquable ici, réside dans la féminité du travail. Que ce soit dans *Palm Latitudes* ou dans *Lithium pour Médée*, la carte d'une psychologie matrilinéaire est tracée. Dans *Lithium*, elle ne l'est pas seulement au travers des monologues venimeux et hostiles de Francine, la mère de la narratrice :

« *Bien sûr, tu penses que je suis stupide. Juste parce que j'étais pas assez bien née pour mériter l'université ? Eh bien laisse-moi te dire une chose, j'ai mes entrées à la MENSA , moi. Tu sais ce que ça veut dire ? C'est une association qui n'accepte que les génies. Ils ont évalué mon QI à 168. Moins de un pour cent de la population possède un QI aussi élevé.* »

En effet, l'héritage matrilinéaire se révèle de manière durable et positive cette fois, au travers des lettres que la narratrice écrit à Rachel, sa cousine enfermée dans une institution. Toutes ces lettres évoquent leur grand-mère, la figure matriarcale du clan de la narratrice. Et conformément aux nombreuses autres grandes irréalistes que sont Leonora Carrington, Angela Carter ou Rikki Ducornet, la voix et la présence incantatoires de Braverman ne tendent que vers un seul objectif : supplanter la lignée paternelle et patriarcale au bénéfice d'une alternative beaucoup plus complexe. Cependant, comme tout le reste dans *Lithium* et dans les autres œuvres de Braverman, cette trajectoire reste intuitive, ne relève ni de la construction ni de la polémique, et affleure grâce au procédé de répétition fébrile. C'est-à-dire grâce à un procédé formel et non pas thématique :

Tout n'était qu'un après-midi de morphine sans fin, un rêve sans vie et sans issue.

La révolution menée à bien par les surréalistes est basée en partie sur la perturbation des sens, et il est juste de se demander si l'enchaînement implacable dans les profondeurs de la dépendance, ne fait pas parfois basculer tout le livre dans cette direction, plutôt que d'y laisser seule la narratrice de *Lithium.* Reste que pour moi, c'est à ce niveau que *Lithium pour Médée* est totalement réaliste. Ce livre ne parle pas de cocaïne ou d'amphétamines à chaque ligne mais représente page après page la tension et le manque qui les caractérisent ainsi que la descente qui leur fait suite. Et même lorsque *Lithium* reste silencieux à ce sujet, je perçois les bourdonnements d'oreille et les grincements de dents de la défonce à la cocaïne. Chacune des relations est colorée par l'influence de ces stupéfiants, et chaque aspect de chacune de ces relations l'est aussi. C'est pour moi une expérience libératrice, l'évocation juste et vraie du fléau de la dépendance. La littérature des années quatre-vingt qui parlait de cocaïne et autres abus de drogues est parvenue à en rendre les effets romantiques. *Lithium,* tout en étant apparemment vécu de l'intérieur, n'est jamais glamour à ce sujet, mais bien au contraire toujours terrifiant.

J'évoluais dans un silence singulier, mon monde au sein d'un monde de carreaux blancs et froids et de draps de glace, et je me disais, mon Dieu, quelqu'un pourrait-il m'ôter des mains ce cauchemar mouvant et respirant la puanteur.

Pourquoi un gamin de vingt-six ans, fantôme perdu dans les rouages du monde de l'édition devait tomber amoureux de ce livre ? Tout simplement parce qu'en dépit des comportements dépendants, des rencontres sexuelles sans joie, des haines familiales, du cancer et de la psychopathologie, de l'anthropomorphisme et des hyperboles linguistiques, en dépit de tout cela, pas une seconde, il ne ment sur ce que cela fait d'être jeune. Jamais il ne ment. À sa façon, *Lithium pour Médée* s'intéresse à la jeunesse et à son désespoir, compatit à ce désespoir, donne des conseils pertinents sur la façon de survivre à cet âge ingrat : *Je me réveillerai, je recommencerai.*

Après une expérience de la sorte avec un livre, on est redevable à jamais, car la vérité et la compassion/compréhension sont des qualités rares dans le monde littéraire. Par conséquent, c'est une chance inouïe de revoir reparaître *Lithium pour Médée,* après dix années où mettre la main dessus revenait à chercher un tigre blanc. C'est une chance de la voir reparaître, car une nouvelle génération de jeunes gens est en train de grandir. À tous ceux-ci, et à tous les lecteurs dignes de ce nom, je dis courage et faites de ce pèlerinage un repère digne de foi.

Rick Moody
octobre 2001

1

Il faut une explication à tout : Nom. Âge. Attirance sexuelle. Profession. Incarnation. Statut marital. Dépendances. Antécédents judiciaires (casier).

Un bruit.

De l'eau.

Je faisais couler un bain. Plaisir d'être liquide. Je n'avais plus de peau. Poisson qui miroite, fines écailles à la pointe douce, ouïes. Je connaissais le doux chemin des profondeurs. Je pouvais me réfugier sous cette masse bleue. Porter en relief une crête d'écume sur le dos, comme une sorte d'arête dorsale. Manger tout ce que je voulais et respirer sous l'eau.

Mon matos était soigneusement disposé sur le sol. Coton et alcool à portée de main. Cocaïne soigneusement réduite en une fine poudre blanche. Cuillère en équilibre sur le rebord de la baignoire, à côté, ma seringue. C'est alors que le téléphone a sonné.

« Il faut que je te parle. »

La voix était froide, tranchante, précise. Difficile de la reconnaître. D'ordinaire, ma mère demande à sa secrétaire de m'appeler. Et bien sûr, Francine a tant de voix différentes, un jour plaintive ou distante, l'autre mielleuse ou insultante. Il y a la voix pour l'épuisement, la gorge rugueuse d'un trop de café et de nicotine à la fin des réunions budgétaires. Et puis, il y a le chuchotement tout de prudence qu'elle utilise lorsqu'elle n'est pas seule.

« Qu'est-ce qu'il y a ? » Mon cœur cognait.

Ma vie était un assemblage de mondes parallèles. Chaque monde avait ses règles et ses personnalités distinctes. Chimie, mathématiques et histoire différaient. Les éléments de base, évolution et développement, étaient tout aussi complexes et différents que la vie dans un monde de carbone diffère de celle dans un monde de méthane. Mes mondes parallèles étaient vastes, harmonieux, et clairement définis. Leurs atmosphères respectives étaient mortelles en cas de contact. Aucun point de rencontre possible.

« C'est ton père », a dit Francine. Elle a laissé la phrase en suspens pendant de longues minutes. « Il est malade. » Nouvelle pause. « Il rentre à l'hôpital ce matin. »

« Cancer ? » La seringue encore en main, j'ai baissé l'aiguille.

« Dans le mille », a dit Francine. « Et mauvais avec ça. »

Mes pieds mouillés ont touché le sol. Je n'ai pris que la seringue et l'ai rangée au fond de mon sac à main. Je sentais que j'allais en avoir besoin.

J'ai roulé en direction de Beverly Hills et pris vers le nord par Sunset Boulevard. Quelque chose de suffocant, sec et douloureux s'est emparé de moi. Le monde entier semblait avoir été badigeonné à la peinture blanche.

La maison de ma mère est très blanche. Construite dans la pure tradition espagnole, autour d'une cour intérieure aux carreaux orange. Nichée sur le flanc d'une colline, sa longue terrasse en brique rouge, à l'arrière, est au ras de la montagne. Francine a acheté cette maison l'année de son divorce d'avec mon père.

« Tu as vu tout ce que j'ai fait ? » a-t-elle demandé.

C'était ma première visite dans sa nouvelle maison, la visite officielle. Francine portait un déshabillé en soie couleur pêche. Elle bruissait de tous ses pas, s'arrêtant ici ou s'arrêtant là pour me montrer une à une les particularités de sa maison. Ma mère a toujours eu de franches dispositions pour les détails et les traite avec beaucoup d'attention. Elle est également dotée d'une excellente mémoire. Je l'ai suivie en silence à travers les pièces recouvertes de moquette épaisse.

« Tu auras remarqué l'aménagement, l'utilisation créative de l'espace. Une seule chambre. » Francine me fixait. Les autres chambres avaient été transformées en un bureau, une véranda et en une pièce lambrissée abritant un billard.

Je comprenais. À sa façon, Francine laissait entendre que sa maison n'avait rien d'un foyer. Plus question de famille. Les seuls invités prévus par Francine dormiraient dans son lit.

« J'ai tout fait toute seule. » Sa voix, de plus en plus aiguë, s'approchait de la zone privée et risquée.

Francine me montrait des portes aux voûtes subtiles, des fenêtres arrondies qu'une équipe spéciale venait faire briller chaque semaine. J'ai regardé les fenêtres. Elles étaient larges et étincelantes. Derrière elles, l'air était d'un bleu pâle sans exigence.

« J'ai tout fait toute seule. Tu sais qui a habité ici ? Zsa Zsa Gabor. Elliot Gould. Howard Hughes logeait ses starlettes ici-même. » Francine a agrippé mon poignet. Elle a approché son visage très près du mien. Ses yeux d'ambre étaient immenses et immobiles.

« Tu veux savoir pourquoi je te raconte tout cela ? Pour que tu sois fière de moi. »

Francine a attiré mon attention sur les plafonds de six mètres de haut. Elle m'a montré la cheminée dans la chambre et les miroirs alignés sur le mur du fond. Elle a attiré mon attention sur les poutres en bois (« Du véritable séquoia, j'ai fait vérifier. ») des plafonds. Elle m'a montré la salle à manger et ses trois baies vitrées surplombant la ville.

« J'étais orpheline », a dit Francine. Sa voix s'est étouffée, est devenue conspiratrice, comme si elle n'avait jamais révélé ces informations, à moi ou à qui que ce soit d'autre. Son visage s'est encore approché. « J'ai été abandonnée. Lâchée en pleine Dépression. »

Francine a attiré mon attention sur le bar qu'elle venait d'installer. Sa surface en marbre noir importé et ses robinets d'eau réglés, au choix, pour du bourbon, du whisky ou du gin.

« Je ne suis pas allée à l'école, j'étais sans ressources. » Elle m'a regardé, d'un air dur.

Impossible d'ignorer ses insinuations. En clair, elle me disait que je n'avais pas souffert des mêmes privations. J'étais allée à l'école, j'avais eu droit à cette chose un peu nébuleuse qu'elle appelait « ressources », et même à un semblant de famille. Et j'avais échoué.

« J'avais seize ans lorsque je l'ai épousé », a dit Francine.

Nous étions accoudées au bar. Ma mère s'est servi un petit verre de whisky.

« Et puis, il a eu le cancer. Le cancer ! » s'est écriée ma mère. Elle a avalé son whisky.

« Voilà où nous en étions. La catastrophe. Lui, cloué au lit pendant cinq ans, invalide. Et moi, seule avec une gamine de six ans à ma charge. »

Francine a laissé sa lèvre inférieure se courber lentement en une moue de dégoût. S'agissant de ma mère, je suis toujours cette gamine de six ans, sans défense, un peu grassouillette, équipée de lunettes et d'un appareil dentaire, un terrible fardeau, une fillette qui faisait des cauchemars, qui se tenait mal, ne parvenait ni à se faire des amis ni même à dire bonjour aux étrangers.

Bien sûr, cela n'a fait qu'empirer. Et Francine a toutes les preuves nécessaires. Des preuves déterrées. Prêtes à l'emploi. Tout est là, astiqué, étiqueté, mis en vitrine. J'ai raté mes études. J'ai raté mon mariage. J'ai des ratés répétitifs avec Jason. J'ai raté l'homme qui aurait voulu de moi de manière légale et permanente. L'homme qui m'aurait, tel un appareil ménager flambant neuf, installé au milieu d'une cuisine aménagée avec four autonettoyant intégré. L'homme qui m'aurait donné des enfants en même temps qu'un crédit illimité chez Saks, la sécurité, un futur.

Pour Francine, le monde est simple. À partir du moment où l'on a l'étoffe, le talent, l'intelligence et la persévérance, on ne peut que réussir. On s'élève littéralement au-dessus de la masse laborieuse, on atteint les sommets des canyons pour vivre sur des échasses et braver les éléments. La faille de San Andreas peut bien s'ouvrir et ravager tout le plateau. Je suis au-dessus de tout ça. Tel un ange, je suis montée au Ciel. Si l'on avait l'étoffe, il suffisait de tendre la main pour cueillir un à un les fruits mûrs et suaves.

Dans le cas contraire, on se devait de compenser. On allait enseigner aux enfants aveugles ou faire du social dans les ghettos. On acceptait de jouer le jeu, de devenir invisible. Moi qui n'arrive même pas à sortir d'une pièce sans me faire remarquer. J'ai choisi d'étudier les saisons singulières des canaux et de faire l'amour avec Jason.

« Je n'avais que vingt-sept ans quand mon mari a eu le cancer », m'a dit Francine. Elle s'est versé un autre petit verre de whisky.

Que me restait-t-il de toute cette période ? Les absences soudaines et inexplicables. La maison vide. Un mot laissé sur la table. Mon institutrice qui m'avait donné son numéro de téléphone en disant que je pouvais l'appeler. Pourquoi aurais-je dû l'appeler ? De vagues connaissances, des voisins que je connaissais à peine, qui m'emmenaient dormir chez eux une nuit ou deux. Leurs maisons étaient pleines d'odeurs bizarres et d'épices étrangères. Et personne pour répondre à mes questions.

Je m'asseyais dans des pièces qu'une femme après l'autre au sourire étrange me désignait tout en me demandant combien de personnes vivaient sous ces toits. Qui étaient ces gens ? Quand ma mère allait-elle revenir ? Où était mon père ? Pourquoi tout le monde allumait-il des bougies ? Est-ce que l'on fêtait un anniversaire ? Je restais assise, seule, à me demander ce que pouvaient bien vouloir tous ces gens.

Plus tard, ma mère annula mes leçons de piano. Mon père passait toutes ses journées au lit. Elle lui apportait à manger sur un plateau. Un changement terrible se produisait, comme si ce géant qu'était mon père redevenait petit garçon. Et puis, un flot continu d'étrangers circulait dans toute la maison. Ils repartaient avec les lampes en cuivre de ma mère. Lui prenaient son service en porcelaine tout neuf. Sans oublier les chaises et le canapé du salon. Je regardais les camions s'en aller. À cette époque, j'avais déjà compris que le monde venait de s'écrouler.

« Tu n'as pas la moindre idée de ce que c'était », m'a assuré Francine. « Tu n'étais qu'un bébé. Je t'ai protégée, préservée. Je suis retournée travailler. » Son visage n'était plus qu'à quelques centimètres du mien. Je sentais l'odeur de son parfum, de son whisky et de quelque chose de chaud, moite et doux, quelque chose de trop mûr, d'étouffant : sa peau.

« Je sortais dans des vêtements d'occasion. Je ne savais même pas conduire ou taper à la machine. Je suis allée travailler comme ça, à Hollywood, rien de moins. » Francine a fini son whisky. Cela impliquait bien d'autres choses, des choses sombres, tapies, prêtes à bondir, des choses dangereuses, aux dents et aux griffes acérées, peut-être.

« Tu comprends ? » Ses lèvres tremblaient. Des larmes semblaient jaillir de ses yeux.

« Je n'ai même pas pu finir le lycée. Regarde. » Francine a fait un geste en direction des hauts plafonds, des portes voûtées, des fenêtres étincelantes de propreté, des poutres en séquoia véritable, de toute la ville qui, au-dessous d'elle, s'étendait, couchée, à ses pieds, conquise.

Francine a soupiré. Cela impliquait bien d'autres choses, des choses tranchantes et lourdes, comme des éclats de métal. Ma mère avait réussi au-delà des espérances. Elle avait frotté ses ailes à l'azur pâle calme et sans nuage de Los Angeles, et elle s'était envolée, s'était élevée. Elle avait débuté comme standardiste, à répondre au téléphone et à apporter le café au patron et oui, Monsieur, tout à fait, chef, je peux le faire. Alors, tu vas le faire encore mieux que dans tes rêves. Aujourd'hui, elle était productrice d'un programme de télévision diffusé par soixante et onze chaînes à travers tout le pays.

« Tu m'a toujours détestée, tu m'en as toujours voulu », a ajouté Francine. Son regard fixait la surface du bar en marbre noir importé. Nouveau soupir.

Qu'avais-je fait ? J'avais non seulement épousé un psychotique borderline doublé d'un neurasthénique, mais j'avais en plus dû souffrir l'humiliation de le laisser me quitter. Mon Dieu, j'avais épousé un Trekie.[1] Je n'avais pu aller au bout d'aucune filière universitaire normale et cohérente, validée ou estampillée par un diplôme.

Au lieu de quoi, j'avais regardé des diapositives d'artefacts, fragments d'os et de crânes datant de plus de deux millions d'années et

---

[1] Fan de *Star Trek*.

des rangées entières de molaires antédiluviennes. La peau tombe en lambeaux, les yeux disparaissent, les ailes aux motifs délicats de petits êtres sautillants et voletants tombent en poussière. Seuls les os et les dents demeurent. Les preuves tangibles.

À une époque, je pensais que seules les preuves tangibles avaient de l'importance et que s'adonner à des explications était inutile. Quelque chose d'incontestable, des trilobites par exemple, ou bien l'empreinte d'un fœtus gravé pour l'éternité au centre de roches paléozoïques. Les fonds marins qu'ils habitaient ont disparu avant la mémoire collective de l'être humain. Pourtant il reste encore des mers, des mers qui projettent leurs ombres en direction de quelque rivage depuis longtemps érodé. Il reste des traces. Des dépôts de sel gisent au fond des océans. Les mers ont séché, puis reparu, encore et encore. Le sel demeure. Ce n'est pas rien.

Sans preuves tangibles, le passé devient malléable à merci. Le passé perd en consistance, s'écrase sur les rivages oubliés, travail d'effacement, d'engloutissement. Le passé emporte les pierres du chemin les unes après les autres. La mémoire même de ce chemin. Il se pourrait même, cette pensée m'a traversé l'esprit, que ces preuves tangibles ne soient pas des ancres assez sûres, assez solides pour résister à un tel flot.

Je suis restée immobile dans la rue devant la maison de ma mère pendant de longues minutes. J'ai regardé le ciel en face de moi, il était d'un bleu parfait, un bleu pur, un bleu absolu, un bleu d'ardoise. Je voulais une déchirure étrange, une trace de rouge inexpliquée, un présage, qu'il soit accidentel ou à la merci de ce monstre qu'est l'interprétation. Je voulais que quelque chose s'ébranle et se libère, prenne position – peu importe laquelle. Nulle dérive dans ce ciel, pas même l'effilochement d'un nuage.

J'ai frappé à la porte, et senti, au moment même où mon poing touchait le bois, que quelque chose était en train de changer. Derrière moi, les sillons pratiques et familiers de mes mondes parallèles. Et tout à coup, je me suis dit, le hasard y est sans doute pour quelque chose. Peut-être existe-t-il des motifs. Une cause et des effets. Une seule chose était certaine. Quand on jette une pierre, elle retombe toujours.

2

Je suis entrée dans la maison de ma mère, les ailes coupées, désespérée. Francine me voit toujours comme cette gamine de six ans, pâlotte et grassouillette. À dix ans, j'étais une guimauve, blanche et pâteuse, déjà presque aussi grande qu'aujourd'hui, effarouchée pour un rien. Je n'acceptais rien facilement. Le ciel n'était jamais une simple question d'air, d'espace ou de couleur. La pointe des étoiles brûlait forcément. Ma peau semblait porter les stigmates permanents du mauvais traitement d'un midi blanc ankylosé ou d'une nuit noire comme une mer de rats. Les étés me blessaient, trop jaunes et brûlants, incandescents et insensibles. Les hivers étaient cruellement courts, pointes cinglantes et brèves sur des pelouses roussies poussant des lis roides aux grandes bouches blanches béantes et édentées.

J'avais des idées noires, je caressais les démons dans l'obscurité de mes neuf ans, scellant des pactes et tournoyant dans le sommeil tout en récitant les listes sans fin de mes ressentiments. J'étais incapable de pardonner. Sournoise, j'écoutais aux portes et me renfrognais face à l'appareil photo que ma mère pointait sur moi, m'assurant que jamais elle n'oublierait, et que plus tard, en fouillant dans ses tiroirs, elle découvrirait une petite fille qui la fixait, lèvres déformées, moue hargneuse. J'étais indifférente, adepte du refus systématique, ma bouche dessinait des « non » d'acier tandis que j'emmagasinais les cicatrices invisibles d'un air déchiré par les claquements de porte. J'errais, seule, et pratiquais l'abandon dans des parcs aux collines basses et asséchées. J'étais celle qui portait son enfance comme une maladie orpheline, déjà lassée des contes de fées, celle à qui, déjà, il ne fallait pas en raconter. J'étais celle qui avait de bonnes notes et des secrets, celle qui se déplaçait lentement, celle qui disait non et le pensait. J'étais froide, enfermée, je refusais d'apprendre à faire du charme ou à quémander. J'étais celle qui tissait des toiles d'araignée et rendait la nuit contagieuse.

« Tu as une mine terrible », a remarqué Francine. C'est notre façon de nous saluer.

« Quelles sont ses chances ? » ai-je demandé.

Je savais que Francine allait calculer les possibilités et les transformer en probabilités. Ma mère et mon père avaient passé les trois premières années de leur vie commune sur les routes. Mon père était un joueur. Les pur-sang étaient sa passion. Ma mère et mon père prenaient des trains et dormaient dans des hôtels pour suivre les pur-sang de New York à la Floride et aller-retour. Leurs itinéraires n'étaient pas constitués de villes ou d'états mais de champs de course. Tropical, Hialeah et Gulfstream, Havre de Grace, Monmouth et Garden State, Aqueduct, Jamaica, Belmont et Saratoga. C'était avant ma naissance. C'était avant le premier cancer.

« Les mises sont favorables. Mais ça ne suffit pas. » Francine a baissé la voix. « Tu les connais ces bâtards. » Elle parlait des médecins. « Ça ne suffit jamais. »

J'ai observé ma mère de l'autre côté de la salle à manger. Francine et moi nous observons toujours par-dessus un gouffre qu'aucune de nous ne désire ou ne comprend. Il fait sombre. Des choses remuent, bruissent et picotent. Le passage sombre. Il y a des épines. Un vent épais, maussade et chargé de débris s'installe en surface, les limites se brouillent.

« Tu vas pas nous faire une crise de nerfs ? » a demandé Francine.

Elle s'est dirigée vers le bar. S'est assise sur un tabouret aux pieds étroits. Un miroir, rond et de la taille d'un globe d'enfant, était juché près de son coude. Il était cerclé de petites ampoules lumineuses, rosâtres et apparemment brûlantes. Francine a commencé à se passer une crème bleuâtre sur les paupières. De temps à autre, elle rentrait les joues, penchait la tête, étudiant son reflet sous différents angles.

« Alors ? Tu vas nous faire une crise de nerfs ? »

Francine prononçait ces mots comme si elle parlait d'un cheval qui se serait cassé une patte un peu fragile. Un cheval à abattre.

« Je voudrais bien savoir ce que ça va me coûter. Combien de notes d'hôpital il va falloir que je paye ? Juste la sienne ? Ou les deux vôtres. »

Francine tenait une petite brosse noire à la main. Elle s'appliquait du mascara. Ses pommettes étaient très hautes, fardées. On aurait dit qu'un courant électrique les traversait. Son cou était fin. Sa bouche, pleine, expressive. Je voyais ses pensées flotter sur ses lèvres. Ses cheveux avaient été coiffés en un parfait tourbillon auburn. Le téléphone a sonné.

« Pas question », a dit Francine, en tenant légèrement le combiné et en ouvrant un tube de rouge à lèvres brunâtre. « Mon mari a un cancer. » C'est ainsi que Francine appelle toujours mon père, son mari, malgré le divorce. « Ça m'est égal qu'ils la donnent. Je ne peux pas aller à New-York en ce moment. Qu'elle aille se faire foutre cette Barbara Walters. » Francine a raccroché.

La maison de Francine est spacieuse et fraîche, d'une élégance aseptisée. Sa maison est un spectre de nuances ocre et beige, caramel, marron, ivoire, nacre, bronze, cuivre et crème. Il ne reste rien de l'ancienne Francine. Ici, le passé a été complètement éradiqué. Pas une seule chaise ou une seule table, pas même une petite lampe ou un vase pouvant rappeler l'enfance. Les nouveaux sofas havane et les tapis marron clair, les nouvelles chaises en daim et les coussins couleur chameau ont tous fait leur apparition en même temps. Aucune gestation. La maison a commencé son existence, complètement formée dès le début, sans aucun défaut, pas même un seul minuscule napperon dépareillé caché dans un coin, inutilisé.

Au cours des années, Francine a tout fait pour se laver de son passé et des cicatrices noires invisibles qu'il avait incrustées dans sa chair. Francine a décrété son passé une fois pour toutes inutile. Ici, de l'autre côté du pays, dans le giron du Pacifique, dans ce pays d'étés permanents et de pêches lourdes comme des melons suspendus à des branches, Francine avait eu sa deuxième chance. Elle était née une seconde fois. Elle s'était élevée, blanche et pure, au niveau des autres, les élus, les illuminés, décolorés et huppés.

En dépit de sa rigidité, et c'est un euphémisme, Francine fait preuve d'une étrange gaieté, d'une forme d'optimisme complètement déconcertant. Il faut la voir dans les halls et les ascenseurs, alerte et subtile à la fois, regarder les hommes du coin de l'œil. Elle attend toujours celui qui viendra lui enlever l'écharde d'obscurité d'un seul pincement de doigts. Elle attend celui qui traversera la foule pour venir l'enlacer, celui qui l'aidera à surmonter toutes ses épreuves – son enfance d'orphelinats, sa vie de cauchemars, son hypochondrie, sa dépression chronique et l'ennui assommant de réunions budgétaires interminables.

Il faut la voir redresser ses épaules lorsqu'elle sent le regard d'un homme se poser sur elle. Lentement, comme inconsciemment (et peut-être ce geste est-il réellement inconscient), elle remet en place les fines rangées de ses colliers en or autour de son cou. Je sens qu'elle retient son souffle, se demande, est-ce que c'est le bon, est-ce que c'est lui, est-ce que c'est enfin lui, après tout ce temps ?

Dans la maison de ma mère, au milieu des nuances de bronze et brun or, d'ocre, de crème et salamandre, je me rends compte que cette femme n'est plus la même que celle que j'ai connue dans mon enfance. Francine est une nouvelle création, à la fois inventrice et invention. Pour elle, le futur n'est qu'un blanc informe, un support lisse que l'on sculpte dans une matière solide comme le stuc. Le passé, lui, n'a jamais existé. Sauvage et douloureux, aujourd'hui il n'est plus. Fini, terminé, moins que de la poussière, moins que la mémoire de la poussière.

« Ça va être long cette fois. Des mois à l'hôpital. S'il s'en sort. Des mois de convalescence, si convalescence il y a. Tu vas t'effondrer ? » m'a demandé Francine une nouvelle fois.

« Je vais essayer de m'accrocher », ai-je fini par répondre. Le plafond paraissait dangereusement bas. L'autre côté de la pièce s'est mis à pencher.

« Tu vas faire mieux qu'essayer, ma petite », a repris Francine. « On est dans cette galère, dans cette merde, toutes les deux, ensemble. J'avais vingt-sept ans la première fois, j'étais seule, dans une ville étrange. Ils m'avaient dit qu'il ne passerait pas l'hiver. Je devais faire la manche pour me payer mes billets de train. Je ne connaissais pas une seule personne dans cette ville. J'avais un enfant, un mari invalide, et aucune éducation. Tu ne te rends pas compte. Tu ne peux pas te rendre compte. J'ai dû littéralement lui insuffler la vie. Il voulait abandonner. Il voulait mourir et je ne voulais pas le laisser faire. C'était à Philadelphie, en plein mois d'août, il faisait 40 degrés. Il était allongé sous les couvertures, à frissonner. Je me suis penchée et j'ai soufflé de l'air dans sa bouche. Tu me suis ? Je l'ai essuyé, lavé. J'ai vidé ses bassins. Changé ses pansements. J'ai vu le sang, les cicatrices, l'horreur. J'ai continué à travailler, à payer le loyer, à mettre de la nourriture dans les assiettes et des vêtements sur le dos de chacun. »

Le téléphone a sonné. Francine tenait le combiné tout en tamponnant ses lèvres avec un Kleenex. « Sacramento ? » Elle a incliné la tête. Allumé une cigarette. « Quel genre de voiture ? » Pause. « Non, je ne vais pas aller à Sacramento pour une putain de Volkswagen. »

Francine a raccroché. Elle avait l'air écœuré.

Nouvelle sonnerie. Los Angeles est la ville du dieu téléphone. Tout le monde est pendu à son téléphone parce que tout le monde passe son temps à faire, défaire, puis refaire des affaires. Tout le monde est pendu au téléphone parce qu'ici, dans la Cité des Anges, où les élus se sont élevés, on se retrouve souvent juché au sommet d'une falaise, d'un canyon ou d'une colline, seul, absolument seul.

Dans cet antre maternel, je me suis assise sur un sofa caramel aux coussins rembourrés brun et corail. Sans raison particulière, j'ai commencé à penser à mon ex-mari, Gerald. On vivait à Berkeley, dans un studio sous les toits avec une plaque chauffante dans un placard et un lit escamotable. La seule fenêtre était minuscule et restait fermée en permanence. En avril, les courants d'air étaient insupportables. La chaleur nous engourdissait et nous plongeait dans un état effroyable de léthargie débilitante.

Gerald venait de changer de filière universitaire pour la quatrième fois. Il avait déjà perdu sa bourse et son poste d'assistant professeur. Il disait qu'il avait absolument besoin de journées entières passées à réfléchir, à peser le pour et le contre. Un travail, n'importe quel travail, aurait dégradé le climat intellectuel dans lequel il évoluait. Quand il parlait de son climat intellectuel, j'imaginais un gros nuage floconneux à l'intérieur de sa tête.

On n'avait pas assez d'argent pour s'offrir le luxe d'un savon et d'un shampoing. On prenait nos bains chez les voisins. On mangeait des crackers Ritz trempés dans du ketchup et des sauces salade dérobés dans les cafétérias universitaires. J'avais terminé une année d'étude. J'étais en licence, autorisée à suivre certains cours donnés par des professeurs invités d'Europe et d'Asie, des hommes et des femmes, abasourdis, à qui il fallait un semestre pour se remettre du choc culturel. Lorsque Gerald s'est mis à développer une incompatibilité envers le travail, n'importe quel travail, j'ai arrêté mes études.

Je suis devenue serveuse au Giovanni's, un restaurant italien sur Shattuck Avenue. Les pâtes s'égouttaient dans la vapeur de grandes casseroles noires, et la fumée était brûlante dans l'air dense du printemps. Je devais attacher mes longs cheveux vaguement roux. Chaque soir, je m'enfonçais des pinces à cheveux dans le crâne. Comme des épines. J'avais tout le temps mal aux pieds. C'est pas grave, me disais-je. Il est normal qu'une femme entretienne son mari. Gerald allait se trouver, s'engager sérieusement dans des études, tôt ou tard. Il y aurait des bourses, des aides, la sensation d'avancer. Je n'allais pas servir des pâtes toute ma vie.

Cela faisait plus d'un an que Gerald et moi n'avions pas fait l'amour. J'étais envahie par une sensation d'inutilité indescriptible. Gerald avait pris du poids. Sa chair semblait étrangement plombée, substance lourde, maladroite et amorphe qu'il fallait secouer pour la forcer à se mettre en mouvement.

Lorsque Gerald ne lisait pas, il s'asseyait en position du lotus sur son tatami devant la télévision. Chaque nuit, à six heures, comme si un gong sonnait l'appel des fidèles à la prière, Gerald adoptait la position du lotus sur le tatami et regardait *Star Trek.* Il était assis, retenant son souffle, ravi, comme en communion.

La série parlait d'un vaisseau spatial, machine gigantesque dans laquelle vivait une équipe de quatre cents êtres humains apparemment vêtus de pyjamas en flanelle. Le vaisseau spatial, l'*Enterprise,* faisait partie d'une flotte de douze autres vaisseaux. Sa mission, d'une durée de cinq ans, était d'écumer la galaxie à la recherche de nouveaux mondes et de nouvelles civilisations et d'aller là où aucun homme n'avait jamais posé le pied. Au bout d'un certain temps, je me suis rendu compte que Gérald comptait regarder la totalité des cinq années de la mission.

Parfois, l'*Enterprise* découvrait des mondes parallèles qui ressemblaient étrangement au nôtre, comme des planètes dont le modèle était la Chicago mafieuse des années trente, ou celui des Nazis, voire d'une Rome Antique haute technologie.

Sur certaines planètes, les dirigeants vivaient sur un nuage de faste et de splendeur tandis que la majorité de la population souffrait d'une exploitation cruelle, souterraine, dans des mines, où un gaz empoisonné retardait tout développement intellectuel. Il y avait des planètes sur lesquelles vivaient des extra-terrestres qui portaient des antennes sur leurs visages blancs comme du papier et qui avaient le pouvoir d'altérer la matière à volonté. On rencontrait des hommes verts, des hommes à cornes, des géants, des nains, des blobs, des monstres, des Amazones ou des enfants télépathes et capricieux. Il y avait des civilisations décadentes dirigées par des ordinateurs. On croisait des sorcières, des soldats, des marchands, des rois, des universitaires, des guerriers, des paysans et des tueurs.

L'*Enterprise* était commandé par le Capitaine James T. Kirk. Gerald avait décidé qu'il n'était d'aucun intérêt. Son intérêt se portait exclusivement sur Spock, le commandant en second, un scientifique mi-humain, mi-Vulcain. Les Vulcains avaient soumis leurs tendances agressives grâce à une discipline mentale de fer. Les Vulcains s'étaient libérés du fléau imprévisible de l'amour et des émotions.

Gerald était particulièrement friand des forces et des événements qui conduisaient parfois Spock à ressentir une émotion. Dans un épisode, Spock était frappé au visage par une sorte de plante psychédélique qui le poussait à monter aux arbres et à rire aux éclats. Une autre fois, Spock remontait le temps jusqu'à un âge de glace, des générations avant la conquête des émotions. Spock retournait à l'état de barbarie, mangeait de la viande et faisait l'amour avec une femme. Normalement Spock ne faisait l'amour qu'une fois tous les sept ans. Faire l'amour consistait alors en une sorte de poignée de main. Le reste du temps, Spock s'amusait avec une prise spéciale qui faisait s'effondrer ses adversaires instantanément par simple pression sur l'épaule. Il était doté d'un QI dépassant ceux des plus grands génies et d'un pouvoir télépathe particulier, la fusion mentale vulcaine. Sans oublier sa peau verdâtre et ses deux adorables oreilles en pointe. Gerald l'adorait.

« C'est une métaphore », disait-il.

« Mais on a déjà vu cet épisode. Au moins trois fois. »

« Non, cinq », me reprenait Gerald, toujours assis en lotus, hypnotisé.

Gerald prétendait que chaque nouvelle vision révélait un aspect différent du fonctionnement du vaisseau ou du Commandement de Star Fleet. Gerald ne se souciait pas de l'intrigue. Il s'intéressait aux détails annexes.

« C'est un poème sur l'humanité », disait Gerald, en regardant l'écran.

« Mais on a vu cet épisode cinq fois. »

« La patience est la voie de l'érudition », disait Gerald tout en me congédiant.

J'étais retournée à Los Angeles pour parler à Francine. J'avais dix-neuf ans et je vomissais tout le temps. J'avais besoin de conseils. Je n'étais pas la seule à avoir des problèmes. C'était la révolution. Gerald était allé à la librairie. En chemin, il s'était arrêté pour regarder la manifestation sur Spraul Plaza, les bouffées de colère et de fumée blanche qui s'élevaient des bombes lacrymogènes. Il avait écouté les explosions et les hurlements. Un officier de police d'Alameda, numéro d'immatriculation recouvert par du scotch et visage caché par un casque à visière anti-émeute, avait frappé Gerald par derrière, en travers des jambes, avec sa matraque. Gerald s'était effondré sur le ciment.

« Tu as une mine terrible », avait dit Francine.

J'étais assise à l'intérieur de la maison de mes parents, la maison dans laquelle j'avais grandi, une maison modeste en stuc de West Los Angeles avec quatre petites pièces carrées, qui dégageait un sentiment de stabilité et de détermination. C'est la maison où vit encore mon père.

Nous chuchotions, ma mère et moi. Nous chuchotions, Francine et moi, comme si mon père était un agent double. Lui nous ignorait poliment. Il était à l'extérieur dans le petit carré de jardin clôturé, à arroser les avocats et les pêchers, le lierre invariablement dégarni, les hévéas, et la vigne sauvage qui poussait le long du portail de jardin en bambou.

« C'est toi qui l'a voulu », a crié Francine tout en essayant de garder la voix basse. Nous partagions un joint de marijuana, discrètement, un secret vis-à-vis de mon père. Mon père arrosait les abricotiers. Je le voyais derrière la fenêtre, le dos tourné, les mains dirigeant le tuyau.

« Je t'avais pourtant prévenue, je t'avais dit non, résiste, tu trouveras mieux. Mais tu n'as rien voulu entendre. Toi, m'écouter ? Tu n'écoutes jamais. » Francine a aspiré une profonde bouffée d'herbe. « C'est un bon à rien. C'était quoi déjà ? Le truc en latin et en grec ? Fichtre, tu t'es vraiment laissée prendre pour rien. Même selon tes critères », a ajouté ma mère.

Je me suis mise à pleurer. Pendant une longue période de ma vie, je pleurais et vomissais en permanence.

« Tu dois te montrer dure », a expliqué Francine. « Pars. Divorce.

Tu n'as qu'à le quitter. C'est un bon à rien. Oublie-le. C'est une larve. Prends ta valise sans te retourner. Les asticots feront le reste. »

Francine s'habillait pour la première d'un film. Bras levés, elle a enfilé un chemisier sans le déboutonner. On aurait dit un oiseau déployant ses ailes. Elle n'arrêtait pas de se parfumer. Elle exultait. Récemment, elle avait réussi à franchir une frontière invisible, et depuis, son nom était automatiquement inclus aux listes des invités. Elle avait pénétré un nouveau cercle interne, plus restreint, plus élitiste. Cocktails avant les premières et dîners après. Francine m'a montré sa nouvelle pochette de soirée. Elle était tissée de perles blanches et rondes qui brillaient comme autant d'yeux énucléés ou les carapaces dures d'insectes blancs. Elle s'est remis du parfum dans le cou. Je ne pouvais supporter son optimisme désespéré, sa certitude d'avoir réussi l'ascension parfaite.

Los Angeles est un monde blanc, constitué d'autres cercles blancs toujours plus restreints qui conduisent à un ultime centre blanc encore plus parfait. Los Angeles est l'endroit où les anges aux dents blanchies et aux robes de tennis blanches se rapprochent progressivement de la quintessence, l'ambroisie, la fontaine de jouvence.

Francine a fait virevolter sa robe dans un bruissement couleur pêche. À sa façon, elle me disait, regarde-moi, je ne suis pas vraiment orpheline. Regarde le paquet que l'on vient de déposer, l'énorme paquet avec le gros ruban rouge, tu le vois ? C'est pour moi. Mon nom est gravé sur la liste des invitations. Je ne suis pas seule.

« Il ne mérite même pas les asticots », a lancé Francine au miroir. Elle parlait de Gerald. « Tu pourrais sûrement le poursuivre, mais à quoi bon ? Il ne vaut rien, j'ai pas raison ? Mon Dieu, quel fardeau. Il ne vaut rien. » a-t-elle ajouté.

Mon père ne se rendait pas à la première. Il allait regarder un match de boxe à la télé. Mes parents ne sortaient jamais ensemble. Un jour, ils s'étaient querellés violemment, avaient défoncé des portes et cassé des fenêtres. En deux occasions, les voisins avaient appelé la police. Plus personne ne nous adressait la parole dans le quartier. On disait que nos cris faisaient aboyer les chiens.

À présent, un calme étrange s'était installé entre eux. Ils ne s'adressaient la parole qu'en de rares occasions. Un sentiment terrible de non-retour, de fin au goût amer, bien au-delà de toute possibilité de réunion ou de recommencement.

« Nous n'avons rien en commun », avait expliqué mon père. J'étais debout derrière lui, tout près de son épaule, il ramassait les avocats. « Elle n'a aucun sens des valeurs. Ses priorités sont creuses. » Mon père a observé un avocat. Il l'a reposé avec précaution dans un panier rond en osier. « Elle m'a sacrément déçu. »

« J'appellerai notre avocat pour toi », a dit Francine. Elle se dirigeait vers sa voiture. Elle parlait encore de Gerald. « On va l'avoir, ce salaud. Pour l'instant, il n'a peut-être pas un sou, mais le jour où il sera solvable, on s'arrangera pour le savoir. »

J'ai regardé Francine monter dans sa voiture. J'ai regardé ma mère disparaître au bas de la rue. Je n'ai plus jamais essayé d'avoir une conversation sérieuse avec elle.

3

« Va voir ton père », a lancé Francine au miroir, en se passant du rouge sur les lèvres et du noir sur les yeux. « C'est une nuit difficile. La veille de l'hospitalisation. Je l'emmène demain. »

« Ah bon ? »

« Bien sûr. » Sa voix tranchante était pleine de reproches. Elle m'a regardée. « Tu penses vraiment que je vais laisser mourir l'ancêtre tout seul ? Après tout ce qu'il a fait pour moi ? » Ma mère a secoué la tête. « Il m'a sauvée de la rue. Des bars à putes et des macs. De la faim. Dans la dernière famille où les services sociaux m'avaient placée, il y avait trois beaux-fils. Ça, c'est de la famille. Deux mois de viols collectifs ininterrompus. »

Ma mère avait l'air pâle et fatigué. Elle avait les traits tirés et tendus. Sa peau paraissait trop fine. La star envisagée pour sa nouvelle série venait de se casser les deux jambes dans un accident de voiture. Elle risquait de ne jamais remarcher. Sa secrétaire particulière venait de s'enfuir sans aucun préavis. Les messages s'empilaient sur son bureau. New-York. La presse. San Francisco. Londres. Boston. Chicago. Elle a tapoté la pile de papiers.

« Les attaches, ma petite, tu ne sais pas ce que c'est toi », a déclaré Francine. « J'ai aimé cet homme pendant trente ans. Il a été tout à la fois un père et un amant pour moi, un mari et un ami. » Francine m'étudiait comme si j'étais bizarrement proportionnée, comme si j'avais une cicatrice ou une tache de naissance qu'elle n'aurait jamais remarquée.

« Tu as une mine terrible. Va te débarbouiller un peu avant d'aller le voir. »

Dans la salle de bains de ma mère, grâce au grand miroir arrondi spécialement importé et bordé de coquillages couleur corail de la taille d'un poing, j'ai improvisé. Je me suis assise sur le sol, dos contre la baignoire, j'ai noué la ceinture du peignoir de ma mère autour de mon bras et je me suis shootée. J'ai rangé la seringue. Je me suis levée et le nuage de morosité s'est déchiré. La pièce n'était plus qu'étincelles d'or rayonnantes, effervescence et vie. Elle foisonnait tout entière de minuscules ampoules orangées comme des cellules nerveuses. Chacune distincte des autres, chacune s'ouvrant et se fermant en vacillant. À l'intérieur de mon corps, le gémissement d'un milliard de cellules, oh, merci, merci. J'ai brossé mes longs cheveux. Ouvert le robinet d'eau froide et me suis tapoté les joues et le visage avec de l'eau.

« Tu as meilleure mine », m'a fait remarquer ma mère.

Le téléphone a sonné. Francine était appuyée sur un coude. Apparemment elle ne regardait rien de particulier, ni son visage dans la sphère du miroir, ni les murs ocre et crème, au loin. Elle tenait le combiné distraitement, laissant courir le bout de ses doigts au travers d'une pile de papiers. Elle avait l'air épuisé. Une partie de moi aurait voulu hurler, Francine, Mère, abandonnée, victorieuse, collage de bavardages, de voyages, de bruissements de soie et de sifflements, serpent sous la pierre, absoute, aspic sacré, je t'en prie, lève le pied, lève le pied.

« Ouais, j'ai lu le scénario. » Silence. « Avec toi, tout le monde est corrompu. Tu ne pourrais pas nous trouver quelque chose de sympa et de mignon pour une fois ? » Silence. « Comment tu veux que je le sache, nom de Dieu ? Essaie les Huntington Gardens ? La naissance d'un phoque au Marineland ? Les putains de voiliers ? », a dit ma mère au moment où je refermais la porte d'entrée derrière moi.

J'ai roulé jusqu'à la maison de mon père, la maison dans laquelle nous avons autrefois vécu ensemble, comme une vraie famille. Autrefois, cette maison était mon ancre, immuable. Autrefois, mon univers était clairement délimité par les boulevards Pico, Olympic et Santa Monica. Je connaissais les saisons spéciales de West Los Angeles, des saisons de blanche chaleur ou de rouge cinglant pendant les fêtes de Noël, les lumières suspendues sur les poteaux, les scintillements dans les palmiers et les vitrines décorées de givre. Les crépuscules froids me transperçaient le dos quand je rentrais à la maison en descendant du bus qui me ramenait de l'école, au-dessus de moi, le soleil déformé se dissolvait et crachait un sang orange écoeurant sur les trottoirs, les poinsettias et les chats repus exilés dans les petites rues aux buissons taillés.

Lentement, j'ai gravi la petite butte, monticule qui s'échappe de la bordure du trottoir et qui est recouvert par le lierre dégarni planté par mon père. J'ai jeté un œil aux bords arrondis des tuiles orange sur le toit bas et voûté du garage. Il était couvert de vieux journaux étranglés par leurs élastiques rouges. Des gamins du quartier sur leurs bicyclettes les jetaient en passant et se gardaient bien d'arrêter leur petit manège. Méfiez-vous d'eux nous prévenaient les voisins, de leurs cris au milieu de la nuit, du bruit des freins de leurs vélos. Ils ne sont pas comme nous. Méfiez-vous.

J'ai suivi le passage étroit cimenté et pentu entre la maison et le lierre jusqu'à la porte coulissante de derrière. Il y avait eu de longues années difficiles, mon père drapé dans le silence, assis seul, pris dans un étrange processus de fermentation. Les années où il semblait aspirer tout l'air autour de lui pour donner naissance à des vides, des jurons ; les querelles entre ma mère et mon père, les veines palpitantes sur le cou de mon père, son poing serré brisant une vitre.

Les mauvaises années, à attendre que ma mère rentre du travail, le bruit de ses talons hauts sur le ciment brûlé par le soleil, dossiers sous le bras, ses missions free-lance. Après avoir ouvert les baies vitrées, elle s'effondrait sur la chaise la plus proche, épuisée, se versait un whisky et mangeait ses œufs brouillés, seule. Mon père regardait le baseball ou le hockey à la télé. Ma mère se faisait couler un bain chaud. La boxe remplaçait le basket. Et Francine tirait les couvertures sur ses épaules osseuses.

J'étais réveillée par des bruits de casse et des cris perçants, ma mère qui hurlait et faisait sa valise au milieu de la nuit. Sous la lumière, elle n'était plus qu'une silhouette pâle, en larmes, recroquevillée sur l'herbe humide et rase devant la maison. Une voiture isolée passait près de sa tête. Mon père allait jusqu'au trottoir et la ramenait.

J'ai regardé la maison. Elle paraissait inoffensive dans le crépuscule. La honte avait été recouverte d'une toute nouvelle peinture couleur pastel. La haine avait été recouverte d'une toute nouvelle peinture couleur pastel. Mon père venait s'asseoir dans son patio entouré d'une barrière, improbable et silencieux comme les bananiers d'ornement le long de la haie du jardin de derrière.

C'est ma mère qui avait trouvé cette maison. Elle avait réussi à réunir la somme nécessaire à l'acompte et leur avait promis tout ce qu'ils voulaient, tout, après les orphelinats, le froid recroquevillé et les briques rouges des taudis en hiver. Après les hôpitaux, cette maison, ma mère et mon père, ensemble. Mon père, enfin maître chez lui, avec barbecue fixe, tuyau d'arrosage et feuilles à ratisser. Propriétaire d'une terre de la deuxième chance.

J'ai traversé le jardin de derrière. Distraitement, comme si je faisais un inventaire, remarquant au passage la fermeté des jeunes branches sur les pêchers. Des lys poussaient près du portillon. L'abricotier avait été taillé. Ses branches semblaient nues et dégarnies, comme amputées.

J'ai frappé contre la baie vitrée coulissante à l'arrière de la maison. À travers la vitre, je pouvais voir l'intérieur. Lorsque Francine s'était installée à Beverly Hills, mon père avait redécoré toute la maison. Il avait ressorti tous ses trophées sportifs remisés depuis longtemps dans des cartons et les avait exposés. Francine avait toujours tenu à ce que les murs restent blancs. Mon père avait repeint. Il s'était contenté d'une nouvelle couche. Les murs disparaissaient sous des fanions rouge et vert, entourés de vieux tickets des World Series, des matches du Super Bowl, des play-offs de basket, de pronostics de journaux de courses et de photographies de magazines.

La pièce qui m'avait autrefois servi de chambre s'était transformée en bureau des paris. Les murs étaient entièrement recouverts de posters de ses chevaux préférés – Swaps, Omaha, Native Diver, Round Table et Secretariat. Mon père avait même acheté un bureau. Il s'asseyait là, la nuit, étudiant les pronostics du lendemain. Il pouvait encore sentir ma présence dans cette pièce, je lui avais toujours porté chance. Et il est vrai que lorsque mon père et moi allions aux courses ensemble, à Santa Anita, Hollywood Part ou Del Mar, on gagnait souvent.

« J'aurais pu écrire une thèse avec tout le temps que j'ai passé à étudier cette merde », avait un jour observé mon père, tirant sur son cigare et levant les yeux de ses pronostics.

« Quelle vie », lui reprochait volontiers Francine. « Tu as appris à cette gosse à lire des pronostics plutôt que des contes de fées. »

Alors que je sais effectivement lire un pronostic, analyser les performances passées d'un cheval, son entraînement, les écuries avec lesquelles il a couru, le type de piste, le jockey, la condition physique et la race du cheval, c'est à ma seule intuition que je me référais lorsqu'il s'agissait de miser. Je cherchais les chevaux qui portaient les mêmes initiales que les miennes ou des noms qui semblaient avoir un lien avec ma vie. Je n'en ai jamais parlé à mon père parce qu'après le solide entraînement qu'il m'avait donné, je l'aurais déçu. Le point fort de mon père, c'est les chevaux de moyenne catégorie. C'est un pro des cotes à six ou huit contre un. Moi, je préfère les cotes plus élevées, vingt ou vingt-cinq contre un. Mon père ne comprend pas comment je me débrouille et il a peur de me poser la question.

Un jour à Del Mar, l'été de la séparation de mes parents, j'ai gagné un couplé gagnant de trois mille dollars en misant sur Heartbreak et Mom's New Place.

J'ai ouvert la baie vitrée. Mon père était étendu sur le sol de la cuisine. J'ai d'abord cru qu'il était mort. Il m'a entendu et s'est soulevé lentement sur un coude. Les veines de son cou palpitaient. Il était à bout de souffle. Comme en plein délire.

« Je vais mourir, je le sais », a dit mon père. On aurait dit qu'il se noyait. Il avait pleuré. Ses yeux étaient jaunes comme ceux d'un chat apeuré. Ses yeux, emplis de larmes, s'agitaient comme une rivière avant une crue.

« Je suis en train de mourir. Je le sens. » Il serrait les poings. On aurait dit un oiseau aux ailes brisées battant les berges nues, inutiles et lourdes d'une journée.

« Tiens bon, papa », ai-je dit. « Les mises sont favorables. Les pronostics n'ont jamais été aussi optimistes. En plus, tu es en terrain connu. Pas vrai ? »

Soudain, il a paru très petit et très vieux, voûté, ratatiné. Je me suis dit, tu ne peux pas mourir. Et j'ai senti une douleur, quelque chose en moi se briser. Si tu meurs, on me verra comme une femme, plus comme une petite fille. Et je ne suis pas encore prête, papa. Je ne suis pas prête du tout.

« Je suis maudit », a dit mon père.

J'ai acquiescé. Les joueurs sont superstitieux, c'est bien connu. Ils voient des signes partout. Mon père lui-même, qui est pourtant un joueur rationnel et dénigre ceux qui se contentent de miser en fonction d'un nom, d'un numéro ou d'une couleur, refuse de se séparer de ses chemises fétiches. Lorsqu'il est en veine, il s'assied toujours au même endroit dans l'hippodrome et prend toujours ses paris au même guichet.

« J'aurais dû m'en douter. J'en avais quatre au meeting de Santa Anita. Et un à 27 contre 1 la semaine dernière. Et deux à 16 contre 1. J'aurais dû m'en douter. »

Nous étions assis sur le sofa dans le salon. Mon père buvait du bourbon. Il avait presque descendu une demi-bouteille.

La première fois que mon père a eu le cancer, j'avais six ans. En une nuit, le monde s'est transformé. Un jour, mon père s'est tout simplement arrêté d'aller au travail. Sa grosse boîte à outils en cuir brun gisait, inutile, dans le couloir étroit. Elle gisait, jour après jour, comme une plaie brune. Mon père a cessé de prendre ses repas avec nous. Il restait couché. Il chuchotait avec ma mère.

C'était l'année où j'apprenais les couleurs à l'école. Le lundi, c'était le rouge. On dessinait des pommes et on les coloriait. Mère n'avait pas de temps à perdre avec mes pommes.

« Des pommes ? » Ma mère avait éclaté de rire. Un rire étrange et strident qui ne lui ressemblait pas. « Tu veux du rouge. Rouge comme le sang. Tu vas en avoir du rouge. » Est-ce qu'elle avait vraiment dit ça ?

Le vendredi, c'était le noir et le blanc. Le garçon qui habitait en face de chez nous était en compétition avec moi pour la première place. Ce jour-là, on lançait des pierres près de la gare. Il s'est penché vers moi et a murmuré : « Ton père est en train de mourir. »

Mon père avait cessé de conduire. Il prenait la place de Maman, la tête contre la vitre, lorsqu'elle l'emmenait chaque après-midi. Il avait un traitement au cobalt à l'hôpital. Il était seulement le deuxième patient de Philadelphie à se faire exploser la gorge par un pistolet à cobalt. Et le cobalt, c'est quoi au juste ? C'est une sorte de bleu, une sorte de bleu que l'on vous injecte à l'intérieur du corps. Un bleu qui poussait mon père à jeter son assiette brûlante sur le sol et à dire d'une voix rauque, « Tout ce que je mange a un goût de merde. »

J'ai regardé mon père remplir son verre de bourbon. Après ce qui m'a semblé une éternité, j'ai dit : « Papa, il va falloir que tu m'éclaires sur tout ça. » Je prenais conscience, une conscience douloureuse, que mon père et moi parlions peut-être pour la dernière fois.

« La vie, c'est une loterie », a dit mon père. « Tout n'est que hasard. Prends ce qui vient et fais avec. Il n'y a aucune garantie. Tout se joue au finish. Tu connais la différence entre un bon et un mauvais cheval ? Quelques centimètres. C'est à un poil près. »

Est-ce que j'avais droit à sa version zen de la vie ? J'ai commencé à repenser à toutes ces années entre les deux cancers, les années qu'il avait passées à se contenter de sa vie de solitaire un peu particulière. Debout entre chien et loup, il arrosait son jardin, en communion intime avec les pêchers en fleurs et le crépuscule. Il observait chaque coucher de soleil de façon singulière et attentive. Pendant vingt ans, il avait vécu dans l'attente du retour des cellules tueuses. Le guet-apens permanent.

« À quoi tu penses ? » demandais-je à mon père, alors qu'il était debout avec son tuyau d'arrosage pointé sur les racines des abricotiers. Francine était à une première. Francine était en déplacement pour affaires ou à une réunion budgétaire.

« Les emmerdes, ça revient toujours. À un moment ou à un autre. » C'est ce que mon père disait parfois.

Mon père m'a regardée. Son visage semblait s'affaisser lentement. Puis il a jeté un coup d'œil à sa montre. Il a allumé la télévision. Les UCLA Bruins jouaient les Washington Huskies. Chiens contre ours. Godzilla contre Mothra. Mon dieu, c'était le monde à l'envers.

« Il faut que je te dise quelque chose sur ta mère », a dit mon père pendant la pub. De jeunes hommes se douchaient dans l'extase d'une mâle camaraderie, conduisaient une jeep à travers un désert et enlaçaient un bar sur lequel s'empilaient des canettes de bière. « Ça ne tourne jamais qu'une seule fois », disait l'annonceur. Si c'était une référence cosmique, j'avais dû rater un épisode.

« Je la pratique depuis longtemps, Francine », a dit mon père. « Je savais que cette histoire se terminerait un jour. J'avais trente-cinq ans. C'était une gamine de la rue, à peine seize ans. Complètement barrée. Elle parlait de poésie. Des communistes. Se promenait en collants noirs, une sorte de beatnik. Elle traînait dans le Village. Je savais que pour elle, les dés étaient pipés dès le départ. La peau sur les os. Elle souffrait de malnutrition. Six mois avant, elle faisait encore des passes. Mais je ne lui en veux pas, je veux que ce soit clair pour toi. » Mon père m'a regardée avec insistance.

« On était des joueurs », a-t-il poursuivi. « Quand je suis tombé malade, ça a changé la donne. Ta mère à un truc avec les pères. Une sorte de complexe d'abandon. Les services sociaux l'envoyaient consulter un psychiatre sur Park Avenue à l'époque de notre rencontre. » Mon père a allumé un cigare. Il l'a fumé lentement, en savourant chaque bouffée.

« Elle avait du talent. Je l'ai toujours su. Alors, elle s'est jetée à l'eau. Elle a pris une carte au hasard, et elle a tiré le gros lot. Mais quand même, pour une gagnante de sa catégorie, je la trouve pitoyable. »

Mon père a tiré sur son cigare. « Dis-lui ça pour moi, aussi. Si je ne sors pas du bloc demain, dis-lui. T'as compris ? »

Mon père avait arrêté de se servir du bourbon. Il le buvait directement à la bouteille. « Regarde ça », a dit mon père tout doucement, une note de respect dans la voix. « D'abord Goodrich, et puis Alcindor, Walton[1], et maintenant ça. » Mon père a tiré une autre bouffée. « C'est une dynastie. C'est de la poésie. »

« Papa », ai-je commencé, cherchant à atteindre quelque chose.

Je me suis souvenue de la dernière nuit à Philadelphie avant l'opération du premier cancer. Mon père m'avait emmenée voir *Les Dix Commandements.* Il se levait toutes les dix minutes pour aller aux toilettes. Quand il revenait, il prenait ma main dans la pénombre de la salle de cinéma. Des années plus tard, je me suis rendu compte qu'il allait en réalité cracher du sang dans le hall d'entrée. Le cancer avait réussi à faire pénétrer son implacable structure tissulaire anarchique, remous de billes noires, cellules sauvages, au sein d'une végétation étrange et étouffante. Des racines et des griffes s'étaient plantées profondément dans sa gorge. Des fragments avaient poussé à l'intérieur de ses joues et sur sa langue.

« Écoute, petite. Faudra pas compter sur moi pour les play-offs. »

Je suis restée avec mon père jusqu'à ce qu'il s'endorme sur le canapé. J'ai posé une couverture sur son corps. J'ai touché sa main dans l'obscurité. Elle était déjà maigre, osseuse. La nuit était insoutenable. L'univers tout entier avait commencé à tourner tel un arc vif argenté, et je me retrouvais propulsée dans un tourbillon sans fin, complètement aveuglée.

---

[1] Joueurs de l'équipe de basket mythique des UCLA Bruins qui a remporté le championnat universitaire américain de 1968 à 1973.

4

J'ai roulé vers l'ouest et vers le sud en prenant des petites rues, sans même faire attention à la route, passant panneaux stop et feux rouges, jusqu'à la bordure ouest et sinistrée de Los Angeles qui porte le nom de Venice, l'endroit où j'habite. Ici, la ville tentaculaire semble endiguer son flot de ciment, sa faim d'engloutir la terre entière sous des tonnes de béton déversées par des camions. Ici, dans le creux d'un océan au regard bleu aveugle, Los Angeles voit sa course stoppée net par les falaises liquides de la mer. Ici s'arrête la piste. Après Death Valley et Donner Pass, il ne reste que cette ultime oasis de précarité.

Il faut traîner par ici, à quelques centimètres de la mer. C'est une terre d'étranges mutations intimes. On y ressent une attraction, une force inexplicable, une sorte de loi de la pesanteur non répertoriée. Les orteils changent, se métamorphosent en griffes acérées invisibles qui se plantent et luttent contre l'attraction de la pente vers le bleu pâle des vagues indifférentes.

Autrefois, Venice était la station estivale des premiers nantis de Los Angeles, des banquiers et promoteurs de St Louis ou Chicago, avançant à travers le continent, armés de la promesse d'une expansion inéluctable et sans fin d'un destin de l'âme. Ils avaient construit des maisons en lattes dans une poche de terre face au Pacifique, qu'ils avaient tissée d'un réseau de canaux. Sans doute est-ce à cette époque que ces canaux ont été emplis d'eau de mer, les boulevards n'existaient pas encore et l'on pouvait simplement rentrer chez soi à la nage. Sans doute restait-il alors encore des familles et des foyers vers lesquels retourner.

Aujourd'hui, les maisons originelles des canaux de Venice s'affaissent, les peintures s'écaillent, les rouges se sont fanés de rouille, les jaunes et les bleus se sont décolorés, une non-couleur qui ne parvient même pas à évoquer le pastel. Sentiment d'abandon. Des voitures délaissées gisent sans vie au milieu des mauvaises herbes, pillées, dépossédées de leur principe vital. Une coque de canoë et une coque de hors-bord, éventrées, s'étirent comme des amants dans un terrain vague où se rencontrent deux canaux. Des chaises rembourrées et cassées pourrissent au soleil. Ici et là, entre les maisons, de vieux écrans aux fils entremêlés gisent en tas.

Travail de la ruine. Pendant des années, la poussière a fait ce que bon lui semblait, déposant ce que le vent portait, ce qu'une main poussait. Ici, sur cette terre d'étés permanents, tout enfle, devient énorme, semble se moquer des proportions. Les premières roses poussent devant les maisons sur Caroll Canal. Le chèvrefeuille se répand sur les clôtures métalliques. Les citronniers sont en fleurs, jaune vif. Des murs rouges d'hibiscus cachent les fenêtres. Les tournesols dépassent mes épaules, leurs tiges aussi larges que de jeunes arbres. Bientôt, asséchés et comblés, les canaux disparaîtront à leur tour pour accueillir des condominium. À l'heure qu'il est, les premiers résidents ont presque tous disparu. Jason et moi sommes parmi les derniers.

Jason habite sur Grand Canal depuis douze ans. Il est propriétaire de sa maison rouge à deux étages. Il est aussi propriétaire de la maison dans laquelle je vis sur Eastern Canal, à quatre blocs d'ici – quatre canaux nous séparent.

Jason est devenu propriétaire à la suite d'une vision. Au début des années soixante, il vivait dans les rues de Venice, menant sa vie comme il était alors facile de le faire, dormant sur la plage et se nourrissant de pêches et d'oranges cueillies sur les arbres. Un rien le nourrissait. Il était accro aux amphétamines, un personnage connu sur la promenade, petit homme trop maigre, à l'énergie nerveuse, bavard et curieux, traînant sur la plage avec un carnet à croquis, dessinant les visages et les façades décorées des vieilles maisons. Une nuit d'été, sous LSD et avec la mer en toile de fond, Jason avait écouté un homme déverser sa vision enthousiaste d'une société nouvelle. De grands changements s'annonçaient, une immense ruée de gens, des bouleversements sociaux, une révolution.

Jason avait été impressionné par l'étranger. Les plages accueillaient déjà de nouveaux corps, des hommes et des femmes aux cheveux longs avec des sacs de couchage dans leurs sacs à dos et un air d'odyssée dessiné en travers du visage. Jason ignorait pourquoi ces personnes venaient en Californie. Ils auraient tout aussi bien pu venir chercher de l'or, quelle importance pour lui. L'important, c'est qu'ils venaient. Et, l'esprit fébrile, les yeux grands ouverts, il s'était soudain rendu compte que tous ces gens auraient besoin d'un toit au-dessus de leur tête. Le matin suivant, Jason se lançait dans sa quête immobilière.

Il avait emprunté de l'argent. S'était lancé dans les affaires. En 1969, Jason possédait une douzaine de maisons et cinq immeubles dans les rues les plus proches de la mer.

Ma maison s'appelle Le Gynécée. Pendant douze ans, toutes les conquêtes de Jason l'ont habitée.

Ma maison est en retrait de Eastern Canal, derrière des haies de laurier rose et blanc de six mètres de haut. Depuis le pauvre trottoir défoncé, les passants ne peuvent apercevoir qu'une bande étroite du second étage. À côté de ma maison, deux pêchers et un citronnier dorment près des fenêtres. Des bougainvilliers pendent lourdement en travers du porche avec son plancher en bois et sa vieille chaise en rotin sur laquelle je m'assieds souvent pour regarder les canaux, regarder les algues vert citron près du pont, les canards noirs et blancs, les canards aux taches brunes et aux becs jaunes qui s'ouvrent un chemin dans le reflet des palmiers.

Si j'étudie les canaux, c'est parce qu'ils ont un cycle de vie qui leur est propre. Le matin, très tôt, lorsque le soleil est encore pâle et timide, encore enveloppé de brume nocturne, les canaux prennent la couleur des miroirs, argent délicat. Lorsque le soleil s'ancre au zénith pour la longue et jaune mi-journée, les canaux s'épaississent. C'est le jaune d'une bouche aux dents en pointe tâchées et aiguisées, des dents jaunies d'avoir broyé l'innommable, des os peut-être. L'eau revêt alors une pellicule un peu graisseuse, comme en surimpression, qui ne ressemble en rien à de l'eau.

En fin d'après-midi, lorsque le soleil se lasse par indifférence parce qu'un sentiment de perte le prépare à se rendre, l'eau est alors clairement liquide, mais comme grêlée d'ombres. C'est la saison du couchant. Soudain, le soleil se rassemble pour mener la dernière bataille. Il forme un disque rouge parfait et se suspend en plein milieu de l'océan, œil évidé, ballon de plage lancé dans le lent mouvement ondulatoire de bouches de poissons affamés qui dardent des nageoires aussi fines que le crêpe.

Au coucher du soleil, les canaux, imitant le ciel, se strient de rouges et d'orange fiers, épais, couleur de lave. Les canaux prennent alors une nouvelle texture, comme du métal en fusion. Je suis complètement immobile dans mon jardin et je regarde le soleil se coucher sur toute la surface de l'eau. Pas un instant, je n'ai besoin de regarder le ciel. Je sens le soleil inspirer son dernier souffle, prêt à sombrer. Je connais ce soleil. Il est assis au-dessus de moi, moine paré de rouge, suicidé dans l'attente sereine d'être immolé.

Imperceptible, la nuit se lève. L'obscurité tombe lentement, abondance d'ombres fusantes. C'est l'heure où les ombres se nourrissent derrière les ponts de bois. Les plantes se mettent à onduler, dodeliner en une sorte d'accord parfait. Elles frôlent leurs feuilles en lamelles à la manière de langues qui s'effleurent. On dirait qu'elles complotent.

Un jour, on découvrira le lieu secret où s'endort le soleil. Les vignes étendront leurs sarments vers l'intriqué d'une étreinte. Le soleil sera capturé, maintenu au sol. Plus tard, une nouvelle montagne s'élèvera. Et seuls les arbres et les plantes, bruissant silencieusement et hochant leurs têtes mongoloïdes ombrageuses, seront capables de voir dans l'obscurité éternelle à venir.

Et puis, il y a la nuit, dernière saison des canaux. La nuit est dentelée de sels de mer. L'air devient piquant. La nuit est une saison terrible, même lorsqu'elle est enveloppée d'un brouillard grisâtre épais et lumineux comme le souffle des condamnés à mort.

La nuit est une sorte de métal. Rien ne bouge, pas même les ombres. Les canards se sont tus. Impossible de voir les bouteilles qui flottent sur l'eau, les morceaux de vieux pneus, les tas gris de vieux journaux et les sacs en plastique qui demeurent à la surface de l'eau pendant des jours comme des espèces de fleurs mutantes. Les chiens se mettent à aboyer. Il est temps d'attendre Jason.

Parfois, Jason traverse le pont de Grand Canal, puis les ponts au-dessus de Carroll Canal, de Linnie Canal et de Howland Canal, et finalement, le pont près de ma maison sur Eastern Canal. Parfois, je regarde Jason zigzaguer dans ma direction, il donne des coups de pieds à des cannettes de bière sur les trottoirs érodés et les envoie rejoindre l'eau sombre. Parfois, Jason vient me voir dans son bateau à rames jaune. Je l'entends fredonner alors qu'il attache le bateau au poteau en bois qu'il a planté au bord du canal en face de ma maison, le pilier qu'il s'obstine à appeler ponton. Parfois, je me faufile à travers les ponts jusqu'à la maison de Jason. Et parfois, nous ne nous voyons pas du tout.

Il se peut que je me réveille avec Jason, chez moi ou chez lui. Que je me réveille seule ou avec un autre homme. Les hommes sont interchangeables et ne signifient rien. À Los Angeles, personne n'est ce qu'il prétend être. Tout le monde prétend être quelqu'un ou quelque chose d'autre, dévoré d'ambition, en transition, sur le chemin d'une vision universelle. Et ils glissent dans ma vie comme glisse l'eau, sans laisser la moindre impression.

Lorsque je m'éveille, c'est la première ou la deuxième saison des canaux, argent pâle aux reflets sans substance de l'aube ou jaune profond de la mi-journée.

Mon boulot consiste à m'occuper des comptes de Jason et à collecter les loyers de ses différentes propriétés. Jason est trop pur pour accomplir lui-même une telle tâche. Il doit se libérer de l'ennui de la réalité quotidienne, appeler le plombier ou l'électricien, aligner des colonnes de chiffres ou prendre des décisions triviales. Jason est bien trop occupé à créer, fabriquer ses nouveaux châssis, coudre et clouer ses cadres, esquisser ses œuvres futures, planifier les séances de pose de ses modèles et s'asseoir seul dans des pièces obscures, plongé dans des pensées de femmes à chair de pêche rose et jaune.

Jason a également peur de collecter lui-même ses loyers. Les retraités avec leurs cannes et leurs fenêtres zébrées de traînées grisâtres, leurs cataractes et leurs toux le terrifient. Les hippies le traitent de porc capitaliste. Les bikers menacent de le cogner ou de mettre le feu à sa maison s'il continue à les ennuyer.

Bizarrement, personne ne me menace. Je surgis d'une berge embrumée, vague de gris, bout de plage qui s'élève peu à peu jusqu'à leurs portes, périphérique. Le temps d'un flux et d'un reflux et, telle une ombre, j'ai déjà disparu.

Je me suis allongée dans ma chambre, la chambre du Gynécée, et j'attends Jason. L'éblouissant, le virevoltant, l'étincelant Jason. Jason et ses yeux comme de sombres tunnels, torpilles sombres qui traversent les pièces à toute allure. Jason, qui transforme sa voix en mer de petites vagues protectrices. Jason, et ses mots comme des promesses, durs comme des colonnes vertébrales. Jason, et ses mots, claquements rouges et déments. Jason, mon sorcier.

J'avais assez de cocaïne pour un dernier shoot. Pourquoi s'en priver ?

5

Jason et moi vivons à exactement cent vingt pas l'un de l'autre : j'ai compté. Mais la distance est toujours une illusion, elle est relative. Jason et moi vivons séparés par un gouffre innommable, un trou noir que d'innombrables rangées de pointes en acier inoxydable pourraient venir combler.

Quand je pense à ma vie avec Jason, je la considère en termes de périodes, blocs de temporalités disjoints marqués de caractéristiques uniques. J'observe ma vie à la manière d'une géologue. Mais malgré tout, la poussière réussit toujours à s'installer, fine couche de vase et de sédiments de plus en plus grise, de plus en plus obscure. Manque de clarté. Se souvenir devient difficile.

« Jamais je ne me marierai », disait Jason.

C'était au début, la première période, lorsque je vivais dans le duplex de Westwood dans lequel Francine m'avait installée, les ailes coupées, désespérée. Qu'est-ce qu'elle allait bien pouvoir faire de moi ? Non seulement n'étais-je pas en pleine ascension, mais je paraissais prête à pencher dans cette autre direction, celle de la mise en terre. Je venais de divorcer de Gerald. J'étais retournée à Los Angeles la plate, sans but et sans raison. C'était sous le règne de Richard Nixon. Je cirais mon nouveau plancher. La guerre continuait. Je regardais par les fenêtres, fixant le sommet des palmiers qui se balançaient comme des serpentins graisseux. J'attendais encore qu'il se passe quelque chose.

« J'ai besoin d'être libre », m'avait informée Jason.

C'était vers la fin de ma vie à Westwood. Période de transition. Il débarquait dans mon appartement sans prévenir. Parfois, il ouvrait simplement mon frigo, se faisait un sandwich et disparaissait une nouvelle fois pendant des jours. Parfois, il restait une semaine. J'errais dans mon appartement comme si j'étais une invitée, nouvelle locataire attendant sa clé dans le hall d'entrée.

« Vivre avec moi, c'est marcher sur des œufs en permanence. Je fais cet effet à tout le monde. Un vrai champ de mines. Aide-moi », avait imploré Jason.

J'ai ouvert mes bras et je l'ai bercé en gazouillant tendrement. Jason était comme un cheval rétif. La première fois que j'ai dû le regarder droit dans les yeux pour lui dire non, j'ai eu peur qu'il se cabre. J'ai appris à marcher à pas légers et silencieux. Mes lèvres se sont closes.

Je voulais bâtir mon nid avec lui, le câliner, et me réfugier en me lovant au centre sombre et chaud de sa vie. Quand il n'était pas là, j'étais comme une somnambule. Je pressais contre mon visage la chemise qu'il avait eu la bonne idée d'oublier et m'emplissais les poumons de son odeur, de sa lotion après-rasage et de sa transpiration, de la lumière du soleil et de l'indéfinissable, le gloussement des canards, les couchers de soleil ou le chèvrefeuille recouvrant une haute clôture. Je berçais sa chemise comme un enfant contre ma poitrine. À cette époque, en cette ère distante et vide, la vaisselle de son petit déjeuner était pour moi une tache sacrée, un rituel profond de purification. Je voulais faire fusionner nos vies.

« Me bouffer, tu veux dire », m'accusait souvent Jason. « Tu voudrais m'empailler et m'accrocher au mur. »

Peut-être a-t-il raison. Je sais que je le désirais, frétillais et trépignais à sa pensée, je ne pouvais respirer sans lui. Quand Jason me parlait, je voyais des cerises en été, le lent balancement d'un hamac, des mint-juleps, c'est toi le maître, prends du curry et du pain frais et aime-moi, aime-moi.

Si mes mots te font offense aujourd'hui ou demain, alors oublie-les. Tu connais les femmes. Je n'étais pas bien. Est-ce que mon corps donne du plaisir ? Je le changerai pour toi. Perdrai ou prendrai du poids. Regarde, ma peau brunira et se raffermira selon ton bon vouloir. Je suis à toi, à toi. Je ferai tout pour toi. J'inventerai des souvenirs, cellule après cellule. J'inventerai un nouveau passé, avec encore plus de rires et de tintements de cloches, de soleil et de voiles. Regarde-moi rêver de tiroirs débordant de paires de chaussettes toujours assorties. Je serai Schéhérazade à cinq heures du matin. Je t'appartiens, je t'appartiens.

« Tu es une romantique, et moi un sensuel », expliquait Jason. « C'est bien ça le problème. »

Jason était passé me voir. J'avais attendu toute la soirée, assise sur une chaise face à la porte d'entrée, nue, à l'exception d'un boa en plumes autour du cou, de boucles d'oreilles et de bracelets tremblants, les mains autour du même verre au whisky depuis longtemps noyé, j'attendais, j'attendais. Nous avons fait l'amour près de la porte, debout. Nous avons fait l'amour sur le lit. J'étais la berge et lui l'océan, et je m'érodais. Mon intimité s'ouvrait, luisante et offerte, miracle, oh, dieu, dieu, mon dieu.

À la fin de notre première année, après la période de probation, j'ai emménagé dans ma maison sur Eastern Canal. La deuxième maison de Jason. Il l'appelait Le Gynécée. La maison où toutes les femmes de Jason avaient vécu durant ces douze dernières années.

Ce serait un peu comme vivre ensemble, avait expliqué Jason, mais en mieux. Plus de querelle domestique, plus de ces futilités inhérentes à une vie de couple ordinaire, toutes ces routines prévisibles et ennuyeuses et toute cette putain de grisaille bourgeoise. Nous resterions des êtres humains à part entière, chacun à notre façon, différente et séparée, conservant nos identités intactes, restant libres d'aller et venir comme bon nous semblerait.

Je vivais dans un climat perpétuel de terreur. Jason me regardait avec des yeux noirs de colère. On aurait dit quelqu'un qui se rendait compte peu à peu qu'on l'avait trompé sur la marchandise, que son droit de naissance, son putain de destin avaient été bafoués. Chaque fois que Jason quittait mon appartement, chaque fois que la porte se refermait, je pensais ne plus jamais le revoir.

Puis, j'avais emménagé dans Le Gynécée sur Eastern Canal. Du haut du pont devant ma maison, je pouvais apercevoir son toit rouge.

« Rien n'a changé, m'avait alors prévenu Jason, exception faite de la proximité. »

Il avait souri, fier de lui, comme s'il venait d'inventer un dicton. Nous avions éclaté de rire. Jason parce qu'il pensait être intelligent, moi parce que je me sentais supérieure. J'avais souri d'un air bête alors qu'intérieurement, je criais, me débattais, hurlais. J'étais enfermée dans un prétendu silence intérieur, une sorte de métal malléable à merci, mon armure personnelle. Je me suis fait un devoir de me rendre indispensable, de manière subtile, détournée. Il a commencé à avoir besoin de mon intensité, de ma passion. Être aimé l'excitait. Jason sentait l'énergie et le pouvoir qui en découlaient. Il se sentait plus fort. Amarré. J'étais là. Il pouvait dériver.

« Je suis avec toi presque chaque nuit », m'a dit Jason.

J'ai acquiescé, insatisfaite. Nous avions roulé vers le nord le long de Pacific Coast Highway. Nous étions assis sur des rochers ensoleillés au bord de l'océan sous un ciel privé de profondeur. Des voiliers glissaient lentement vers l'Orient. J'aurais voulu bondir et crier, prenons un bateau et allons manger du riz et du poisson cru et dormir sur des tatamis en nous tenant la main toute la nuit.

« Prenons ce bateau et disparaissons. »

« Je n'aime pas les bateaux », a répondu Jason.

Les cheveux de Jason paraissaient roux au soleil. Je voulais qu'il dise qu'il avait besoin de moi. Je voulais qu'il dise, raconte-moi tout, raconte-moi ton étrange enfance passée dans des rues bordées de bouleaux, des rues de feuilles mortes rouges, coagulées sur les larges pelouses de maisons en pierre grise. Raconte-moi ta luge. Je voulais qu'il me supplie. Et les flocons de neige, et le feu avec les bûches crépitant d'odeurs de pin et de nuages.

Je voulais que Jason me dise, nous le ferons renaître de ses cendres, mystérieux. Je voulais qu'il serre fort mon front enflé et scelle à jamais fêlures et ténèbres. Je voulais que Jason dise, secouons la grisaille comme si elle n'était qu'une coquille. Viens à moi, amour. Je t'apprendrai à hurler à la tombée de la nuit et à reconnaître la lune comme notre mère, à danser sur les vagues de marbre que le ciel sait offrir à certains.

« J'ai besoin de toi. »

« Je sais. » Jason s'est détourné. « C'est assommant. »

J'ai tendu le bras pour toucher son corps baigné de soleil. Il s'est levé.

« Il faut que j'aille peindre. » Déjà, il s'en allait.

Quand je pense à Jason, il est toujours en mouvement. Jason, faisant les cent pas, agité. Jason, le mystère, le bâtard, de père inconnu. Jason et son certificat de naissance indiquant qu'il était arrivé sur la planète le treizième jour du mois de mai à Los Angeles. Cette année-là, le treizième jour était un vendredi. Jason fait souvent référence à cette date et à l'aura de superstition et de malchance qu'elle évoque comme s'il reconnaissait la faute, la souillure. Elle vit en lui, sombre, effilée, preuve tangible.

Jason est un homme petit, cinq centimètres de moins que moi-même quand je suis pieds nus. C'est un homme enfermé dans un corps d'enfant, un corps qu'il a exercé et contraint à une force anormale dans une sorte de rituel de compensation sans fin, une rébellion, forme de résistance contre les caprices d'un destin bouffon. Les épaules de Jason sont aussi larges que celles d'un homme qui aurait une tête de plus que lui. J'ai vu Jason construire des cadres monumentaux et les porter au-dessus de sa tête dans son atelier, nain arrogant sous ses peintures, sans jamais perdre l'équilibre.

« Je suis un bâtard », commençait souvent Jason, séducteur, voix douce, visage ouvert, lumineux, souriant. C'était une de ses poses. Tout le monde à Los Angeles a un numéro bien rodé, une version courte de sa vie à ressortir lors d'un cocktail ou chez son agent. Jason en avait plusieurs.

« Non, je suis réellement un bâtard », disait-il, sournois, récitant l'histoire de ses origines inconnues, les possibilités enfermées en lui, le passé désavoué.

« J'ai toujours vécu ici, près de la mer. Je suis un gosse des plages, moi. Je suis né sur la crête des vagues. Je suis né avec du sel dans les yeux. Non, littéralement. J'ai été conçu ici même, sur cette plage. À six ans, je surfais déjà. J'ai toute cette mer en moi. C'est pour ça que mes yeux changent de couleur. J'ai des vagues à l'intérieur. L'océan coule à travers moi, mec. » Jason appelait tout le monde « mec », surtout les femmes. Et tôt ou tard, souvent assez vite, Jason faisait allusion à sa vie sexuelle.

« À treize, quatorze ans, on traînait sur la promenade. On laissait des types nous sucer sous la jetée pour 50 dollars. Une fois, j'l'ai même fait avec deux nanas en même temps. Il s'en passe des choses quand on peint sur la jetée ou sur la promenade. Ça te surprendrait. »

À un moment de son histoire, Jason plaçait toujours sa réplique qui tue. « J'ai tout fait. Mais la seule chose qui m'ait vraiment intéressé, c'est la peinture. »

Excellente réplique. Il la rodait sûrement depuis des années. La première fois, c'était quand il avait été major de sa promotion au lycée de Venice. « À un certain niveau, tout ça est très gratifiant », avait-il dit ce jour-là dans l'amphithéâtre de l'école à une mer de visages pâles en robes noires. « Mais moi, tout ce que je veux, c'est peindre. »

La peinture. C'était grâce à elle que Jason donnait de la profondeur à son image. Il était artiste. Tout lui était permis, excès, manies, sexe et dépendances. Il ne marchait pas au pas, lui. Et si la femme qu'il rencontrait lui paraissait suffisamment réceptive – d'ailleurs étonnante sa facilité à tomber sur les femmes qui l'étaient justement à son égard –, il lui demandait de poser pour lui.

« Que penses-tu que représente ma peinture ? » m'avait-il un jour demandé. « Juste un moyen original pour tirer un coup ? » Ça l'avait vexé.

Un jour, je l'ai emmené dîner chez Francine. Erreur monumentale. L'entrée en matière avait été catastrophique, et la suite pire encore.

« J'ai cru comprendre que vous étiez peintre ? » s'était lancée

Francine. Jason était le premier homme que j'emmenais dans sa maison, sa nouvelle maison, avec la salle à manger aux baies vitrées surplombant les lumières de la ville, explosions de rouge, d'ambre et de mauve.

« Ouaip.»

« Et qu'est-ce que vous peignez ? »

« Des toiles. »

« Quels sont vos thèmes ? Vos préoccupations artistiques ? » Et nous n'en étions qu'aux hors-d'œuvre.

« Les natures mortes. Planches de surf et radeaux, seins et culs. » Jason a enfourné un deuxième cracker.

Silence.

« Que penses-vous des impressionnistes ? Monet ? Degas ? Cézanne ? »

« Ils ont eu leurs périodes », a répondu Jason. Il ingurgitait le dernier des crackers au crabe.

« Que pensez-vous de leurs prises de position ? » a insisté Francine.

« Se lever chaque matin est une prise de position en soi. »

Silence.

« Et vous vendez ? » Les mains de Francine se sont mises à trembler.

« Vendre quoi ? »

« Vos toiles. »

« Oh », Jason s'est attaqué à sa salade. « Non. Pas souvent. »

« Qu'est-ce que vous vendez d'autre ? » Francine était de plus en plus pâle. Cette conversation ne ressemblait en rien à celles qu'elle avait eues avec Gerald.

« Qu'est-ce qui vous intéresse ? » Jason a gratifié Francine de son plus beau sourire. « J'ai vendu des tas de choses. Des surfs volés quand j'avais dix-onze ans. Des vélos. Et plus tard, des bécanes, des voitures, des apparts. J'ai vendu de l'herbe en commençant à un gramme par semaine pour finir à cent-cinquante kilos par semaine. J'ai vendu du cul. Héhé ! » Jason m'a regardée pour la première fois. « J't'ai jamais parlé des types que je connaissais et qui étaient dans la traite des blanches ? Ils kidnappaient des filles et les emmenaient de l'autre côté de la frontière. Ils avaient des camps dans les montagnes, des camps gardés par des mitraillettes. Des avions atterrissaient et emportaient les filles. Ils voulaient que je fasse un voyage avec eux. Mais à cette époque je vendais ma came au kilo. »

« Quels sont exactement vos projets avec ma fille ? » a demandé Francine. « Elle se fait un peu vieille pour tapiner. »

On avait fini la salade. Le rôti de bœuf arrivait.

« J'ai aucun projet pour votre fille », a répondu Jason. Il semblait vexé. Il a enfoncé sa fourchette dans une tranche de viande qu'il a ensuite posée dans son assiette.

Pour Francine, il était clair à présent que Jason n'était pas venu pour sacrifier au rituel de la demande en mariage. Elle était très pâle. La colère lui avait coupé l'appétit. « Êtes-vous en train de me dire que vous voulez juste user de ma fille selon votre bon plaisir ? »

« Elle aime la façon dont j'use d'elle. De plus... » Jason s'est resservi une deuxième tranche de viande. « Je ne suis pas une association caritative. Je ne m'occupe que de moi. Point final. »

Nous sommes partis avant le gâteau aux fraises. « Quelle salope frigide », m'a fait remarquer Jason lorsque nous sommes rentrés à la maison. « Maintenant je comprends pourquoi t'es à la masse », a-t-il ajouté sans aucune sympathie.

« Je ne veux plus voir ce punk, plus jamais », m'a dit Francine le jour suivant. « Et quand je dis jamais, cela veut dire jamais. Quand je pense que tu laisses cette pourriture te toucher. Tu ne te sens pas infectée ? Tu n'as pas peur d'attraper une maladie avec un type comme lui ? »

Peut-être est-ce depuis ce jour que la schizophrénie s'est installée. La nuit où, attablée en compagnie de Jason et de Francine, ils se sont mis à parler de moi à la troisième personne, comme si je n'avais pas été là. Et je n'y étais pas. Qui donc était assise en silence, à se contentant d'écouter ?

Je pensais alors qu'il y aurait simplement deux mondes distincts, celui avec Francine et celui avec Jason. Je pensais pouvoir contrôler les clivages et les bifurcations, les endroits en moi qui paraissaient meurtris et en ruines, les canaux à l'intérieur de ma chair que je sentais collés à la glu, comme emmurés. Je croyais pouvoir contrôler Jason, moi-même, ma passion et mon mépris. J'essayais de me rappeler avec précision comment ce dédoublement avait commencé, pris de la vitesse et poursuivi son propre chemin, lorsque le téléphone s'est mis à sonner.

« Il va mourir. Je le sens », a dit Francine, ivre d'alcool et de larmes.

« Les mises sont favorables. »

« Ne te raconte pas d'histoires. Prépare-toi au pire. »

Francine croit profondément qu'il faut se préparer au pire. Après tout, elle a été abandonnée dans son enfance. Après tout, c'est une enfant placée, accueillie par des familles italiennes et irlandaises qui la prenaient en pension uniquement pour les quarante dollars par mois attribués par l'État. Elle a passé son enfance au milieu d'illettrés et d'alcooliques qui l'affamaient, la battaient et ne lui donnaient jamais la clé de la porte d'entrée, même en hiver. Comme elle n'avait pas d'argent pour les tampons, elle fourrait du papier toilette entre ses jambes trop maigres en pensant qu'elle ne passerait jamais l'hiver, et puis la neige finissait par s'arrêter et le soleil par réchauffer les rues tristes et brunes. Après tout, son bras droit n'est-il pas définitivement handicapé, suite à une chute sur le verglas, suite à ce jour et à cette nuit passés à hurler, à pleurer et à supplier avant que sa famille d'accueil ne daigne l'emmener consulter, avant qu'on ne réduise sa fracture. Depuis, elle ne peut plus remonter seule la fermeture Éclair de ses robes, et son bras est encore douloureux. Et au moment où elle pensait pouvoir se poser, baisser sa garde, son mari avait attrapé le cancer et fait faillite.

Il ne faut pas la lui faire. Elle trace sa route au milieu de la pourriture et du mensonge. Elle possède plusieurs comptes en banque. Ses placards sont remplis de boîtes de conserve et de bouteilles d'eau minérale en cas de tremblement de terre ou de guerre, de dépression ou d'invasions. Francine a un 38. Elle a des plans détaillés, et des plans de rechange en cas d'urgence.

« Francine. » Je me sentais faible, je sentais que la pièce commençait à tourner. « Je suis fatiguée. »

« Fatiguée ? Tu n'as même pas un vrai travail. J'ai fait deux enregistrements aujourd'hui. Plus une réunion budgétaire. Et j'ai même visionné un film. »

« Je sais. » J'ai encore essayé. J'ai respiré profondément. « Ton énergie est renversante. »

« Je n'ai aucune putain d'énergie. Je suis à moitié morte. » Elle s'est mise à pleurer. « Il va mourir. Dans l'horreur et la souffrance. Je le sens au plus profond de moi. Et cette fois, c'est la bonne, ma petite. »

« Calme-toi, mère. »

« C'est une punition. Toi et lui. Mon enfance n'a pas suffi. Accablez-moi. Ensevelissez-moi sous les catastrophes. »

« Tu devrais essayer de dormir. » J'ai jeté un coup d'œil à la pendule. Dix heures et demi.

« Comment veux-tu que je dorme. Martin arrive de Boston ce soir. Il est sûrement déjà dans un taxi. » Francine a paru reprendre son sang-froid. « Tu sais, a-t-elle murmuré, Martin m'aime beaucoup. C'est un homme très important. Il est au conseil d'administration de quatorze grosses compagnies. » Francine à énuméré leurs noms, un par un. « Il a fait son droit à Harvard. Tout le truc WASP quoi. Pour lui, je suis exotique. C'est ce qu'il m'a dit la dernière fois que je l'ai vu à Chicago. Il a dit que j'étais exotique au sens positif du terme. Qu'est-ce que tu penses que ça veut dire ? »

« Qu'il veut te baiser même si tu es juive. » Et folle, me suis-je dit intérieurement.

« Ne sois pas vulgaire », a dit Francine, retrouvant un peu de sobriété. « Tu es tellement rancunière. Tu ne peux pas supporter que les hommes me trouvent attirante. » Francine a baissé la voix. « Les hommes m'ont toujours trouvée attirante. J'ai cette particularité, cette sorte de magnétisme. C'est comme ça depuis toujours. Même dans mes foyers d'accueil, même avec les frusques qu'on me refilait ou quand je traînais les rues et que je racolais pour me faire payer à manger. Je mangeais, et puis je disparaissais. Seigneur, ce que j'avais faim, j'avais toujours faim. J'imagine que tu m'en veux pour ça aussi. Tu m'en veux pour tout. Un mètre soixante-dix et quarante kilos. Chaque hiver, je croyais que j'allais mourir. »

« Mère... »

« Bien sûr, tu m'en veux pour tout. C'est le fondement même de ta petite vie minable, tout me mettre sur le dos. C'est pour ça que tu vis dans un taudis avec cet espèce de maniaque dégénéré. C'est juste pour me punir. Tu penses que je suis stupide ? »

« S'il te plaît. » Ma main était tellement crispée qu'elle semblait s'être vidée de son sang. Mes doigts étaient d'un blanc de mort.

« Bien sûr, tu penses que je suis stupide. Juste parce que j'étais pas assez bien née pour mériter l'université ? Eh bien laisse-moi te dire une chose, j'ai mes entrées à la MENSA,[1] moi. Tu sais ce que ça veut dire ? C'est une association qui n'accepte que les génies. Ils ont évalué mon QI à 168. Moins de un pour cent de la population possède un QI aussi élevé.

« J'ai toujours été fière de ton QI », ai-je dis en m'enfonçant les ongles dans la paume des mains. La douleur était intense. Elle m'aidait à oublier la souffrance d'avoir à parler avec Francine.

« Un jour, tu verras, tu comprendras. Mais ce sera trop tard, je ne serai plus de ce monde. Et ce jour risque d'arriver bien plus vite que tu ne le penses. Un jour, à mon bureau, avec les putains de téléphones qui sonneront tous en même temps, je m'effondrerai, crise cardiaque. Ça devrait te plaire. »

« Je ne me sens pas très bien. »

« Ton père est en train de mourir. C'est lui qui ne se sent pas très bien. Mais en même temps, c'est tellement prévisible. Tu n'as jamais pu affronter la réalité. Même quand tu étais gosse. Pourquoi je m'obstine encore à attendre quelque chose de toi ? Tu n'as jamais été capable de me donner une seule preuve d'amour ou de réconfort. Je me fourre le doigt dans l'œil si j'imagine que ça va commencer aujourd'hui. » Francine s'est remise à pleurer. « Tu n'arrives même pas à croire que Martin puisse avoir de l'affection pour moi. »

Je suis restée silencieuse.

« Tu penses que je suis juste un cul pour lui ? Eh bien, écoute ce que je vais te dire. C'est un homme très occupé. Il s'arrête exprès à Los Angeles, juste pour me voir. Il repousse même une conférence à

---

[1] Mensa : association internationale qui rassemble les 2% de la population ayant le plus haut QI.

Honolulu. Tu penses qu'un type qui a fait Harvard, qui a une maison à Boston et une propriété en Virginie a besoin de se payer un bon coup ? »

Tout à coup, la voix de Francine s'est transformée. « La sonnette ! » s'est-elle exclamée, rajeunissant de trente ans en une seconde, le souffle coupé, adolescente parée pour le bal dans son sage chemisier lavande. Elle a raccroché sans dire au revoir.

Quelque part, mon père était recroquevillé dans un petit couloir, endormi sur un canapé. J'espérais que le chirurgien passait une très bonne nuit. Je suis sortie prendre l'air et me dégourdir les jambes. J'ai traversé le pont près de ma maison et zigzagué en direction de Howland Canal. Je me suis arrêtée sur le trottoir cassé près de la maison de Jason, de l'autre côté du canal, gouffre sombre et définitif entre nous deux. Les lumières étaient allumées. Je suis retournée rapidement chez moi et lui ai téléphoné.

Jason a répondu d'une voix enjouée. Jason répond toujours au téléphone avec un optimisme rare, comme s'il s'attendait toujours à se voir offrir le gros lot, la chance de sa vie. Que peut-il bien espérer ? La voix d'un étranger lui annonçant qu'il a gagné le grand prix d'un festival de peinture ? La gloire ? Une nouvelle conquête ? Une ex ?

« Qu'est-ce que tu veux ? » a-t-il répondu d'une voix froide et distante.

J'en ai déduit qu'il n'était pas seul. Il est toujours nerveux quand j'appelle et qu'il n'est pas tout seul, comme si, après toutes ces années, j'allais me précipiter à travers ponts et trottoirs défoncés et débouler chez lui, telle une furie, complètement hystérique, armée d'un fusil et d'une assignation en paternité, en hurlant, c'est lui, c'est lui.

« Il s'est passé quelque chose de terrible », ai-je bredouillé. J'avais beaucoup de mal à parler.

« Avec toi, tout est toujours terrible », a dit Jason, bien trop vite. « Quand ce n'est pas le ciel qui est en train de tomber, c'est la terre qui est en train de trembler. Ou alors, c'est la lune qui t'envoie des messages. Écoute... » Jason avait décidé de changer de tactique. « Est-ce qu'on pourrait pas en parler demain ? »

Après quelques secondes, j'ai répondu oui.

Dehors, la brise marine se levait, vive, lovée, comme une vague. Tout semblait noir – le vent, l'air, l'intérieur de mon corps. J'avais froid. Mes os étaient douloureux. Le froid transperçait le cœur de mes os comme si mon sang, goutte à goutte, les avait pénétrés.

6

L'opération a duré six heures. A midi, le médecin optimiste et ventripotent nous a souri. Il avait l'air de se rendre à une partie de tennis. À dix-neuf heures, il a poussé les portes du bloc opératoire, le front en sueur. Les mains tremblantes.

Francine et moi avions attendu ensemble, assises à une table en Formica dans la cafétéria de l'hôpital pendant que des chirurgiens en blouses vertes mastiquaient bruyamment entre chaque opération. De délicates infirmières philippines vaquaient doucement dans leurs chaussures spécialement rembourrées. La lumière était d'une extrême blancheur.

« Ça m'est insupportable », répétait Francine, sans cesse. Elle était avachie sur sa chaise, les coudes comme plantés dans le dessus dur de la table en Formica.

Mon esprit était en rade. Mon esprit s'était éteint. J'étais partie en vadrouille laissant ma coquille derrière moi, fac-similé creux qui se traînait lentement, avec lourdeur et tristesse.

Francine s'est raidie d'un coup ; comme si elle venait de se rendre compte que ce qu'elle respirait était de la fumée. Les yeux grands ouverts.

« Il fait une hémorragie », a-t-elle hurlé. « Son cœur s'est arrêté ! » Elle s'est levée d'un bond. Et s'est précipitée dans le couloir.

Tout allait trop vite. La pièce semblait faite de fragments distincts, comme une peinture murale en éclats. J'ai pris le manteau et le livre de ma mère. J'ai couru dans le couloir. J'étais sur un train de nuit filant à toute allure, traversant villes, ports, décharges et cimetières. Ponts et bâtiments dansaient et ondulaient au milieu de la fenêtre du train. Paysage maculé, ruine magnétique enfumée, à la fois mirage et hallucination. Rien de certain.

J'ai retrouvé Francine dans la salle de repos des médecins. « C'est fascinant », disait elle. Elle m'a regardée puis a souri. « Le Dr Harris joue aux échecs, lui aussi. » Elle a indiqué l'homme aux cheveux noirs qui se trouvait sur sa gauche. Il a acquiescé comme en signe d'encouragement.

Je suis sortie de la pièce, le manteau et le livre de poche toujours à la main. Je me suis assise sur le bord du trottoir dans le parking de l'hôpital. Dans ma tête, une phrase a commencé à se répéter.

La peur n'est qu'une vue de l'esprit, une vue de l'esprit. Pas vrai ? La peur n'est qu'une vue de l'esprit, Pas vrai ? Dis ?

Et l'esprit ? L'esprit est un puits noir et chaud. L'esprit est une sorte de toile, un nid où éclosent des choses, des choses qui se reproduisent et grandissent, papillonnent, flottent et s'extirpent avec d'improbables ailes effilées.

Au début, Gerald pensait qu'il était possible de réduire l'esprit à un modèle neurologique. Je pensais qu'il avait tort, qu'il s'accrochait à une abstraction aux fluctuations ininterrompues. Année après année, le tableau était entièrement effacé, et de nouvelles fondations posées. L'obsolescence du savoir, disaient-ils. Avancées et progrès, disaient-ils. Ils avaient trouvé un nombre presque infini d'étiquettes et d'appellations pour désigner leur système, leur processus, et, tous les ans, chacune d'entre elles était passible de révision et d'annihilation. À quoi bon donc les apprendre en fin de compte ?

Gerald pensait qu'il s'agissait de dresser une cartographie des synapses. Il pensait qu'il était question de placer des électrodes de plaisir dans des cerveaux de chats et d'enfoncer des lampes dans des vers luisants ahuris. Selon sa théorie, des rats et des souris affamés, terrifiés et courant dans tous les sens, annonçaient une nouvelle ère.

Je savais que l'esprit était douceur et vagues d'océan, sombre la nuit, flux et reflux. L'esprit était relié à la lune, aux courants et aux marées. Il n'avait rien à voir avec des preuves tangibles.

« Tu es trop capricieuse », disait Gerald.

Étions-nous réellement en train de débattre de la nature de l'esprit ? Un point de vue conduisait au tout technologique. Un autre à l'élitisme et donc, inévitablement, au fascisme. Et un troisième pratiquait le déni, ce qu'une science véritable ne devrait pas faire, des modèles alternatifs, de l'inconscient collectif, de l'intangible. C'était un argumentaire complexe aux ramifications et bifurcations infinies. Le monde entier était comme ça alors. Gerald étudiait la psychologie à Berkeley. C'était 1968.

Le visage de Gerald était carré, régulier et pâle. Héritage de générations de commerçants et d'aubergistes battants, comptant chaque pièce à la lueur de la bougie et votant, immanquablement et sans principe aucun, pour la prospérité.

Je le regardais s'approcher de moi, monter le chemin pentu derrière la maison près du lierre déplumé de mon père, et je me disais, mais il n'est pas assez jaune ! Sans conteste, celui qui viendra m'aimer devra se distinguer d'une manière ou d'une autre. S'il faut qu'il soit pâle, alors qu'il soit blanc, blanc comme le halo d'une étoile, blanc comme un coquillage recraché par la mer et gisant sur le sable, la chair blanche de son ventre sous la lumière blanche de la pleine lune.

Il y avait chez Gerald quelque chose d'inachevé. Plus tard, je le verrais comme le produit d'une fabrique d'astronautes androïdes. Non pas qu'il ait ressemblé à un astronaute. Mais plus exactement parce qu'il semblait en être le reflet. Il avait l'étoffe d'un modèle réduit. Il était comme ces gadgets aux détails parfaits mais non-fonctionnels, attachés aux ponts des bateaux en plastique, ces mitraillettes miniatures collées aux maquettes d'avion. D'apparence parfaite, mais rien qui marchait, rien.

Los Angeles s'étendait dans toutes les directions, blessure dans la chair tendre, impossible à résorber. Mon univers était limité par l'océan, l'arc délicat de la Baie de Santa Monica, grise et mourant de l'autre côté de la digue. Au nord, des collines mornes et plates, courbes comme des clubs de golf. Quelque part, le désert, vide et brûlant jusqu'au Névada.

Qu'espérais-je voir surgir de ce brouillard, de ces boulevards graisseux et engourdis ? Gerald était une tache pâle. Auguste blond et blême comme les rues brûlées par le soleil, un homme semblable aux frondes des palmiers anémiques et aux brins apathiques des muguets asséchés par l'été.

Je l'ai épousé à Las Vegas, deux jours après avoir partagé avec lui un pique-nique à la mescaline dans le blizzard du Colorado. Nous étions presque arrivés en haut d'une colline recouverte de neige fraîche et douce lorsque la drogue nous a submergés, et nous nous sommes effondrés sur le sol blanc et froid. Les flocons tombaient en flèches, météores, fleurs gorgées, mandalas aux yeux de miroirs. Nos rires secouaient le flanc raide de la montagne. Les traces de nos pas formaient des cratères dans la neige.

« Je veux me marier avec lui », avais-je dit à mon père.

Mon père arrosait son pêcher derrière la maison. Il fumait un cigare et semblait évaluer quelque chose dans le lointain pastel. Dans le crépuscule, les maisons ressemblaient à de simples boîtes tirant sur le rose et le jaune. Les bandes de pelouse entre les maisons, des rubans vert pâle. Et le crépuscule teinté de rose était éprouvant, écoeurant. Le monde entier n'était plus qu'un décor de papier mâché, artificiel, sans vie, absurde.

« C'est un pauvre type », m'a répondu mon père. Il a tiré d'un coup sec le tuyau et l'a enroulé autour du tronc de l'abricotier. « D'accord », s'est-il amendé lorsque je me suis mise à pleurer, et pleurer encore. Je n'arrêtais pas de pleurer à cette époque. « C'est un bon gars. Mais il est pas fait pour toi. Il a pas de couilles. Du genre prof timide et réservé. Il en a rien à branler du sport. »

« Du sport ? Depuis quand c'est un critère ? » j'ai hurlé, debout au milieu de ce jardin pastel entouré d'une clôture de bambous de six mètres de haut, mur jaunâtre emprisonnant tiges des bananiers, caoutchoucs et vigne sauvage. Et tout était toujours teinté de rose et d'été, encore et toujours, et rien ne semblait changer, rien.

Mon père a tiré le tuyau jusqu'au fond du jardin. Il a envoyé un filet d'eau au-dessus des tiges toute sèches qui se transformeraient bientôt en oiseaux de paradis, ces fleurs dures et imparfaites, orange et mauve, qui ressemblaient à des oiseaux. Le paradis était dur et sans pitié.

« Détrompe-toi », a dit mon père. Tu penses que ce n'est rien ? » Son regard s'est perdu dans la couche de rose nocturne au-dessus des maisons jaune pâle de l'autre côté de la rue. Maisons au sommet de leurs minuscules monticules de verdure dans une rue où les voisins ne nous adressaient jamais la parole et prétendaient que nos cris faisaient aboyer les chiens et par deux fois ils avaient même appelé la police. Et ma mère et mon père se hurlaient dessus, lançaient des cendriers en cristal contre les vitres, faisaient leur valise en plein milieu de la nuit, se battaient sur le trottoir qui longeait la maison, dans la lumière douce et blanche d'un réverbère, et je commençais à en avoir marre, marre de tout ça.

« Le sport, c'est comme un indice, un renseignement. Crois-moi. Tu penses que je suis pas capable de reconnaître un clochard quand j'en vois un ? » a dit mon père.

Mais je n'avais pas voulu croire mon père. Quelles étaient ses références ? New York et ses salles de billards et paris hippiques ? La route des champs de course entre Saratoga et Hialeah ? L'année passée à jouer pour les Yankees en ligue mineure avant que ses genoux le lâchent ? Son existence virile de trains, bookmakers, chambres d'hôtels, de parties de football, de basket et de matches de boxe ? Qu'est-ce que ça avait à voir avec la descendance ?

Lyndon Baines Johnson était venu à Los Angeles. Avec Gerald, nous étions allés manifester contre la guerre. LBJ était à Century City, à cinq minutes en voiture de l'endroit même où se trouvait mon père, debout au milieu de son jardin, le tuyau à la main, inspectant ses nouvelles récoltes d'avocats.

J'avais vu un policier frapper une femme avec sa matraque. Elle essayait de ne pas se faire distancer par les manifestants qui entouraient le Century Plaza Hotel. Elle était avec son enfant. Le petit garçon s'efforçait constamment d'échapper à son étreinte. Elle était tombée derrière les autres. La police n'attendait que cela. Je les ai regardés la matraquer.

« Les flics frappent les gens », ai-je dit à mon père. Il arrosait son lierre dégarni. Il arrosait les bougainvilliers qui rampaient et s'entortillaient, danse pourpre sur le toit du barbecue en briques.

« Nous avons vu un policier matraquer une femme », a dit Gerald.

« Des hippies ? » Mon père ne regardait même pas Gerald. Il tirait son tuyau d'arrosage en direction du citronnier. « Ils n'ont que ce qu'ils méritent. »

« Pas seulement des hippies », me suis-je écriée. Etait-ce une raison de toute façon ? « Des gens normaux. Des femmes au foyer avec leurs enfants. Il y avait du sang. »

« Tu exagères », a dit mon père. Il finissait de remplir de pêches un panier rond en osier. « Et puis, c'est bien connu, les flics sont tous louches, crétins et sadiques. Qui d'autre voudrait devenir flic ? »

J'ai regardé mon père enrouler le tuyau et former une spirale verte parfaite. J'ai regardé Gerald. Gerald m'a regardée. Nous nous sommes mariés quatre mois plus tard.

Et d'un seul coup, nous voilà à Berkeley. Et d'un seul coup, Gerald devenu étudiant, avec bureau et lampe Tensor, et hurlant « Silence. Éteins cette musique. Je réfléchis. »

Il a commencé par la physique, mais ce n'était pas le bon choix. La physique l'avait déçu. La physique ne lui permettait pas d'atteindre la complétude. Des vides considérables et remarquables tels que les trous noirs de l'espace subsistaient encore. Partout, en tous sens, il se heurtait à des limites tendues comme des rangées de barbelés.

Gerald s'est alors penché sur les mathématiques et a perdu sa bourse. C'est à ce moment-là que j'ai arrêté les cours et suis allée travailler au Giovanni's. Là où les pâtes s'égouttaient dans la vapeur de grandes casseroles noires et où il faisait toujours chaud, toujours sombre, tunnel secret menant aux profondeurs sombres et huileuses de l'enfer.

Avec les mathématiques, on se rapprochait, mais pourtant Gerald sentait qu'il manquait encore quelque chose. Il s'est donc entretenu avec d'autres professeurs. On lui a trouvé un boulot dans quelque chose qui s'appelait psychologie mathématique. Après tout, il était brillant. Il avait des A dans toutes les matières. Gerald s'est donc traîné à ses cours du lundi, mercredi et vendredi comme s'il évoluait au sein d'un cauchemar gluant et grouillant. Il m'interdisait formellement d'y assister.

J'y suis allée une fois sans le lui dire. C'était une petite pièce sombre dans le sous-sol du bâtiment des Sciences de la Vie. Permanence d'un gris sans fenêtre. Gerald ne portait pas ses lunettes. Je doute qu'il ait pu me voir, ombre courbée au milieu des ombres alignées le long du mur noir de la pièce, assise en tailleur, les genoux contre le sol froid et gris. Gerald frottait la craie contre le tableau noir. Crissement du râteau qui racle le trottoir. La bouche de Gerald paraissait étrangement dure, comme si les mots qu'il prononçait l'étouffaient et déchiraient ses lèvres. Ils semblaient sortir de ses lèvres comme des bulles et demeurer suspendus en l'air autour de lui comme autant de pierres grises. Puis ils tombaient sur le sol, en un bruit étouffé, sourd et gris. Je ne lui en ai jamais parlé.

Gerald s'installait dans son silence épais. Il veillait tard chaque nuit. Et le matin, paraissait désorienté, comme un voyageur, les vêtements chiffonnés, écoeuré par quelque mouvement subliminal interminable.

La psychologie était la réponse, m'a-t-il alors assuré. J'ai acquiescé en silence. Gerald parlait de l'esprit humain, où sont stockées toutes les possibilités. Lorsque Gerald parlait de l'esprit et des possibilités, j'avais dans la tête l'image d'un long couloir gris et vide bordé de portes métalliques grises et identiques. Les portes étaient verrouillées.

Et c'est par la psychologie physiologique que Gerald a commencé. Il a relu ses livres de chimie et s'est mis à parler de groupes sanguins, de charges électriques et de cartographies du cerveau. Dans sa bouche, cela avait l'air d'une expédition en territoire inconnu. Je pensais à des oiseaux aux plumes émeraude et pourpre à demi dissimulés derrière un feuillage vert de jade.

Alors le facteur limitant a fait son apparition. Gerald est arrivé à la conclusion que le système était manipulé par les expérimentalistes. Il ne croyait plus que les rats allaient ouvrir la voie d'une nouvelle ère.

« Tu ne vois donc pas ? Le cosmos est infini. C'est l'homme qui est limité. »

« C'est ça », ai-je immédiatement acquiescé. J'avais l'impression de faire ma communion. Gerald ne m'avait pas adressé la parole pendant des semaines.

On a ajouté les expérimentalistes à notre liste d'ennemis. Gerald développait une conscience sociale. C'était inévitable. Il y avait des évènements et des forces terribles tout autour de nous : le gouvernement, la machine de guerre, le complexe militaro-industriel, la Dow Chemical Company, le Pentagone, Nixon, la police raciste, la FDA[1], la guerre non-déclarée au Vietnam, au Laos et au Cambodge, les bombes à fragmentation, le napalm, l'annihilation systématique des civils, le pourrissement des réserves de blé alors que des millions de personnes crevaient de faim, l'émergence du système de caste de l'aide sociale américaine, le parti-pris des tests de Q.I en faveur des classes moyennes, la pollution des rivières et des mers, les mines à ciel ouvert, le génocide des phoques et des dauphins, l'extinction imminente de la plupart des mammifères, la conscription, la corruption présente à tous les niveaux, l'anomie, les ghettos, l'oppression des femmes, la négation des droits civiques de tout un chacun, les fascistes de l'AMA[2], la persécution des homosexuels, la situation désastreuse des Indiens, la menace des réacteurs nucléaires construits au-dessus des failles géologiques, les teintures carcinogènes et les conservateurs dans pratiquement chaque produit consommable, l'apartheid, le délabrement urbain, l'obsolescence planifiée de Détroit, le lobby des armes à feu, l'exploitation des ouvriers agricoles, le Gouverneur Reagan, la Garde Nationale, les membres du conseil universitaire, nos propriétaires de taudis, et maintenant, les expérimentalistes.

J'essayais d'imaginer les expérimentalistes. Je les voyais comme des hommes identiques, vêtus de vestes blanches identiques. Lorsque je traversais le bâtiment des Sciences de la Vie et attendais sagement

---

[1] FDA : Food and Drug Administration. Service du gouvernement américain responsable de la pharmacovigilance. [2] AMA : American Medical Association.

Gerald devant une porte ou une autre, comme un chien bien dressé qui n'a même pas besoin de laisse, je regardais les hommes en manteaux blancs passer près de moi. J'imaginais leurs bites identiques coupées et mises dans des bouteilles de formol. Les bouteilles identiques étaient alignées et ordonnées sur une étagère au fond de mon esprit.

Les expérimentalistes voulaient faire sonner une seule et unique cloche universelle, faire se lever toute la planète comme un seul homme que l'on fait saliver sur commande. À terme, ils n'auraient plus qu'à appuyer sur un seul et unique buzzer pour que tous les êtres humains, décervelés, se mettent à arpenter les champs et récoltent les fruits de la terre de leurs mains abîmées, en arborant des sourires arrachés et ineptes, les doigts en sang.

« Viens pas te plaindre auprès de moi », me disait Francine au téléphone. « C'est ce que tu voulais, non ? Ce mode de vie hippie puant. Ainsi soit-il. Tu veux être une grande fille, mariée de la tête aux pieds, dans une autre ville, alors sois une grande fille. La misère, tu ne sais pas ce que c'est, ma petite. »

On m'attendait au travail dans dix minutes. Je me suis penchée au-dessus de la cuvette des toilettes et j'ai vomi mon dîner.

Sur l'écran de télé, Kirk disait : « Qu'est-ce qu'on fait de ça ? »

« Tout à fait inhabituel », répondait Monsieur Spock. Nos données ne mentionnent aucune culture de ce type sur Gamma Quatre. »

« Mais, elle est bien là, non ? » On aurait dit que Kirk était en train de penser à ce qu'il allait manger à dîner après l'enregistrement du programme.

Gerald était assis sur le canapé. Le livre de Buckminster Fuller ouvert sur les genoux. C'était un sofa en skaï marron que j'avais eu pour six dollars à une vente de charité. J'avais appelé Gerald pour qu'il vienne m'aider. Offusqué, il avait commencé à se plaindre. Il lisait Marcuse. On avait pas besoin de canapé de toute façon. On avait déjà les trois coussins énormes que j'avais tenu à acheter. Qu'est-ce qui ne tournait pas rond chez moi ? Étais-je donc incapable de la moindre perspective historique ? De tous temps, la plupart des civilisations avaient très bien vécu sans meuble. On trouvait d'ailleurs de nombreux exemples de sociétés productives et sophistiquées qui n'avaient rien d'autre que des paillasses. J'étais bien trop occidentale, désespérément classe moyenne.

Puis, Gerald a découvert Freud. Il a découpé une photo dans un livre. Sur la photo, cinq hommes en costumes noirs rigides fixant l'appareil sans un sourire. Leurs lèvres semblaient afficher un rictus secret, comme si, intérieurement, ils disaient, alors, bande de connards, c'est pas nous qui avions raison ? Gerald a fini par accrocher la photo sur le mur près du canapé marron. Je ne savais pas qui étaient ces hommes. J'attendais que Gerald me le dise. Peine perdue.

Chaque fois que je me souviens de Berkeley, dans mon esprit, c'est toujours l'automne, toujours déchirant, brûlant, à vif. C'est le dernier appartement dans lequel Gerald et moi avons vécu, la petite chambre asymétrique qui donnait sur un couloir sombre et le salon minuscule avec ses trois coussins énormes. J'avais insisté pour les avoir même si nous n'en avions pas vraiment besoin. Gerald avait raison. Personne ne venait nous voir. Nous n'avions pas d'amis. La nuit tombait. Dans la rue, la circulation était calme et assourdie. Cela aurait tout aussi bien pu être le bruit de petits animaux pressés, des rongeurs furtifs, qui sait ?

Gerald potassait des théories sur le comportement social des primates. Il parlait de langures, de gibbons et de singes hurleurs. Les implications du dimorphisme sexuel et des hiérarchies dominantes chez les babouins hamadryas le fascinaient. Il disait qu'il revenait à l'essentiel. Les pièces du puzzle commençaient à s'imbriquer.

Jung est alors apparu dans notre vie. Gerald s'est mis à parler de rêves, de transes, de tarot, de soucoupes volantes, d'astrologie et d'états visionnaires.

« De quoi tu rêves ? » me demandait-il en allumant brusquement la lumière.

Je le regardais en me frottant les yeux, essayant de me réveiller. Gerald et moi ne dormions déjà plus dans la même chambre.

« Il faut que tu te rappelles. Allez », hurlait Gerald.

Je ne parvenais pas à m'en souvenir. Tout semblait voilé de rouge. Rouge et noir, comme un feu dans la nuit lorsque la fumée noire s'élève dans l'air sombre et que la nuit commence à sentir le brûlé. J'agrippais les couvertures et les ramenais contre ma poitrine.

« Arrête de faire semblant », disait Gerald d'un ton sombre. Je ne l'avais jamais vu aussi en colère. « Je te préviens. La magie bleue a la plus grande complexité spatiale. La magie verte, elle, possède un pouvoir éternel. »

« Oui. » J'essayais de ne pas le regarder. « Bien sûr. »

« C'est bien, très bien », disait-il. T'es pas comme les autres. Avec leurs pièges marins dissimulant leurs trous. Des algues puantes. » Puis il se mit à faire une sorte de bruit de succion. « Tu n'es pas comme les autres. Tu sais rester couverte. Merci. Dieu te bénisse. »

« Bien sûr qu'il est fou », me répétait Francine au téléphone. « Il y a des années que je te le dis. »

« Je peux les sentir », s'exclamait Gerald. Il tendait ses bras. Il pliait et dépliait ses doigts. « Mes cellules, mes cellules », hurlait-il, possédé.

Ses cellules étaient anciennes, m'expliquait-il. L'amibe originelle s'agitait en lui. Un poisson luttait pour faire naître ses poumons. Un amphibien était rejeté sur un rivage primitif et s'accroupissait au soleil, aveuglé, cherchant sa respiration. Le climat changeait. Les mammifères se précipitaient dans un monde nouveau. Une bête sauvage misait le tout pour le tout et descendait des arbres, délaissant la forêt amoindrie. La bête n'était ni rapide ni bien armée. Elle se nourrissait de charognes. Elle mangeait ce que les autres animaux laissaient derrière eux. Elle était, depuis le début, une créature innommable. Avec le temps, se rendant compte de tout son potentiel, elle était devenue homme.

Gerald disait qu'il ressentait cette vérité couler au cœur même de ses veines. Lui, Gerald Campbell était un microcosme du processus de l'évolution de la vie sur la planète Terre.

Je n'ai jamais douté de lui. Mais tout simplement, cela ne m'a jamais vraiment intéressé. C'était Gerald le scientifique. Il voulait que je comprenne. Il était vital, pour mon développement en tant qu'être humain, que je prenne conscience des grands évènements qui avaient façonné mon destin.

« Tu ne fais aucun effort », me disait Gerald. Il semblait déçu

D'accord pour les trous noirs, me disais-je en me préparant pour le travail, enfilant lentement ma courte jupe noire et attachant mes cheveux à l'aide de pinces, et les enfonçant violemment dans mon cuir chevelu. D'accord pour les quasars et les pulsars, les contes africains, les livres avec des plans pour construire wigwams ou canoës. Tout ce qu'il voulait tant qu'il continuait à parler, tout ce qu'il voulait tant que je pouvais sentir que nous étions encore connectés à une quelconque réalité extérieure au-delà des trois pièces de notre appartement. J'ai enfilé le tablier blanc en coton de mon uniforme de serveuse, le chemisier qui niait l'existence de mes seins. Puis je me suis penchée au-dessus de la cuvette des toilettes, et j'ai vomi.

Cela faisait deux ans que nous vivions dans cet appartement. Les locataires précédents avaient recouvert d'une laque rouge les murs de la salle de bain modèle réduit. Je m'asseyais dans la minuscule baignoire après le boulot, eau bouillante, m'efforçant de faire le vide dans mon esprit tandis que mes jambes et mes cuisses devenaient rouge écrevisse. Au-dessus de la baignoire, les murs étaient gluants comme du sang, comme une blessure cachée et impardonnable dans la structure même du bâtiment.

Les murs de la chambre avaient été recouverts d'une peinture mauve pâle. Je dormais seule dans cette pièce. Gerald dormait sur un matelas à même le sol du salon. Après le bain, je restais allongée et regardais en bas les phares des voitures sur le boulevard. Je regardais le soleil se coucher. Rubis intense. Si proche qu'on aurait pu le cueillir et l'avaler. Y faire grandir des cocons à l'intérieur. Les remplir du sang de phalènes rouges en quête désespérée d'une sortie.

Gerald parlait des preuves tangibles. Je me détournais. Les preuves tangibles n'avaient rien à voir avec ma vie. Tout, dans ma vie, était intangible et informe. Gerald était informe, comme si sa graisse de bébé avait refait son apparition. Il faisait tenir son jean avec une épingle de sûreté, refusant d'accepter ou dénier la réalité de ce tout nouveau ventre blanc. Et informe, Gerald l'était, informe dans l'obscurité pénétrante, l'obscurité qui s'abattait sur moi comme les serres d'un énorme rapace.

La chaleur pesait sur la ville comme un couvercle. Berkeley était plombée, l'air épais et sans espoir. La brise marine elle-même avait cessé de frémir.

Lentement, allongée sur mon lit, sur les draps frais, j'ai pincé mon téton. J'ai senti mes seins durcir et rougir comme la laque des murs. Mes seins avaient des yeux de pierre en leur centre, des yeux qui cherchaient désespérément à voir quelque chose.

« C'est ça que tu veux, pas vrai ? » a dit Gerald.

Il était apparu dans l'embrasure de la porte. Par habitude, j'ai immédiatement soulevé mes jambes et protégé mes seins avec mes bras. Je n'étais jamais nue devant Gerald.

« Je te dis que c'est ça que tu veux », a dit Gerald.

Il s'est assis sur le bord opposé du lit. Le « ça », ai-je supposé, devait être le sexe. Le « ça », c'était Gerald sur moi, pâle couche de nuit, en train de me faire quelque chose, faisant pénétrer en moi un éclat de nuit, et s'effondrant près de mon épaule, endormi. Il était de plus en plus difficile de se rappeler précisément ce qu'était le « ça » ou pourquoi ce « ça » avait un jour compté.

« Pourquoi refuses-tu de l'admettre ? Je sais que c'est ça que tu veux. » La voix de Gerald était dure. On aurait dit qu'il s'adressait à quelqu'un d'autre.

« Oui, c'est ça », ai-je dit. J'ai regardé Gerald. Ses lèvres affichaient un sourire dur.

« Si tu en as tellement envie, descends faire le trottoir », a-t-il dit.

Je l'ai dévisagé, abasourdie. On aurait dit la réplique d'un film. Une sale réplique, de celles qui précèdent un passage à tabac. Je ne me rappelais pas avoir vu un tel film en sa compagnie.

« Vas-y », a répété Gerald depuis le hall. « Pute. J'ai vu le diable. Et alors ? Il a ouvert une boutique d'import sur Telegraph Avenue. Il a un sac à dos et il fume du hash. Vas-y, sale pute. »

Alors la nuit a explosé, et un tunnel s'y est écroulé. Et je courais dans cette nuit, pieds nus, les clés de la voiture à la main.

Je ne la conduisais presque jamais. Gerald disait que ma dextérité manuelle et ma vision périphérique n'étaient pas appropriées. Et voilà que je fonçais avec elle dans l'obscurité, me laissant engloutir par la nuit. J'ai traversé le pont qui menait à San Francisco, comme enivrée, à me laisser descendre et glisser jusqu'aux vallons de lumière vacillante. J'ai garé la voiture à North Beach et commencé à descendre sur Broadway.

Les rues débordaient de vie nocturne estivale. Je marchais vite, comme si j'avais un rendez-vous. Je marchais si vite que je n'ai pas vu les posters de femmes nues sur les murs et les portes des clubs de striptease. Je sentais des bousculades de femmes et d'hommes en bras de chemises, sentais sur leur passage la marque de leurs bras et de leurs jambes. Je sentais l'obsidienne que j'avais avalée. Je la sentais tourner en moi, ouvrir de nouvelles voies sanguines. Quelque chose bougeait le long des corridors vides qui, dans mon imagination, me constituaient. Quelque chose avec des jambes et une colonne vertébrale qui se développait. Quelque chose respirait. Bientôt, cette chose allait ruer à l'encontre des rangées identiques de portes pâles et grises toujours verrouillées.

J'ai suivi le premier homme qui me l'a demandé. Ce n'était pas vraiment le premier, mais au début, je ne comprenais pas vraiment ce qu'il se passait, ce que l'on me disait. Là j'avais dit oui, j'avais dit oui avant de voir distinctement le visage de l'homme. J'avais eu le temps de faire une centaine de mètres à ses côtés avant de me rendre compte qu'il s'agissait d'un marin et qu'il était jeune, peut-être même plus jeune que moi. Il mâchait un chewing-gum.

« C'est où ta turne ? » Il avait l'accent du Sud.

« Turne ? » ai-je répété en le regardant attentivement pour la première fois.

« Chambre ? Hôtel ? » Il me dévisageait.

Je suis restée sans voix. Peut-être n'étais-je pas satisfaisante. Peut-être ne voulait-il plus de moi maintenant qu'il m'avait vue, vue telle que Gerald me voyait. Peut-être que Gerald n'avait absolument rien à voir avec tout cela. Peut-être que c'était moi la source de ce manque terrible. Cet échec était le mien. J'ai regardé mes jambes. Elles se dessinaient clairement à travers ma jupe en coton léger. Peut-être qu'on voyait même mes poils noirs, tâche plus sombre dans la nuit.

« J'ai une voiture », me suis-je soudain rappelée. Nous marchions beaucoup plus lentement, revenant sur mes pas, errant sur la rue parallèle à Broadway, à la recherche de la voiture.

« Je n'ai pas fait ça dans une voiture depuis que j'ai quitté la maison », a dit l'homme.

Je lui ai tendu les clés de la voiture. Je me suis appuyée sur le siège, enfoncée dans le siège, et j'ai laissé la ville étendre ses rayons de néons argentés sur mon visage.

Nous longions la baie en serpentant le flanc d'une longue falaise. Il a garé la voiture sur une bande de ciment surplombant l'océan. Je voyais la ligne blanche et ondulante des brisants au-dessous de nous.

« T'as rien de ce que j'avais prévu », a dit l'homme.

J'avais laissé ma jupe bouchonnée autour de mes genoux. Mes jambes paraissaient longues et blanches. J'ai tourné ma cheville vers la lumière, lentement.

« Je peux être ce que vous voulez », ai-je dit. Les mots sonnaient de manière étrange à mes oreilles. Je n'avais aucune idée de leur provenance. J'ai senti mes tétons durcir.

« T'es pas chinoise. » L'homme s'est mis à rire. « Je viens à Frisco pour une vraie pute chinoise. » L'homme a regardé l'eau en contrebas. « Ou une vraie secrétaire. Talons hauts et toute en jambes. »

J'ai fléchi ma cheville dans l'obscurité. J'étais en train de décevoir cet homme, cet inconnu. J'étais envahie par un sentiment d'échec.

« T'es timide ? »

Il m'a attirée vers lui en travers du siège. Je me suis laissée faire. Ma tête s'est retrouvée sur ses genoux. Je l'ai senti s'agiter sous moi. Pas très sûre de ce que je devais faire, je l'ai caressé doucement, comme quelqu'un qui rassure un enfant.

L'homme s'est arqué vers moi, vers ma bouche. Il avait dégrafé son pantalon. Il a tendu sa bite toute dure vers mon visage. J'ai ouvert la bouche. Je sentais encore l'odeur de cet homme lorsque j'ai retraversé le pont, seule, je sentais encore son fluide blanc et épais emplir ma langue et mes poumons. Comme des palourdes et de la sciure, une sorte de glue blanchâtre. J'ai frissonné.

Gerald était toujours assis dans la même position à la table de la cuisine. Il lisait Rollo May.[1] Il ne m'a pas accordé un seul regard.

La chaleur brûlait la ville. Le jour semblait lourd et avancé pour une heure si matinale. Juin s'échinait à devenir juillet. Tout semblait trouble, trop liquide, trop écrasant.

Gerald s'était mis à la guitare. Il ne se consacrait qu'aux gammes. Il jouait constamment les mêmes, encore et encore. Depuis le mois de mai, il jouait toujours les mêmes gammes.

Gerald s'était rendu compte que l'esprit comportait un élément musical. Les parallèles entre la musique et les mathématiques le renversaient. Notes et nombres. Harmonies et équations. Langue et sonorité. J'avais déjà couché avec le patron du bar à cette époque. Une expérience différente. Il avait un appartement. Je m'étais allongée sur le lit avec lui. Il m'avait embrassée. Il n'avait pas semblé déçu.

« Tu détestes ma guitare, pas vrai ? » a demandé Gerald, sans me regarder. Ses doigts n'arrêtaient pas de bouger sur les cordes. Ses doigts étaient devenus calleux, striés de profondes rainures sombres aux extrémités.

« Tu comprends donc pas ? » Gerald me regardait fixement maintenant. « Les pulsars ne sont simplement qu'une sorte de flûte. L'univers est un orchestre. »

C'était la fin de l'après-midi. Gerald était assis sur son matelas en face de la télévision depuis le début de la matinée. Pour l'heure, il regardait de vieux films en noir et blanc, devenus granuleux avec le temps, qui parlaient de monstres radioactifs ou magnétiques ressemblant à des aspirateurs. Des reptiles géants marchaient sur des Londres et Tokyo en carton pâte, crachant le feu à la manière des dragons mythologiques. Une ville américaine tombait sous le contrôle hypnotique de créatures extra-terrestres, des créatures issues d'œufs ou d'énormes cocons.

« C'est une métaphore », a dit Gerald. « La science-fiction est no-

---

[1] Rollo May 1909-1994 : psychologue existentiel américain.

tre mythologie moderne. C'est le mythe de la création de l'ère industrielle. »

J'étais allongée dans la chaleur épaisse, écoutant d'une oreille distraite la naissance et la mort des monstres dans le salon. Les voix semblaient assourdies, éraillées, comme les pauvres vieilles images granuleuses. Toujours, à la fin, une population à la joie contenue et momentanément rendue humble souriait depuis les ruines de Londres ou de Chicago alors que brûlait le monstre, réduit qu'il était à un gros tas de cendres, enchaîné, mis en pièce ou noyé.

« C'est une allégorie de la nature humaine », disait Gerald. « Tu ne comprends donc pas l'importance de la chose ? »

C'était freudien, bien sûr. Voire jungien. Ça avait à voir avec les gammes qu'il jouait. C'était la nuit. Je ne travaillais pas. J'avais déjà couché avec l'étudiant diplômé en histoire qui vivait dans l'appartement juste au-dessus du nôtre.

Quelque part, Kirk regardait à l'intérieur de ce qui ressemblait à une petite torche lumineuse. « Sont-ils doués d'intelligence ? » a-t-il demandé.

Quelque part, Monsieur Spock regardait à l'intérieur de ce qui semblait être une brosse à dents améliorée. « Ils semblent vraiment posséder un système de gouvernement efficace et hautement organisé. Ils ont des routes, des monuments, des institutions scientifiques, la paix, la prospérité, la compassion, la justice. »

« Oui, mais sont-ils doués d'intelligence ? » a demandé Kirk. « Ont-ils des motels et des machines à laver les voitures ? Est-ce qu'ils ont entendu parler de Pepsi et des taux de crédit ? »

« Tu détestes ma façon de jouer », m'a dit Gerald, d'un ton accusateur.

Il regardait la télévision. Deux hommes avec des talkies-walkies faisaient des gestes violents en direction de ruines encore fumantes. Au-dessus des décombres, se profilait une énorme tête d'humanoïde. Sa bouche s'est ouverte et une gerbe de flammes a emporté les hommes et leurs talkies-walkies. Un bruit de succion s'est mis à monter du sol.

« Tu détestes ça, que je me fasse plaisir », a dit Gerald sans me regarder.

Je me suis alors dirigée vers son matelas. Doucement, je me suis emparée de sa guitare. J'ai traversé le couloir et l'ai balancée contre le montant de la porte comme si c'était une batte de baseball. J'ai frappé le bois contre le mur jusqu'à ce que les cordes sautent et que la guitare ne soit plus qu'un amas d'éclats de bois.

Gerald s'est mis à pleurer. C'est à ce moment-là que j'ai pris le couteau. J'ai éventré le sofa en skaï marron. Puis, j'ai lacéré les entrailles blanches des trois coussins volumineux que Gerald trouvait absolument inutiles.

« Tu es folle », a hurlé Gerald. Ses yeux gris pâle écarquillés.

Tout à coup, comme libéré d'un poids terrible, il a semblé s'éveiller et s'est mis debout. Il faisait ses bagages. Nous n'avions pas de valise. Je m'étais recouchée sur le lit, le couteau posé sur le drap près de ma cuisse. Gerald courait dans toute la maison, jetant ses vêtements et ses livres dans des taies d'oreillers. Il y avait des plumes partout, sur sa chemise, sur le sol, sur mes mains.

« Plus jamais, je ne pourrai te faire confiance après ce qu'il vient de se passer », a-t-il hurlé du couloir. Il avait quatre taies d'oreillers dans les mains. « Plus jamais je ne pourrai dormir sous le même toit que toi. Jamais. »

Septembre est arrivé brusquement. En un jour, l'interminable et étouffant été avait disparu. Froid et pluie. Froids, les arbres de la cour, froides les lumières froides des voitures balayant la nuit. Nuit aux doigts de glace. Un vent sombre soufflait sur la baie. Je faisais courir le bout de mes doigts sur mes seins. Aucune vie à l'intérieur. L'intérieur était espace gris aux couloirs carrelés de gris, étroits et sombres, tous rectilignes, tous conduisant au grand nulle part.

Gerald est revenu pour son courrier. Je ne savais pas où il habitait. Il refusait de me le dire. Il possédait encore la clé de l'appartement. Parfois, en rentrant du travail, je trouvais trace de son passage en mon absence – un nouvel espace vide dans la bibliothèque, une nouvelle entaille dans un placard où le matériel de camping avait été rangé.

Lorsque Gerald est entré dans l'appartement, il était raide et silencieux. Il a jeté des regards furtifs dans tous les coins de la pièce comme s'il pensait y trouver des présages menaçants. Il a refusé de partager un thé avec moi. Je sentais qu'il m'observait pour trouver la bonne nomenclature. Oui, c'est ça. Une nouvelle catégorie. Pieds nus, j'étais une petite chose sombre, une sous-espèce qui ne lui arrivait même pas au menton. J'étais une sorte de femme-araignée, sombre et moins qu'humaine, tissant sa toile au travers de son torse, sa poitrine pâle.

Il était venu récupérer ses lettres, et seulement ses lettres. Il a traversé la pièce, aux aguets, comme si le sol était truffé de mines. Il a pris soin d'éviter l'ombre de la bibliothèque, le regard noir et accusateur des vieux titres, les lambeaux de mensonges d'une autre vie. Debout près de la porte, distant et tendu, il ouvrait les enveloppes en les déchirant. Documents secrets, ces lettres étaient désormais examinées à l'autre bout de la pièce, puis repliées et fourrées dans ses poches. Il reprenait force.

« J'aurais préféré ne jamais te rencontrer », a-t-il dit. « Tu m'as gâché la vie. Tu as essayé de me tuer. »

Ses yeux étaient très sombres. Ses épaisses mains carrées aux doigts nouvellement striés de noir à cause des cordes de la guitare semblaient battre l'air à ses côtés de manière colérique.

« Je voudrais que tu sois morte. J'aimerais que quelqu'un te tue », a dit Gerald. Il se tenait près de la porte. J'étais à l'autre bout de la pièce. Nos ombres mêmes ne se sont pas rencontrées.

Gerald s'est retourné une dernière fois. On aurait dit qu'il voulait récupérer ses empreintes digitales et les gouttes d'eau de la douche. Puis il a ouvert la porte. Fermé la porte. Je ne l'ai jamais revu.

C'était l'année de mes vingt-et-un an. L'hiver m'avait engloutie. J'ai confié à ma mémoire tout ce qui était périphérique, les murs recouverts de laque rouge, le bout de jardin envahi par la végétation, les globes orange des réverbères sur Shattuck Avenue et le minuscule balcon sur lequel j'avais un jour nourri des jais bleus et sur lequel je me trouvais à présent, dans la pluie battue par le vent, laissant la nuit harceler mon visage.

Les fameuses preuves tangibles. Je savais que jamais je ne pourrais recoller les morceaux. Avec le temps, les fondations seraient gagnées par la pourriture et les faits se verraient pousser des ailes et flotter à travers moi. Gerald était parti. Jamais je ne comprendrais. Gerald avait été l'étudiant, je l'avais étudié.

7

Je suis retournée à l'hôpital. J'ai trouvé Francine à la cafétéria. Elle était assise seule, observant une pendule ronde sur le mur. Ses yeux d'ambre, blocs d'agate jaune, rougis par le sang et les pleurs.

« Je croyais que tu t'étais enfuie. C'est ta spécialité, ma petite. Et toujours quand j'ai le plus besoin de toi. Oh, et puis à quoi ça sert ? À part le 1200 mètres... » a dit Francine.

Elle voulait dire que j'étais juste capable de courir les 1200 mètres. Les classiques sont plus longues. Deux mille quatre cents, deux mille huit cents. 1200, c'était pas suffisant pour tenir la pointe de vitesse. Un crack devait courir des distances plus longues.

Nous sommes restées assises en silence. Plus tard nous avons fait les cent pas dans le couloir qui longeait le bloc opératoire. Beaucoup plus tard, le médecin est sorti. Ses mains tremblaient.

« C'était pas gagné. » Le médecin nous a dépassé et s'est dirigé vers l'ascenseur. « Pas gagné. Mais je pense qu'on l'a bel et bien eu. » Il voulait dire le cancer.

« Et maintenant ? » Francine suivait le chirurgien. Il marchait plus vite, mais elle a réussi à le rattraper et lui a saisi le bras. Elle a approché son visage tout près du sien. Des larmes coulaient le long de ses joues.

« Il se repose. Je vous conseille de faire de même. » Les portes de l'ascenseur se sont refermées.

Francine et moi nous sommes regardées. Puis nous sommes sorties sur le parking. L'air était très froid.

« Je sais qu'il va mourir ce soir. C'est une intuition, tu peux me faire confiance. Il est en train de mourir. Je sens que la vie est en train de s'écouler de son corps. Oh, mon dieu, aidez-moi. »

J'ai soutenu Francine un instant. Elle avait l'air hébétée, presque embarrassée. Puis elle a détourné la tête. Sur le chemin du retour, je n'ai pas cessé de penser à son visage, pâle, effrayé, sa peau de linceul.

J'ai attendu le coup de fil de l'hôpital, formel et poli, des mots blancs et cassants qui allaient m'annoncer que l'homme que j'appelais mon père était mort. Des mots blancs et clairs, durs et lisses, luisants, horribles, des mots de marbre. Il avait fait une hémorragie. Une infection soudaine et incontrôlable était survenue. Des mots blancs comme des pierres blanches, des pierres tombales.

J'ai attendu. Rien. Le silence.

C'était la nuit, aucun doute là-dessus. La bataille des ombres avait pris fin. Le soleil était redescendu dans la Baie de Santa Monica. Le soleil n'était plus qu'un truc inutile, étendu sur le sol sablonneux et froid de l'océan, poisson aveugle et vénéneux.

J'ai allumé la lumière, tentative d'oblitérer la nuit. J'ai marché dans toutes les pièces de ma maison, le Gynécée, où depuis six ans j'observe les saisons singulières des canaux. L'argent et les jaunes huileux, les mille et une ombres aux pointes insaisissables, la brume grise, les bruns maussades et épais virant au noir d'encre. Pendant six ans, j'ai observé l'eau devant ma maison, tout à tour bouillonnante ou changeante, achevant un cycle dont elle seule connaissait la signification.

Tout à coup, les pièces de ma maison ont semblé différentes, comme si leurs lignes s'étaient adoucies, comme si elles manquaient de contours et d'arêtes. En arpentant les pièces de ma maison, j'ai ressenti un frisson. Le frisson était intérieur. Quelque chose remuait, un fort battement d'ailes créateur d'un courant, vent doux et rafraîchissant. Il semblait s'amplifier, se faire de plus en plus urgent, insistant, quelque chose qui s'ouvrait de l'intérieur, comme une fleur. Alors je me suis dit, j'ai vingt-sept ans et les pins qui ont le même âge en savent plus sur la vie que moi. Alors je me suis dit que cette énorme fleur qui s'ouvrait devrait peut-être porter le nom de Rose.

J'ai marché dans toute la maison, dans toutes les pièces étranges et familières, ouvrant placards et tiroirs, ramassant les objets au hasard comme une amnésique. Je me suis retrouvée avec un album photo entre les mains. Je me suis retrouvée face à Gerald.

Gerald avait été une blessure, cautérisée et refermée, autant que faire se peut. À présent elle semblait se rouvrir, suinter et s'écouler comme du sang. (Le sang de mon père ?) Le passage du temps n'avait en rien soulagé la peine. Le temps ne faisait qu'adoucir les angles les plus aigus. Les choses se brouillaient. Tout devenait flou. Perte de résonance, écoulement lent et irrémédiable.

Lentement, j'ai tourné les pages de l'album. Chaque photo était claire, si claire que ce devait être l'automne à Berkeley, l'automne piquant de la Californie du Nord lorsque le vent souffle fort, emportant résidus, voiles et strates qui semblent distinguer visages et lattes des clôtures d'une autre réalité, plus fragile.

Je suis devant la cage de l'ours polaire au zoo de San Francisco. Le vent souffle. La photo a été prise à une époque où Gerald devait se rendre au zoo chaque jour pour un cours sur le comportement social des primates. Il prenait des notes sur différentes interactions animales. Il avait un cahier spécial dans lequel il répertoriait les orangs-outans et les gorilles sous les catégories Mâle Alpha ou Juvénile, et il y portait une note chaque fois qu'ils s'engageaient dans des interractions dominantes ou faisaient preuve d'agressivité.

« Arrête de me regarder comme ça », avait hurlé Gerald, se retournant brusquement pour me faire face.

Chaque jour, depuis des semaines, il se rendait au zoo. Je n'avais pas le droit de l'accompagner. Finalement, par une journée si claire, si parfaitement contrastée, Gerald lui-même avait senti une promesse dans la pâle lueur du soleil et s'était laissé fléchir. « Pas un seul mot. Je ne veux pas un seul mot », m'avait-t-il prévenue.

Je l'avais laissé devant l'enclos du gorille et avais déambulé seule à travers le zoo. Sur la photo, je fixe directement l'objectif. J'ai l'air heureuse. Je ne m'étais pas encore précipitée dans la nuit de North Beach. Qui a pris cette photo ?

C'est notre appartement à Berkeley. Des livres, des pièces d'échec et des vinyles gisent en tas sur le sol autour de moi. Une chaise a été renversée. Une lampe gît sur le sol. L'abat-jour est deux mètres plus loin.

« Je tiens à documenter tout ça », ai-je dit à Gerald à la fin de notre dispute. « Je veux me souvenir de tout ça. » Et il avait pris la photo.

J'essayais de convaincre Gerald de se rendre à l'hôpital des étudiants. Il m'avait répondu qu'il préférait voir un shaman. Nous parlions de son impuissance. Gerald m'avait dit qu'il étudiait la question. C'était même l'un des aspects principaux de ses études. À coup sûr, en analysant la psychologie mathématique et physique, les dessins sur les murs des cavernes et les schémas expliquant comment tendre des pièges à lapin dans la toundra, Gerald allait certainement trouver pourquoi son pénis se recroquevillait entre ses jambes comme un gros ver ventru et endormi.

« C'est à cause de moi, c'est ça ? » ai-je hurlé, terrifiée, angoissée.

« Tu ne comprends absolument pas le concept de patience, le fait qu'il y a un temps et un lieu pour chaque chose, les rythmes cosmiques naturels. Tout ce que tu sais faire, c'est harceler. »

« Ah, c'est ça ? » ai-je hurlé. Je me suis avancée vers la bibliothèque. De mes deux mains, j'ai vidé toute une étagère. En tombant, les livres se sont percutés et ont rebondi les uns sur les autres. Ils ont fini par terre, les pages ouvertes hérissées comme un tas de plumes arrachées.

C'est notre photo de mariage. Au Palais des Mariages de Las Vegas, on vous offre une photo en prime. Nous sommes côte à côte, posés devant une cheminée où des bûches synthétiques brûlent. Côte à côte mais sans nous toucher. Nous ne sourions pas. Je porte des orchidées. Je me souviens que Gerald m'en avait acheté deux. Il faisait très chaud, elles étaient mortes presque immédiatement. C'était étrange d'avoir deux orchidées. Je les avais épinglées sur ma robe. On aurait dit deux seins grotesques.

Plus j'étudiais les photos, et plus j'étais attirée par les éléments périphériques. Gerald Campbell ne comptait plus désormais. Comme toujours, ses épaules s'affaissent dans l'ombre. Son visage dérive vers les coins surexposés de la pièce remémorée. Ce n'est pas forcément parce que je voudrais le couper au montage. Sa présence est hésitante, facilement ignorée. Gerald n'a besoin de personne pour s'effacer.

Je découvre que ce sont les objets qui m'attirent. À qui appartient la cheminée devant laquelle nous nous tenons ? Qui a capturé ainsi notre image sur laquelle nos bras semblent comme s'effleurer, devant quel foyer ? Quelle est donc cette table ronde en bois ? À qui cette théière en porcelaine verte ? Où est ce garde-fou métallique ? Sur quelle terrasse ? Dans quelle ville ?

La précision est primordiale. Il s'agit d'assembler soigneusement les détails. Je verse du thé d'une théière en porcelaine verte. Je tire les rideaux et laisse entrer le soleil dans ma maison. Je me baisse dans la lumière de midi pour arroser un massif de balisiers aux toutes nouvelles fleurs de sang, près de la clôture devant ma maison. Le moi a déjà été défini.

Soudain, un sentiment terrible d'inutilité s'est abattu sur moi. J'ai rassemblé les quelques cadeaux offerts par Gerald. Un collier en perles de corail trop grosses et trop brillantes pour être vraies, collier que je n'ai jamais pu me résoudre à porter. On aurait dit ces choses que l'on voit au cou des mannequins dans les vitrines des magasins d'aéroports, à côté des couronnes hawaïennes artificielles et des cendriers ornés de Hawaii en lettres dorées et criardes.

J'ai trouvé le chemisier que Gerald m'avait acheté, à l'occasion d'un anniversaire ou d'un Noël. C'était un truc froufroutant jaune et rose aux rayures rouges. Beaucoup trop large pour moi, comme si aux yeux de Gerald, j'étais quelqu'un d'énorme. J'ai serré le chemisier contre moi. J'avais l'air d'un nuage souillé.

Il y avait d'autres trucs de Gerald. Des casseroles et des poêles qu'on avait achetées la première fois qu'on s'était installés à Berkeley. Elles étaient vieilles et tachées par une douzaine d'éviers différents. Je les avais récurées des milliers de fois et pourtant elles avaient encore cette odeur puante, la sienne.

Le téléphone a sonné. Mes mains se sont mises à trembler. Ça y est, me suis-je dit. Mon père est mort.

« Je suis en train de tout nettoyer », a murmuré Jason. Il voulait dire qu'il nettoyait les touches de rose, pêche et jaune sur sa palette carrée en verre. Il voulait dire que son modèle venait de partir.

« Tu viens ? » Sa voix était comme l'eau qui s'écoule au travers de fougères vert sombre. Sa voix était un vent indolent qui effleurait le crêpe des pétales des coquelicots. « Tu me donnes une demi-heure ? »

Une demi-heure ? Qu'est ce qu'il avait donc à faire ? Effacer les traces de la soirée, les deux verres à vin, les draps froissés, les preuves tangibles de sa vie, dont il savait bien, après tout ce temps, qu'elles m'enfermaient dans un silence terrible.

Jason fait toujours très attention. Il replie leurs chemisiers et leurs vestes bien nettement dans le placard de sa chambre. Malgré tout, je ne manque pas de voir les cadeaux qu'elles lui apportent, les vases en céramiques qu'elles ont fabriqués, avec des fleurs séchées creusant d'étroits sillons dans la glaise, les batiks ornés de coquillages et de galets lustrés par les vagues et le temps, entremêlés dans leur trame.

C'est étrange, mais je me suis toujours sentie supérieure à ces femmes aux passés amovibles, aux présents interchangeables, aux vies de transition perpétuelle. Bien sûr, c'est juste une sensation, un sentiment verrouillé en moi pour lequel je ne détiens pas de preuves tangibles.

J'ai serré le combiné très fort dans ma main. Oui, est la seule chose que j'ai pu dire.

Je me suis souvenue de la pile de vêtements et de bibelots, des appareils ménagers, des photos sur le sol du salon. J'ai tout mis dans des sacs que j'ai jetés dans les poubelles de l'allée derrière ma maison.

Après un laps de temps qui m'a semblé convenable, j'ai serpenté entre les ponts et les trottoirs érodés jusqu'à la maison de Jason. Par endroits, le trottoir s'affaissait en une flaque de boue, à d'autres, il rétrécissait en une piste de poussière. De ma main, j'ai repoussé les frondaisons des palmiers. J'ai traversé une allée jonchée de pièces de vélos, de tapis tachés et de tas de clous rouillés luisant comme des vers rouges dans le clair de lune. Le ciel et l'eau avaient la même profondeur pourpre. Voile diaphane, basse dans le ciel, une légère brume dérivait sur l'eau fraîche.

J'ai ouvert le portail de chez Jason. J'ai traversé le jardin de devant en faisant attention aux légumes, artichauts, tomates, fraises et brocoli qui opinaient tous de leurs têtes lentes et vertes.

La porte de Jason était ouverte. Je suis entrée. Je savais exactement où aller.

8

Il faut une explication à tout.

Nom. Âge. Sexe.

Aujourd'hui j'ai pris le nom de Rose.

J'ai vingt-sept ans et un pin de mon âge en sait plus que moi. Un pin tient debout sans plaintes ni visions, il accepte le fardeau du soleil et la torture des pluies nocturnes. Un pin redresse ses épaules de verdure épineuses et devient un modèle pour les jeunes pousses, il est le gardien des collines, il se contente des cycles de la nature, de l'ivresse du printemps, du dépouillement de l'hiver et de tous les recommencements prévisibles.

Question sexe, aucun doute. Je suis femme, comme vous pouvez clairement le constater, sous la robe, dans la chair. On peut se retrouver dans le parking. Mais un décor plus champêtre est tout aussi envisageable.

Poids. Taille. Dépendances en cours. Qui est en train de mourir ? Combien dites-vous? Juste quelques arrestations et condamnations ? Vous plaisantez.

Statut marital.

Statut marital.

Jason était assis dans l'alcôve de la cuisine à une table qui m'avait autrefois appartenue. Mon père l'avait dénichée dans un bric-à-brac et avait passé un mois à attaquer les vieilles couches de peinture, à poncer pour finalement faire réapparaître la fine fibre du chêne. Jason avait dit qu'il aimait la table. Et, guidée par une impulsion, je la lui avais donnée. Aujourd'hui, c'est le seul endroit de son atelier où je me sens à l'aise.

Jason réduisait en poudre la cocaïne. Il m'a regardée et a souri. Après toutes ces années, lorsque Jason me sourit, je me sens encore prise au piège, capturée, attirée, phalène frénétique tourbillonnant autour d'une ampoule, en été.

« Tu disais que tu as un problème ? »

J'ai pensé à mon père luttant entre la vie et la mort. Jason me dévisageait. Et j'ai compris que jamais mes mondes parallèles ne pourraient se rencontrer. Tous étaient bien ordonnés et s'excluaient mutuellement. Les chemins étaient clairement dessinés, directs et souples comme l'asphalte des autoroutes, intentionnels et précis comme le scalpel des chirurgiens. Les routes ne se croiseraient jamais, quelles que soient les lois de la gravité, l'attraction vers le trou noir, le cruel point vulnérable, ce bas-ventre au sein duquel je vivais et observais le bouillonnement des mondes tandis que les étoiles me déchiraient le visage, les sols se dissolvaient et que plus rien n'était solide.

« C'est bon maintenant », ai-je répondu en tirant mon chemisier au-dessus de ma tête.

Jason a fait un signe de tête. « Tu paniques toujours. Tu vois, c'est jamais si grave, non ? »

« Non », ai-je dit.

Bien sûr, ce n'était pas moi qui parlais. Le moi que j'avais été avait disparu. Quelqu'un d'autre restait, une pâle copie. À présent, tout ce que j'attendais de Jason, c'était qu'il m'attache le bras. Tout ce que j'attendais de lui, c'était le clap clap clap de ses doigts sur les parois de la seringue et qu'il trouve une veine à foutre en l'air. On était toujours très proches quand on se shootait. Nous étions frères de sang, sanctifiés par le sang.

Picasso, un beau chat tigré roux et blanc aux poils longs et épais, était assis près de la jambe de Jason, Je ne l'avais pas encore tué, pas encore emmené de l'autre côté du boulevard, jusqu'à la plage, tout chaud et confiant entre mes bras, pas encore étranglé.

« T'as récolté des loyers ? » a demandé Jason.

Il réduisait en poudre la cocaïne. Mon problème avait été écarté, détail sans conséquence. D'une ampoule de verre Jason a versé un petit amas blanc sur un miroir. Puis a réduit en poudre les particules à l'aide d'une lame de rasoir. Jason se concentrait, le regard fixé sur la table, absorbé.

Six ans auparavant, Jason avait dit : « Les aiguilles, c'est tout un art. »

Nous étions déjà dans la maison de Jason à l'époque. Il étudiait un nouveau paquet d'aiguilles. Ses gestes étaient lents et précis, presque tendres. Je me rendais déjà compte qu'il restreignait volontairement son monde pour mieux le gérer. À l'intérieur des murs de son atelier, il était le maître absolu. Au sein de ses murs, Jason contrôlait le chaos. C'était son oasis. Los Angeles y était rejetée, totalement effacée. Ici, c'était toujours une fin d'après-midi de saison indéterminée mais chaude. Jason avait fabriqué une fontaine dans la pièce de devant. Des poissons rouges et des tortues y barbotaient. Je les entendais à travers l'eau, dans l'obscurité, juste avant de sombrer dans le sommeil.

Au cours des années, j'ai appris que l'atelier de Jason est le musée de sa vie intime. Entre ces murs, les périodes de son existence sont préservées pour y être soumises à l'étude et à la réflexion. Jason use de la peinture comme prétexte depuis plus d'une décennie. Depuis plus de dix ans, les femmes s'y succèdent pour poser avec la planche de surf verte près de leurs épaules ou de leurs cuisses, projetant des ombres qui viennent frotter leurs poitrines comme des choses vivantes, des plantes rampantes peut-être. Depuis plus de dix ans, les femmes s'y succèdent, étendues sur un drap de bain, les jambes allongées ou légèrement repliées alors que la planche de surf projette des ombres sur leur chair, ombres rouges, mauves ou quelque chose de plus lourd, un vert sombre d'apparence rance.

Au début, je voulais que Jason m'enseigne l'art des aiguilles. Je voulais qu'il m'enseigne tout sur le poisson rouge qui barbotait dans son salon, les fleurs et les légumes qu'il faisait pousser dans son jardin. J'étais vide alors, lavée de tout pêché, et prête pour Jason.

J'allais prouver qu'il n'était pas aussi facile de m'effacer que toutes ses autres conquêtes, ces femmes interchangeables qui posaient pour lui et qu'il tolérait chez lui brièvement, le temps de terminer son tableau, le temps de trouver quelqu'un de plus excitant, quelqu'un qui lui offre davantage, même si ce n'était qu'une simple nuance dans la voix ou dans l'histoire de la chair.

Six ans auparavant, Jason avait déchiré l'emballage plastique des aiguilles. « Celles-ci, tu vois, avait-t-il dit en me les montrant du doigt, elles sont trop grosses. » Il en avait pris une autre. « Celle-là, elle est parfaite. » Il tenait l'aiguille près de mon visage. « Tu sauras reconnaître la taille la prochaine fois. »

Je ne me suis pas souvenue de la taille. Je ne prévoyais pas de prochaine fois.

Puis, tout s'est arrêté. J'étais double. L'une était malade de peur. L'autre, l'extérieure, s'asseyait calmement, comme si elle prenait des notes. Je regardais Jason évoluer dans les ombres de cette fin d'après-midi.

Nous étions assis à une table différente alors. C'était avant que mon père ne passe un mois à décaper la table qu'il trouverait des années plus tard, décaper pour retrouver le chêne originel, lentement, avec un soin infini, retrouvant le grain brun du bois, grain travaillé et poli avec douceur comme un galet portant la marque des vagues qui l'ont enlacé.

Jason a fermé les rideaux de la cuisine. Il est passé d'une pièce à l'autre pour revenir avec une bouteille d'alcool à 90° et un sachet de coton. Il a rempli un verre d'eau et testé encore le piston de la seringue. Il a fouillé dans le placard du hall et a rapporté une ceinture de peignoir bleue.

« Tu connais la mauvaise réputation des aiguilles ? » m'avait-il demandé la première fois. « Eh bien, elles méritent cette réputation. Tu es sûre de vouloir faire ça ? »

J'ai acquiescé une nouvelle fois. J'avais conscience de l'énormité de ce que nous étions sur le point de partager. Il y aurait un lien. Il y aurait découverte et changement. Il y aurait du sang. Quelque chose serait décidé.

C'était un nouveau monde. Les anciennes formes avaient échoué. Il n'y aurait plus de décisions prises par des juges dans des tribunaux, plus de mariage ou de bébé. Nous devions développer nos propres rituels d'engagement. Nos lois étaient un retour à quelque chose de primitif, la loi du sang.

« Les aiguilles ont leur loi propre », avait dit Jason. « C'est tout un cérémonial. Ça fait partie du trip. La poudre. La petite cuillère. Plus tard, tu apprécieras tout ça. »

Je ne prévoyais pas de plus tard. Je ne ferais ça qu'une seule fois, comme un rite de passage, une cérémonie particulière pour sceller un pacte, rien de plus.

Jason était satisfait de la poudre obtenue. Il a disposé deux lignes de cocaïne sur le miroir. Avec un couteau, il a guidé la poudre jusqu'à la cuillère. Puis il y a laissé tomber un petit morceau de coton. Lentement, avec un soin extrême, il a mesuré et versé 2 cc d'eau dans la cuillère. Il a pointé la seringue dans la cuillère, aspirant le liquide, la cocaïne et l'eau à travers le coton.

J'ai étendu mon bras. Il était posé sur la table en face de moi comme un objet étranger, une planche à la dérive peut-être, déformée, polie et blanchie sous la pression de l'eau.

« Moi d'abord », a dit Jason.

Je l'ai regardé entourer son bras avec la ceinture du peignoir, se servant de ses dents pour la nouer. Puis il a pompé avec sa main, ouvert, fermé, ouvert, fermé. « Regarde-moi », a-t-il dit. Ses veines sont devenues saillantes comme les stries bleues qui indiquent les rivières sur les cartes. Il a enfoncé l'aiguille.

Le sang s'est engouffré dans la seringue. Un sang très épais et sombre. « Le sang t'indique que tu percutes. Que t'as touché la veine. » En même temps, il a laissé le garrot se desserrer et tomber sur le sol. « Dès que tu percutes, lâche le garrot », a indiqué Jason en poussant le piston.

Jason a sorti l'aiguille. Il a inspiré profondément. Ses yeux se sont écarquillés. Il a inspiré profondément une nouvelle fois.

« Ça va ? » ai-je demandé. Nous nous sommes toujours mutuellement posé cette question au cours des années.

Jason a acquiescé. Lentement, comme si le sol était instable, il s'est dirigé vers l'évier de la cuisine et a rincé l'aiguille avec de l'eau, puis de l'alcool et encore de l'eau. « Faut bien laver l'aiguille. N'oublie pas. Toujours la nettoyer. »

Il s'est assis à la table. Il a poussé un peu de poudre sur le miroir et l'a fait glisser dans la cuillère. Il a ajouté l'eau. Il a pris la deuxième seringue. Il a testé le piston.

« Je vais te montrer seulement une fois », a-t-il dit, emplissant la seringue de liquide. Il a tapoté les parois de l'aiguille, clap, clap, clap, clap. « C'est la règle. Je shoote les gens seulement une fois. À partir de là, ça les regarde. Pose le garrot. »

J'ai pris la ceinture en éponge sur le sol. Mes doigts ne m'appartenaient plus. Morceaux de chair inutiles pouvant appartenir à une espèce animale différente, quelque chose avec des nageoires. Jason m'a aidée à ajuster la ceinture autour de mon bras.

« Pompe », a ordonné Jason. Et j'ai pompé en serrant le poing, ouvrir, fermer, ouvrir, fermer.

« T'as pas de veines », a-t-il fait remarquer. Il a pris mon bras et l'a tourné vers la lumière pour l'étudier sous un autre angle. Il avait l'air dégoûté. « Ce sont les pires veines que j'ai jamais vues », a-t-il dit. « Tu vas pas jouer à ce petit jeu bien longtemps. »

Jason a versé de l'alcool sur le coton. Nettoyé ma peau, comme chez le médecin. J'ai observé son visage. Il était absorbé, concentré. Comme s'il était en train de coller un mat sur la maquette d'un bateau.

« C'est bon », a dit Jason. Il était la voix du haut-parleur à Cap Canaveral. Il allait appuyer sur le bouton, et projeter la fusée dans l'espace. Tous les systèmes étaient prêts au lancer, feu vert, le décompte allait commencer.

« À mon signal, desserre le garrot. » Jason appuyait l'aiguille contre ma veine. J'ai voulu tourner la tête.

« Non, regarde », a ordonné Jason.

Douleur soudaine. Du sang a commencé à affluer dans la seringue. J'ai regardé mon bras. Ce bras ne m'appartenait pas. Il n'était pas vraiment relié à mon corps. Jason tenait mon bras en équilibre contre son genou levé.

« Desserre, » a dit Jason. J'ai desserré le lien. Il a glissé sur mes cuisses.

Un vent chaud s'est mis à souffler. Lentement, je me suis rendu compte que ce vent soufflait à l'intérieur de moi. Il était chacun des vents que j'avais connus. C'était le vent de l'enfance, le vent qui balayait mon visage d'enfant de six ans lorsque je faisais du patin sur les trottoirs de Philadelphie en automne. C'était le vent qui venait de l'est au milieu de la nuit, au mois de novembre, un vent que la promesse froide de la première neige faisait onduler. C'était un vent enchevêtré aux feuilles de chêne dentelées et charnues de l'été. C'était un vent grêlé des petits morceaux carbonisés des feuilles des chênes et plus tard, des érables, tâchées par le soleil d'automne, qui se cassaient en tombant sur le sol et gisaient comme des poings rouges amputés.

« C'est ton matos. » Jason a posé la seringue sur la table devant moi. Il l'avait remise dans son emballage en plastique. « Prends en soin. »

J'ai acquiescé. Je savais que je n'aurais pas besoin d'en prendre soin. J'allais faire cette chose aujourd'hui et seulement aujourd'hui. L'aube y mettrait un terme.

Jason a retrouvé son siège. Il réduisait la cocaïne en poudre à l'aide d'une lame de rasoir. Il remplissait l'aiguille. J'ai regardé ses mains, puis son visage. Ses yeux étaient clairs et grands ouverts, noisette clair. Ils semblaient éclairés de l'intérieur comme s'il avait avalé des bougies. Ses yeux se sont écarquillés. Il a retenu son souffle. « Ouais », a-t-il dit, en se dirigeant vers l'évier. « Oh ouais », a-t-il dit, en marchant lentement, avec précaution, comme si le sol allait s'ouvrir et l'avaler, comme s'il dissimulait des crevasses, des brèches soudaines et inattendues.

Puis il a rempli ma seringue. Son doigt tap tap tapotait les parois de la seringue. Je me suis garrotté le bras, serrant la ceinture avec les dents, en imitant Jason. Le sang a jailli dans la seringue. J'ai laissé tomber la ceinture sans qu'il me le dise.

« N'oublie pas », a dit Jason. « Tu es junkie la toute première fois que tu t'enfonces une aiguille dans le bras. La question est de savoir combien de temps tu vas rester clean. »

Jason parlait quelque part au loin. Peut-être parlait-il même sous l'eau. La nuit était tombée. Les rideaux étaient tirés. L'atelier était coupé du monde. Le monde n'existait plus, il ne restait que le vent ondulant et déferlant à travers les espaces creux qui n'étaient plus ni poumons ni cage thoracique mais champs, collines basses couvertes de brins d'herbe bercés par la brise marine.

Les mots de Jason ne voulaient rien dire pour moi à l'époque. Un jour, ils prendraient tout leur sens, mais plus tard. Plus tard, je passerais la porte de l'atelier de Jason, en pleine nuit. Plus tard, j'allais supplier. « S'il te plaît, shoote-moi.»

La nuit était permanente. Le soleil me brûlait les yeux. Mes stores étaient baissés en permanence. Désormais, j'évoluais au sein d'un crépuscule d'ombres infini. Il n'y avait plus ni jour ni nuit, juste un gris satiné dans lequel des choses douces bruissaient, rougeoyaient, flottaient comme des oiseaux et ondulaient perchées sur les murs.

Je résidais au centre d'une cavité soyeuse. Une pellicule pastel m'enveloppait. J'avais été avalée par des nuages à grande vitesse. Je flottais dans le ventre d'un nuage. Chaque fois que je voulais que s'ouvrent les cieux, que les nuages accélèrent leur course et se jettent à l'aveugle au-dessus des collines, au-dessus de falaises à peine entraperçues et couvertes de ficoïdes glaciales mauves, je me faisais un autre shoot.

Plus rien n'existait à part réduire en poudre, garrotter, remplir, nettoyer, et la sensation exquise de la chute. Ma bouche était béante et bleue. Lorsque je baillais, des nuages s'agitaient et des nuées voletantes d'oiseaux franchissaient mes lèvres, migration de papillons pourpres et orangés.

À quoi bon manger ou dormir. La cocaïne, c'était mieux que la nourriture, mieux que le sommeil. La cocaïne vivait pelotonnée dans les flancs diaphanes et blancs d'un nuage. La cocaïne avait les yeux du ciel.

J'avais besoin de Jason. Mon bras était couvert de vilains hématomes. J'avais utilisé la même seringue jetable au moins deux cents fois. La pointe s'était émoussée. J'étais maladroite, gauche et apeurée. Plus tard un voile luisant s'était abaissé pour se draper autour de moi comme une tente. Mes mains tremblaient. J'enfonçais l'aiguille en vain, il n'y avait pas de sang. Je recommençais, attachais le garrot, resserrais le lien avec mes dents tout en enfonçant l'aiguille. Pas de sang. Rien à faire. Quelque chose ne tournait pas rond. Toute la nuit, j'ai enfoncé l'aiguille dans mon bras sans réussir à trouver une veine. C'est seulement au lever du soleil, alors que le soleil devenait énorme et jaune dans toute la maison, que je me suis rendu compte que j'étais restée assise dans le noir tout ce temps, que j'avais oublié d'allumer les lampes et avais essayé de trouver une minuscule veine pourpre dans le centre bleu-sombre de la nuit.

« Shoote-moi, je t'en prie », ai-je supplié Jason plus tard.

Il a réussi à trouver une veine au milieu des hématomes de quatre jours. Mes veines étaient entièrement cachées et des bleus noirs avaient poussé comme des fleurs exotiques sur toute ma peau. Mon bras semblait recouvert d'une peau de serpent aux sombres motifs.

Froidement, j'ai regardé mon bras. Il ne m'appartenait pas vraiment. Il était bizarrement tatoué. Il me rappelait les pensées pourpres et jaunes que Francine avait fait sécher dans mon livre de contes de fées. L'été venait de passer. Francine et moi assises sous un chêne. Elle cueille la fleur et, sérieuse, concentrée, presse la pensée jaune et pourpre entre les pages du livre doré. Je l'ai encore.

J'étais assise sur le sol dans la salle de bain de Jason. Il se rasait. Ses bras n'étaient plus que minuscules piqûres rouges. « Il faut que tu ralentisses », a-t-il dit à travers le miroir.

Je me sentais désavantagée, diminuée. Je voulais me sentir comme l'intérieur d'un nuage. Je voulais que mes paupières soient des papillons imprimés de rouge, de pourpre et de jaune, virevoltant tour à tour de douceur ou de chaleur. Je voulais descendre. Je voulais que Jason me fasse planer. Je voulais sentir le monde tourbillonner de blanc, le blanc des toiles, le blanc des nuages, le blanc de l'émail et du linge amidonné, le blanc des napperons de dentelle, des roses, des falaises de glace et des voiles.

« Voyons voir ce bras », a dit Jason

J'ai tendu mon bras. Jason l'a regardé dans le miroir. Il a hoché la tête de gauche à droite. « C'est une vraie boucherie », a-t-il observé. J'ai senti ses mots frapper la glace du miroir et rebondir vers moi comme un fin éclat d'argent, une sorte de rayon lumineux.

Je voulais le rêve. Je voulais me pelotonner au milieu des particules chatoyantes et planantes de coquilles et de cartilages blancs et des entrailles dégorgeantes de nuages blancs tourbillonnants, brassés par l'orage. Nouvelle tentative. Je n'ai pas senti la douleur quand l'aiguille s'est enfoncée. Je dérivais à moitié, surprise lorsque l'aiguille a finalement percuté, éblouie, saisie de voir du sang dans la seringue. J'ai sursauté, et le piston a bougé trop rapidement, me contusionnant le bras. J'ai oublié de desserrer le garrot. Mon bras s'est mis à gonfler pour devenir une boursouflure pourpre enflammée. Il me faisait mal. J'avais l'impression de mourir. Mon bras était de plomb, gris et froid. Je sentais qu'il était déjà mort.

« Aide-moi, s'il te plaît. » Est-ce que c'était ce que souhaitait entendre Jason ? Est-ce que je devais quémander de manière plus formelle ? Devais-je respecter un rituel ?

« Terminé », a dit Jason. « Ce bras est foutu. Il faudra que tu utilises ton bras droit. Et te piquer avec le gauche. »

« C'est impossible », ai-je dit. Mes mains tremblaient. « Je n'ai jamais été capable de faire quoi que ce soit de la main gauche, pas même écrire mon nom. »

« Tu n'as pas le choix. » Jason se tamponnait le visage. Il m'a regardé. « Tu sais, les femmes des guerriers étaient des combattantes accomplies à leur manière. Est-ce que tu as l'âme d'une guerrière, petite fille ? »

Je me suis appuyée contre le carrelage froid des murs de la salle de bain. Je savais pourquoi les junkies mouraient dans les salles de bain. Ce n'était pas une affinité particulière et inexplicable pour la merde. Non, c'était bien plus simple. Les salles de bain ont des portes qui ferment à clé. Les salles de bain sont bien éclairées, elles ont un lavabo, et leur carrelage est facile à nettoyer des traces de sang.

Je me suis mise à pleurer.

D'un seul mouvement, Gerald s'est retourné. Il m'a giflée. « Commence pas ces conneries, junkie. Si t'es vraiment en manque, tu le feras. » Il est sorti.

J'ai regardé mon bras gauche. Il tremblait. Lentement, j'ai porté la main à ma bouche et je l'ai mordue. Au bout d'un moment, elle a cessé de trembler. J'ai attrapé la seringue de ma main gauche. J'ai trouvé une veine sur mon bras droit. J'ai desserré le garrot. J'ai nettoyé mon aiguille et me suis laissée aller sur le carrelage blanc et froid. Mon dos devenait carrelage. Mon dos était frais et blanc. Je me suis fondue au mur, miroitante. J'étais marbre. J'étais porcelaine. J'étais muguet des prés. J'étais le muguet. Et le pré.

Jason était près de moi. Il était blanc, coteau de granit sous le clair de lune. Il était roc effilé et nu. Il était la colonne vertébrale du monde, pierre des montagnes. Il était le commencement, le sable blanchi, le fondamental, avant les divisions, avant le hasard et l'erreur, lorsque tout était un, lorsque j'étais une. J'étais un œuf blanc. Jason me cassait. Ses dents étaient éclats de nuages. Ses mains étaient métal blanc.

Jason réduisait la cocaïne en poudre. Il s'attachait le bras. Il nettoyait sa seringue. Il faisait couler la douche. Il a tendu la main vers moi, vers le bras tatoué qui ne m'appartenait pas, le bras aux fleurs noires estampées comme des bracelets incrustés dans la peau. Le bras a esquissé un geste dans sa direction. L'eau ruisselait, bouillante, un liquide argenté a explosé sur ma peau, des balles huileuses ont roulé en spirales. La langue de Jason était rouge comme une pomme.

L'eau était brume, givre fin et blanc. L'eau était fumée d'hiver, cette fumée que l'on respire sur les routes de campagne, fumée des bûches qui brûlent, bûches de campagne au parfum de pins et de nuages. L'eau était vapeur brûlante. Eau primordiale et précieuse. Elle s'écoulait, filet de perles d'ivoire délicatement ciselées.

« Dis-moi que tu as besoin de moi » a soufflé Jason derrière moi. Il me poussait contre les carreaux froids du mur de la douche. « Dis-le moi », a-t-il dit, s'enfonçant en moi. Il était blanc, dur, pierre et métal.

J'étais immobile, sombre, pelotonnée et ouverte. J'étais la terre. Il forait, creusait un tunnel.

« Dis-moi que je t'ai manqué », a soupiré Jason derrière moi, voix rauque, comme le vent, un vent de mai, un vent de printemps, brûlant des promesses de gardénias et de soucis, bourgeons gonflés et rouges suspendus à des vignes émeraude, jeunes pousses gorgées de rosée, air imprégné de jasmin, rues s'effondrant sous le charme ensorceleur de nuées jaillissantes de merles bleus.

« Tu m'as manqué, oui », a dit ma voix. Ma voix était vent. Ma voix avait la teinte brune et sombre de la terre fraîchement labourée. J'étais l'odeur du pain bis frais et fumant sur une étagère en bois. Mes cheveux étaient mouillés. Jason a tiré mes cheveux comme s'il avait tiré sur une corde, violemment, faisant basculer ma tête vers l'arrière. Et voilà, j'étais cheval, il me montait. Je respirais par la bouche.

« Dis-moi combien je t'ai manqué », a dit Jason, cajoleur.

Il tenait ma taille. Mon front était pressé contre le carrelage. Ma bouche était ouverte. J'ai essayé de parler mais ma bouche n'a fait que boire la nuit. J'étais rivière en crue traversant l'œil de la falaise. Le ciel était vide. Jason descendait en chute libre. J'attendais. Son parachute a déployé ses voilures rouges et magenta, pétales gigantesques descendant en volutes. Il était lave. Je me transmuais en fils d'or délicats. Il respirait et poussait derrière moi. Son souffle était le vent de la fin mai, un vent imprégné de fraises, de cerises, toutes ces langues roses perçant le flanc de collines. Jason était l'orage, pressant, poussant, électrique.

Nous n'avions pas de corps au sens conventionnel du terme. Une adaptation de l'évolution s'était produite, une mutation soudaine et accélérée. Nous étions mi-humains, mi-marsouins. Nous pouvions vivre sous les prodigieuses nappes bouillonnantes de l'océan. Notre chair était trop fine, trop pâle et trop douce. Pas même écailles de poisson. Elle manquait de toute substance. Elle ne portait aucune ombre. Nous étions devenues des créatures de rêves.

Le rêve était monumental. J'avais été quelqu'un d'autre. Et Jason m'avait recréée. J'étais son invention. Il m'avait peinte au commencement. Il y avait eu un partage et une fusion inattendus. J'avais été modifiée de manière subtile. Si, au commencement, la peinture était bien rituel religieux, un élément de la quête ultime, n'était-il pas possible que la magie agisse encore ? Jason n'avait-il pas franchi les portes de cette autre dimension lorsqu'il m'avait peinte sur sa toile ?

Et l'homme qui était avec moi n'était plus le Jason qu'il avait été. Cet homme aussi avait été modifié de manière subtile. Il était en partie ma création.

Le rêve avait un dôme à la coquille fragile. Le rêve était incrusté dans de l'émail dur et brillant. Mais il n'était pas inaltérable. Il pouvait être ouvert et fermé, ouvert et fermé, dans l'attente de la seule petite entaille dans la veine bleue, bleue, bleue comme le ciel, ma bouche, la marée et Jason derrière moi, dur, invisible, le vent.

Sept années s'étaient écoulées depuis. C'était la table que mon père avait décapée et poncée pour moi. Jason et moi étions assis ensemble. Jason réduisait de la cocaïne en poudre avec une lame de rasoir. Son chat, Picasso, était assis près de sa jambe.

« Tu sais ce que j'ai entendu aujourd'hui ? » Jason a pressé l'aiguille contre son bras. « Dans tout le pays, c'est le papier de toilette blanc qui se vend le mieux. Mais pas à L.A. » Jason a enfoncé l'aiguille. Le sang a jailli. Il a desserré le garrot. « Ici, plus le papier est décoré et plus il se vend. » Ses yeux étaient sauvages. « Ça te parle ? »

Je n'ai rien dit. J'ai laissé Jason me piquer.

« Tu n'as pas l'air bien », a-t-il remarqué.

Je me suis dirigée vers le lit, près du mur du fond. J'entendais le poisson rouge nager dans la fontaine. J'entendais le bruissement de la brise marine dans les rideaux légers, les ailes pâles du rideau. Je me suis pelotonnée dans les ombres et j'ai attendu que Jason me rejoigne et que la nuit m'enveloppe de ses griffes noires et fines.

9

« Ne monte pas tout de suite », a dit Francine. Elle m'attendait dans le hall d'entrée de l'hôpital. « C'est pas beau à voir. »

« Tu y es allée ? »

« Bien sûr que j'y suis allée. J'y étais à six heures ce matin. » Dans la lumière de l'hôpital, elle avait l'air blanche et secouée. Son visage doux était comme écaillé, chiffonné et cassé.

« Pas beau comment ? »

« Pas beau. » Francine a allumé une cigarette. « Il est branché à des tubes d'oxygène et à des intraveineuses par la gorge et le nez. Ils l'arrosent comme une plante. » Francine a respiré profondément. « Ils ont dû couper plus que prévu. » Elle n'a rien ajouté de plus.

« Qu'est-ce qu'ils ont coupé ? » J'étais terrorisée.

Francine a regardé le sol. « Tout », a-t-elle murmuré. « Toute la gorge. Les cordes vocales. Une partie de la bouche et de la langue. »

« Mon Dieu », ai-je commencé.

« Dieu n'existe pas, ma petite. Tu t'en rendras compte quand tu seras là-haut. »

L'ascenseur nous a emmenées au troisième étage. Les couloirs étaient sombres et luisants. Les murs avaient une couleur de boue émaillée.

Le service était d'un vert sombre moite. Le couloir s'ouvrait sur de petites chambres vertes identiques aux stores baissés dont les lattes ne laissaient plus passer qu'un soleil modéré, apprivoisé.

Les sons étaient assourdis. Les infirmières vaquaient ici et là dans leurs chaussures rembourrées. On entendait le glougloutement étouffé de liquides qui circulaient dans des tubes branchés aux nez et aux gorges, le sifflement de l'oxygène et le bourdonnement plus doux, plus insistant des respirateurs artificiels.

J'entrevoyais des corps complètement blancs et émaciés. De la chair accrochée à des os, terreuse, déjà inutile.

Tout à coup, j'ai pensé à des poissons. Le service de cancérologie était une sorte d'aquarium humain. Ici, les presque-morts gisaient dans leurs bulles personnelles et apathiques. Alors, c'est comme ça que ça se termine. Ça sèche en silence. Ça sèche en un après-midi aux couleurs d'un souvenir d'enfance à l'aquarium. La chair qui sèche. Et enfin, la chair qu'on dépouille.

J'ai continué à avancer. Sur chaque table de nuit, dans chaque chambre identique et vert pâle, un philodendron trônait avec un ruban rouge ou rose passé autour de son cou vert, ses feuilles ternes et grasses se fondant aux ombres verdâtres. J'ai pensé à des algues et à des plantes marines.

Le visage de mon père était terriblement enflé. Il paraissait triste et en colère sous les couches de bandages blancs. La gaze formait un col épais autour de son cou. Du col, germaient des tubes. Il perdait du sang. Il se vidait. Il était branché à l'oxygène. Mon père était recroquevillé dans son lit, tellement petit, qu'au début j'ai cru que ses jambes avaient peut-être été amputées.

Les stores étaient complètement baissés. Mon père a attrapé un carnet. La perfusion gouttait à travers une aiguille fixée sur l'une des veines de sa main.

C'EST QUOI. Il a fait un geste en direction de l'oxygène qui sifflait dans un tube épais en plastique vert. Le tube était attaché à un trou pratiqué dans sa gorge. Un disque métallique était incrusté au milieu de sa gorge et branché au tube à oxygène en plastique vert.

« C'est de l'oxygène. C'est provisoire. Ils vont l'enlever dans quelques jours », a dit Francine.

Les yeux de mon père se sont emplis de larmes. Il a détourné son visage bandé et lentement, péniblement, il a ramené le coin de la couverture sur sa poitrine. Il a fermé les yeux.

« Il est en train de mourir », a dit Francine. Elle s'est penchée au-dessus du lit. Et a saisi son poignet, à la recherche de son pouls. Je la dévisageais. Quelque part à l'intérieur de moi, j'ai senti naître et monter un hurlement énorme. Mes lèvres tremblaient.

« Je vais appeler un médecin », ai-je dit après ce qui m'a paru un temps interminable. Je me suis précipitée dans le couloir. Les ombres grises étaient aussi épaisses que des feuilles de chêne visqueuses sur mon visage, une forêt qui s'effondre, un orage vert, suffocant, aveuglant.

« Il va s'en tirer ? Au bout du compte ? » a demandé Francine, ses mots précis, ses yeux lumières d'ambre, son souffle frôlant la chair du médecin. Il ne pouvait plus reculer. Son dos était déjà contre le mur du couloir.

« C'est absolument impossible à dire pour l'instant. Une hémorragie ou une infection est toujours possible. Et puis, il y a la motivation. »

« Pas de cette psychologie de merde à la Marcus Welby[1] avec moi . Vous me prenez pour qui ? Un cas social effarouché ? » Francine a saisi son bras. « Je vous demande quelles sont ses chances. »

Le médecin a pesé sa réponse avec soin. « C'est totalement indécis », a-t-il finalement dit. « Cinquante-cinquante. » Il s'est éloigné furtivement.

Nous sommes retournées dans la chambre de mon père. Il y régnait l'odeur de quelque chose de terrible, de sombre et de pourri, de fibres végétales rances. Une odeur épaisse et noire, suffocante. L'odeur émanait de la chair de mon père. C'était l'odeur de la pourriture, de la mort.

QUELLE HEURE. Mon père s'est hissé laborieusement dans une position à peu près assise. Il a montré son poignet. Je voyais la marque blanche laissée par sa montre. Il a fait le signe six avec ses doigts.

---

1 Télésérie racontant la vie d'un médecin de famille de Santa Monica et de son assistant.

Pensait-il qu'il était six heures ? Six heures du soir sûrement. L'heure du journal télé. L'heure de s'envoyer un bourbon et un cigare. L'heure de la nuit qui tombait tout autour de lui alors qu'il arrosait le lierre, taillait les pêchers et les abricotiers, l'avocatier, le citronnier. L'heure d'arroser l'herbe brunâtre et sèche du jardin à l'arrière de la maison. L'heure de faire sa feuille pour le lendemain. L'heure de la retransmission du match des Dodgers ou des Lakers, dans l'attente de la prochaine embuscade, l'attente, l'attente du retour du cancer, un essaim noir.

« Il est midi. » C'était la première chose que j'ai dite à mon père. Il avait regardé Francine. À présent, il me regardait, plissant les yeux, essayant de faire le point sur moi, de me reconnaître.

C'EST QUOI. Il a montré le tube à oxygène.

« C'est provisoire », lui a dit Francine. « C'est juste provisoire. »

Qu'est-ce qu'elle en savait ? Je l'ai dévisagée. Elle se mordait les lèvres.

Mon père a tiré le tube vert transparent qui allait du réservoir à oxygène métallique jusqu'à sa gorge. Avec les stores baissés, le temps n'existait plus à l'intérieur de cette chambre, il n'y avait plus de saisons, plus de divisions classiques. Tout n'était qu'un après-midi de morphine uniforme et sans fin, un rêve sans vie et sans issue.

« Assieds-toi près de lui », a ordonné Francine.

Je me suis assise doucement sur le coin du lit de mon père. J'ai saisi sa main et ai fait courir légèrement le bout de mes doigts sur sa peau, autour de l'intraveineuse. L'odeur ressemblait à une vapeur toxique. Elle emplissait ma bouche et mes poumons. Je la sentais sur ma langue.

« Ça fait mal ? » ai-je demandé doucement. « Tu veux une piqûre ? »

« Tu peux avoir de la morphine quand tu veux », a dit Francine à mon père. « J'ai lu ta feuille de soins.»

Mon père a semblé acquiescer de la tête. Puis, il a fermé les yeux. Sa respiration était douce, lente, à peine un bruissement. Nous l'avons regardé s'assoupir.

« C'est pire qu'avant », m'a assurée Francine. Nous nous dirigions vers l'ascenseur. Elle était très pâle. « Tu ferais mieux de te préparer. Je pense qu'il ne va pas s'en sortir. »

Je me suis arrêtée. Je l'ai dévisagée, d'un air dur. « Ça, on en sait rien encore. C'est toujours cinquante-cinquante. »

Francine est restée silencieuse. Nous sommes entrées dans l'ascenseur. Nous avons longé les salles d'urgence et nous sommes retrouvées sur le parking de l'hôpital.

« Maintenant tu sais », a dit Francine. « J'avais vingt-sept ans. Exactement l'âge que tu as aujourd'hui. La différence, c'est que j'étais toute seule. Avec un mari mourant et une enfant à charge. »

Lentement, un voile s'est déchiré. J'ai entrevu le monde tel qu'il avait dû apparaître à Francine. Elle avait été dépouillée. Les vautours l'avaient récurée jusqu'à l'os.

« Ils l'ont envoyé mourir en Californie », a dit ma mère. « Ils disaient qu'à l'Est, il ne passerait jamais l'hiver. Tu as une idée de ce que ça a été pour moi ? Je le tenais dans mes bras toutes les nuits. Sans savoir s'il n'allait pas tout simplement me clamser dans les doigts. » Francine a allumé une cigarette. « Tu m'as toujours détestée, tu m'en as toujours voulu. J'étais dans une ville étrange. Seule, sans amis, sans famille, fauchée, avec une enfant, et un mari invalide au fond d'un lit. »

J'ai entrevu Francine sur la plaine de Californie du Sud étrange et décolorée, debout, dos à la mer et au soleil cruel qui se déchaînait, se changeait en sang au-dessus de sa tête, au-dessus des rues blanches, plates et absurdes, au-dessus des frondaisons anémiques et rachitiques des palmiers épais et écaillés, le paysage lui-même étrange et déraisonnable. Et maintenant, j'étais là, debout, avec la mer qui ouvrait sa bouche grise acérée de pointes et les vautours noirs affamés qui tournoyaient juste au-dessus de moi.

La roue avait tourné. Vingt-six ans s'étaient écoulés. À présent, c'était mon tour. La première fois, j'avais six ans. Dans mon souvenir, le monde était noir et blanc, avant et après. Un jour, il était exactement ce qu'il avait toujours été. Ma mère avait des casseroles en métal à la place des mains. La soupe fumait. La neige tombait mais je n'avais jamais froid. La maison en vieilles pierres grises était une coquille idéale. Sans violation possible. Mon père partait chaque matin dans ses vêtements de travail, le pantalon maculé de taches de peinture. Mon père portait sa grosse boîte à outils marron. Il allait construire une nouvelle maison. Ma mère faisait mijoter des choses dans la cuisine. Elle fredonnait. Elle me retrouvait au virage où le bus de l'école s'arrêtait. Elle souriait.

Quand ma mère faisait des gâteaux, je faisais aussi des gâteaux. J'avais droit à des plats à tarte spéciaux, minuscules. Mon père observait la grosse tarte et la petite tarte, et c'est la mienne qu'il mangeait. Quand ma mère repassait, je repassais, aussi. J'avais une table à repasser spéciale, toute petite. Ma mère me donnait les serviettes à repasser pendant qu'elle repassait les chemises de mon père. Les saisons se répandaient en douceur autour de nous. Nous étions intactes. Nous attendions sur le porche en pierre grise que papa rentre du travail. Ma mère avait pris un bain et mis du rouge à lèvres. Les tartes refroidissaient. Bientôt, on verrait la voiture de papa.

En une nuit, le monde s'était déchiré, tripes dehors, souillé de manière irrévocable. Une tache s'était étendue et transformée en marque noire que je portais incrustée au centre de ma tête.

« Tu comprends ? » a demandé Francine. Son visage était tout proche. Ses yeux étaient comme deux signaux lumineux, iridescents et hantés, deux globes jaunes énormes.

Est-ce que j'avais le pouvoir d'absolution ? Est-ce que l'on me demandait une bénédiction, une grâce ?

« Tu as fait ce qu'il fallait, Mère », ai-je dit.

Nous nous sommes enlacées maladroitement. Son corps était très chaud, trop chaud, presque fiévreux. J'ai rejoint ma voiture rapidement.

C'était la fin de l'après-midi. J'étais debout sur le porche du Gynécée. J'entendais le bourdonnement lent et ivre des insectes qui glissaient d'un bac de géranium à l'autre, taches rouges éparpillées sur la ville comme des pistes d'atterrissage. Sensation d'insectes frénétiques prêts à surgir.

Je me suis assise au bord du canal. Des fleurs sauvages jaunes poussaient en rangs serrés au travers du terrain vague près de ma maison. J'étais assise, totalement immobile, partie prenante du paysage, comme un rocher. Avec le temps, les bords des canaux s'effriteraient et les terrains vagues s'étendraient pour me déborder. Des vignes noires sauvages surgiraient de mes bras. Des vignes s'enrouleraient autour de mes chevilles et la poussière me lècherait les cuisses. Avec le temps, je deviendrais monticule au sommet d'une colline, un endroit pour que les insectes reposent leurs fines ailes veinées.

Où étaient les mots blancs, cassants et délicats m'annonçant que l'homme est mort. Que l'homme ne respire plus. Qu'il gisait dans son petit lit blanc. Que la vie s'était retirée de lui pendant son sommeil.

J'ai pris mon courrier. Une lettre, manuscrite. Je l'ai lue lentement. Le papier était très blanc et très fin entre mes mains. Près de moi, les canards se calmaient, se préparant à brailler leurs prières de gratitude au crépuscule pastel alors qu'au-dessous d'eux l'eau s'assombrissait. J'ai relu la lettre. Elle venait de ma cousine Rachel. Elle était dans un hôpital psychiatrique dans le Maine. Nous ne nous étions jamais rencontrées.

Tout à coup, le fait qu'elle me contacte m'est apparu parfaitement logique. C'était une preuve supplémentaire que la roue tournait bien. Les preuves s'ajoutaient les unes aux autres. Mon tour était venu.

Le 3 mars

Chère Rachel,

Tu me demandes si Médée prenait du lithium ?

Les implications sont nombreuses. Je ne sais rien du lithium.

Tu me dis que tu as sauté d'un pont ? Tu dis que c'est la terre qui t'as appelée, désirée, que son épine dorsale s'est cambrée vers toi, comme affamée ? Tu demandes si je pense que tu es folle.

Je ne sais plus ce que veut dire ce mot. Je sais que notre famille entretient une tendance maniaco-dépressive. Elle circule comme une tache à travers cette famille. Mais sans même les stigmates sous-jacents qui lui

sont attachés. Après tout, les rois européens étaient hémophiles. Est-il si remarquable que leurs marchands, leurs changeurs, leurs banquiers réprouvés et leurs confectionneurs aient affiché eux aussi une sombre petite anomalie ? Dans notre cas, c'est une incapacité certaine à ancrer solidement le sens des proportions, à considérer une perspective plus de vingt minutes. Je vais essayer de m'expliquer, même si je dois te mettre en garde, je ne crois plus aux explications.

Je ne pense pas que cela soit « bizarre » que tu te tournes vers moi alors que tu traverses une crise, que tu te tournes vers moi alors que le monde que tu connais s'écroule et que le jour lui-même s'effondre. Tu as entendu parler de moi ? Ta mère t'as poussée à prendre contact ? Peut-être pensez-vous toutes les deux que j'ai appris quelque chose digne de valeur puisque j'ai dix ans de plus que toi. Tu en décideras par toi-même.

Nous partageons le même sang. Il y a des vérités de sang. J'en suis convaincue. Il existe des connections au pouvoir terrifiant, subtilement plus anciennes et virulentes que tu ne peux encore te l'imaginer.

Est-ce que tu penses souvent à moi ? Si je te pose cette question, c'est tout simplement parce que je ressens la présence de choses, une sorte de chœur. J'ai eu cette impression durant tout l'hiver.

Je comprends lorsque tu dis que ta mère est difficile au-delà des attentes légitimes, au-delà même des limites de ce concept suranné que certains hommes ont un jour appelé décence. Je suis sensible à ta situation. Nos mères ne sont-elles pas de vraies jumelles ?

Tu demandes pourquoi elles se méprisent ainsi. Je pense que c'est simplement parce qu'elles ne peuvent pas supporter l'évidence de la tache. Le déni est leur seule issue. Le mépris qu'elles nourrissent l'une envers l'autre leur est nécessaire. Elles ne se sont même pas adressé la parole une seule fois en vingt-cinq ans. Elles nichent sur les rives opposées de ce pays comme si les cinq mille kilomètres qui les séparaient constituaient une preuve tangible de leur libre-arbitre. Je pense que la liberté n'existe pas.

Est-ce que ta mère a réussi à éradiquer toute trace de Pologne en toi ? Les chemins équestres à travers les pins ? Les bains rituels et la superstition ? Bien sûr, il est difficile de communiquer avec elle. Sa thèse en sociologie la protège des vérités profondes. Ne se rend-elle pas compte que son doctorat n'est qu'un attribut moderne de sorcellerie ?

Ma mère, elle aussi, m'a refusée notre histoire douloureuse et exquise. Je pensais que j'avais un droit sacré sur notre passé commun. J'ai compris qu'il ne me serait jamais accordé. Je me suis servie.

Comment vas-tu prendre tout cela, te demandes-tu ? Aucune carte n'existe pour ce genre de choses, aucune répétition générale. Il faut vider le moi de ses facultés passées. Les bras peuvent devenir voiles. Le moi, projectile. Tu me suis ?

Que sais-tu de notre terrible passé commun ? La pourriture dont ils ne parlent pas ? Même aujourd'hui avec leurs noms tout proprets et anglo-saxons, certaines vérités sont scellées à jamais dans leurs bouches, trop dangereuses, trop sombres et trop acérées pour être prononcées. À leur façon, ils crachent encore le mauvais œil dans des chambres de Sabbat sombres et claustrophobes.

Tu sais désormais (ta mère t'as raconté ?) qu'elles n'étaient pas orphelines. Notre grand-mère est encore en vie. C'est chez elle que j'ai vu ta photo. Nos mères prétendent qu'elle est morte. C'est plus facile pour elles de soutenir cette version que de supporter la vérité nue de son existence, de son infirmité (as-tu entendu prononcer le mot “démence” ?) dans un appartement du Bronx, évoluant dans un enfer qu'elle s'est imposée à elle-même, se punissant de la seule et unique indiscrétion terrible. Je parle de cette nuit virginale passée avec l'homme, l'infidèle, le chrétien qui a volé son enfance et l'a laissée enceinte de la malédiction jumelle que sont nos mères.

Notre grand-mère les a prénommées Frieda et Fay. Plus tard, et chacune de leur côté, alors qu'elles s'étaient créées une vie nouvelle, elles sont devenues la Francine et la Felicity que tu connais bien.

Notre grand-père s'appelait Edward. J'ai engagé un détective privé pour savoir tout ça. Edward Geoffrey Richmond, bien que le nom ne signifie rien et qu'il soit mort aujourd'hui. Il est mort riche à Houston, Texas, en 1964. J'ai vu sa tombe.

Il s'est marié cinq fois. Aucun moyen de comptabiliser les liaisons qu'il a eues. Sa stratégie était toujours la même. Il était attiré par les femmes très jeunes issues de ce que l'on appelait alors les basses classes. Notre grand-mère n'était pas la première. Elle était simplement tellement démunie, tellement pauvre et terrifiée dans ce rude pays d'usines et d'ateliers clandestins, de trams et de gratte-ciels gris masquant les nuages, qu'elle n'a eu aucun recours.

Edward Geoffrey Richmond n'a sans doute jamais su que sa graine avait un coeur battant (deux, en fait). Il avait toute une collection de bâtards éparpillés aux quatre coins de l'Amérique. Le détective a dit qu'il y avait au moins une douzaine de rejetons.

J'ai rencontré l'un d'entre eux, une femme. Le détective l'a retrouvée pour moi. Elle est grande, comme nous toutes. Elle a le même éclat étourdissant. Elle est vice-présidente d'une banque de Boston. Elle est la fille bâtarde de cet Edward. Sa mère était une immigrante russe de quinze ans, qui ressemblait beaucoup à notre grand-mère Rose. Elle aussi, avait été abandonnée pendant son enfance.

Elle n'a pas paru surprise de me voir, comme je ne suis pas vraiment surprise par ta lettre. Il y a des forces qui poussent vers l'ordre. J'en suis convaincue maintenant.

Cette femme, cette demi-tante, m'a emmenée déjeuner dans une citadelle de verre avec vin blanc glacé et la ville étincelante et fraîche comme une tombe nouvellement creusée en-dessous de nous. Elle a siroté son vin lentement, sans amertume.

Rachel, elles sont tellement calvinistes. Felicity, ta mère avec sa chaire universitaire. Francine, ma mère. La bâtarde, présidente d'une banque à Boston. L'Amérique les a ruinées. Cette demi-tante sirotait son vin et parlait de son enfance de petits lits et de pauvreté sans trace aucune de manque affectif ou de colère. Elle a même avancé l'hypothèse selon laquelle cette souffrance précoce peut être à l'origine de réussites extraordinaires.

Je me rendais compte qu'elle ne pouvait pas supporter la souffrance que je représentais, mes yeux, ce quelque chose en moi qu'elle reconnaissait. Il n'y avait pas grand-chose à dire, semble-t-il. J'étais dans la rue avec ma demi-tante. En ce qui me concernait, la quête était terminée.

Avec notre grand-mère Rose, c'était différent. Je t'en dirai davantage plus tard. Je peux te donner son adresse. Tu peux apprendre beaucoup d'elle. C'est une vraie sorcière, à sa façon, rousse, comme nous toutes. Elle reconnaîtrait en toi, l'une des siennes, les yeux d'ambre sombre (approchant la couleur du corail, comme les bourgeons de certaines orchidées) et le battement erratique du cœur.

Mais tu ne peux pas voyager dans ton état. Un voyage sérieux nécessite une certaine préparation. Mange et dors. Tu auras besoin de force, d'où qu'elle vienne. Peut-être qu'en été, tu seras prête. Souviens-t'en, rien n'est promis. Le sol même sur lequel nous marchons est chancelant, il n'est que la simple approximation de quelque chose d'autre.

J'attends des nouvelles optimistes de ta santé. Nous partagerons la vérité du sang. C'est ce que je pressens.

J'ai replié la lettre avec soin dans une enveloppe. Je devais la poster tout de suite ou sinon elle resterait ici dans ma maison au milieu des autres vestiges et reliques de mes vies antérieures.

J'ai posté la lettre et me suis laissé vagabonder lentement en direction de l'océan. Les vagues étaient grises. Et je me suis dit, ne meurs pas, père aux cheveux blancs, toi qui a été battu et délavé par l'océan comme une roche grise. Le calme plat est seulement provisoire. Les vents se lèveront. Les crêtes moutonneuses se remettront à danser, hantées par les étoiles. Tu chevaucheras encore la crête grise et sévère. Tu connaîtras les montagnes liquides. Contente-toi de respirer.

Puis la mer grise s'est perdue, engloutie par une brume grise, première griffe hésitante de la nuit. Quelque part sur le sable, un homme s'est mis à chanter quelque chose qui ressemblait à une prière arabe. Je me suis souvenue de mon premier jour au Gynécée.

« Je t'aime », ai-je murmuré à ma nouvelle obscurité.

« Pourquoi ? » a demandé Jason.

Il était étendu sur le dos, étendu sur les draps neufs et fleuris que j'avais achetés, étendu les bras derrière lui, reposant mollement sur le nouvel oreiller en plumes. Les rideaux de la chambre étaient ouverts. C'était l'été. Jason avait suspendu des rangées de guirlandes de Noël électriques derrière la fenêtre. La chambre était baignée d'un halo argenté. Elle ressemblait toujours à la pleine lune.

« Tu es le sombre. Le solitaire. Tu es celui que je désirais, mon absolu de marbre noir. Tu es l'onyx. Nous surfons la nuit d'Iris, un seul corps. Nous explorons les anfractuosités de la chair sombre et chaude. Ta langue est lichen. Tu es à la fois battement d'ailes et fumée de chanvre. Ton souffle est citron vert suave. Tes soupirs sont roulements de tambour, arbres qui s'écroulent. Tu es mon charmeur, mon avaleur de feu, mon chevaucheur des vents. Tu es la danse des nuages. »

« Je sais », a dit Jason. Il s'est retourné pour faire face au mur. « Je ne veux pas autant d'amour. »

Je me suis contrainte à rester immobile dans l'obscurité. C'était l'été. J'avais arrosé le jardin de derrière. J'avais fait bouffer les oreillers, ajusté le couvre-lit, balayé le sol.

« Pourquoi mon amour te terrifie-t-il autant ? »

« Tu demandes tellement en retour » a dit Jason.

Je me suis assise. C'était notre première nuit officielle, ensemble. Je voulais ouvrir les tiroirs et trouver des fleurs. Je voulais franchir le palier dans ses bras. Je voulais une démonstration concrète et évidente de son désir de me voir en ces lieux, une preuve, une preuve tangible.

« Il n'y a pas d'espace pour toute cette camelote », a répété Jason, encore et encore, pendant que je hissais des cartons au sommet des trois marches de l'escalier, et franchissais le porche jusqu'au salon. Jason regardait les cartons s'entasser les uns sur les autres. Il les fixait avec une horreur croissante, comme s'il s'était attendu à ce que j'entre dans sa vie, nue, immaculée, toile tendue prête à accueillir le pinceau. J'ai transporté les cartons sans cacher ma colère. Jason avait l'air d'avoir été trahi.

« Il n'y a pas de place pour cette merde », disait Jason de temps en temps.

Plus tard, j'ai commencé à défaire les cartons. J'ai suspendu mes robes dans la penderie qui se trouvait dans la chambre. J'ai rangé les assiettes. Jason est revenu de la chambre, outragé, un tas de mes vêtements sur les bras. Il a lancé mes robes sur le sol.

« Mauvaise pioche », a-t-il dit.

« Mauvaise pioche ? »

« Tu n'as pas choisi la bonne penderie. Tes vêtements resteront dans le placard du hall. Les vêtements sont impersonnels. » Dans sa bouche, on aurait dit une loi de la nature intangible.

« Jason », ai-je commencé lentement. « Est-ce que c'est ma maison ou pas ? Parce qu'après avoir transporté tous ces fichus cartons toutes la journée, je... »

« Le loyer doit être payé le premier du mois. Ce qui veut dire, bouge ton cul et commence par aller les récolter. » Jason est sorti de la maison.

Je me suis assise, abasourdie, effrayée, énervée. Quelque chose de rouge, d'épais et de submergeant m'emplissait. L'air était liquide. Que se passait-il donc ? J'étais un lieu saint, ancien, absolu. Et tout à coup des vandales se mettaient à m'attaquer. Des obscénités étaient inscrites sur mes murs élégants patinés par le temps. Les vandales dévalisaient le tronc des pauvres. C'était des monstres. Quelque chose d'horrible était en train de se produire, quelque chose d'erratique, au-delà de l'imagination.

Jason est revenu à minuit. Il s'est couché et a détourné son corps du mien, pour faire face au mur.

« Qu'est-ce qu'il se passe ? S'il te plaît, dis-moi », ai-je murmuré. Ma tête s'écroulait et devenait masse noire. Je sentais chacun des atomes se désagréger.

Jason est resté silencieux.

« Tu te conduis comme si tu ne souhaitais pas ma présence ici. J'ai l'impression que tu imposes des conditions à ma vie dans cette maison. Je me sens hésitante et… »

Dans l'obscurité, j'ai senti que Jason a souri. La nuit entre nous deux s'est épaissie. Jason s'est mis à rire. Il commençait à se sentir mieux, plus léger. Les cartons l'avaient effrayé. Je l'avais effrayé, À me tenir au seuil des pièces de sa maison, violant sa routine, son emploi du temps de peintre, son existence même, avec le fouillis absurde de ma vie.

J'ai couvert mon visage de mes mains. J'ai pressé mon visage, essayant de me secouer pour clarifier ma tête, ma peau, mes cellules. L'obscurité était étouffante. Des débris s'y déversaient à toute vitesse et sans dessein.

« Jason. » J'ai touché son épaule. Je le sentais tendu sous la pression de mes doigts.

« Laisse-moi tranquille. Je suis fatigué. »

« J'ai besoin de toi », ai-je murmuré, comme une psalmodie, une sorte de prière. J'étais un lieu saint, ancien et sacré. J'étais le silence des lumières des cierges, le silence des cloches. Pour quelle foutue raison Jason était-il fatigué ? C'était moi qui m'étais coltiné les cartons.

« Tu as toujours besoin de quelque chose », a dit Jason. « Tu es un putain de puits sans fond. Endors-toi. »

« Qu'est-ce qu'il y a qui ne va pas ? » Je pouvais à peine respirer.

« J't'ai dit de la fermer. Arrête cet interrogatoire. Tout ce que tu fais, c'est de rendre les choses pires pour toi. »

Pires pour moi ? Est-ce que j'étais en train d'être jugée ? Ma mauvaise conduite avait-elle un effet défavorable sur l'affaire ? Et quelles étaient donc les charges précises retenues contre moi ?

« De quoi tu parles nom de Dieu ? » ai-je hurlé.

Jason a fait un bond en avant. Il a pressé sa main sur ma bouche, très fort. Son visage se contorsionnait à travers les couches d'obscurité. Je sentais son pouce pincer ma bouche.

« Tu veux qu'on se joue une partie nocturne de C'est-quoi-ton-problème » Il était toujours en train de me secouer la tête, la soulevant comme un melon, puis la repoussant contre le matelas. « Tu fredonnes quelques notes, et je suis censé deviner ce qui te bouffe de l'intérieur et qui te rend folle ? »

J'étais glacée. Une part de moi voulait s'enfuir, dévaler les trois marches du porche, courir vers ma voiture, en direction de la ville endormie, n'importe où. C'était mon moi véritable. Le reste était une coquille, étendue gentiment, obéissante, les yeux grands ouverts, stupéfaite.

« Tu dors et t'oublies, salope », a dit Jason, énervé.

Une part de moi dévalait les escaliers. Une part de moi avait déjà atteint Venice Boulevard. Une part de moi courait, vidée et en feu sous une pleine lune d'été, répétant silencieusement une mélopée, lentement, encore et encore, de manière hypnotique. Oh, mon Dieu, c'est une erreur, une erreur, une erreur. Je répétais ces mots sans cesse. C'est une erreur, une erreur, une terrible erreur. La mélopée dans ma tête était désespérée, et me traversait encore et encore comme de grosses gouttes de pluie souillées par la ville, qui tombent en battant les poubelles des allées.

Je me suis réveillée l'esprit plus clair et résolu. Jason était parti. Le matin était blanc et calme. Il faudrait que j'aille quelque part pour réfléchir. Il faudrait que je trouve un autre endroit pour vivre.

Je me suis faufilée dans la cuisine. Jason lisait un journal. J'ai rempli une casserole d'eau.

« Utilise toujours la casserole blanche pour faire bouillir de l'eau », m'a dit Jason. Il faisait la grille de mots croisés du journal. Il ne m'a pas jeté un regard.

« C'est comme ça que ça se passe », a commencé Jason. Il a allumé une cigarette. « Je me réveille. Et je veux le silence total. Pas de bonjour. Pas de discussion au petit-déjeuner. Rien. T'as compris? »

« Oui. »

« Bien. Je mange. Puis je vais au travail. Je retourne chez moi et je peins. Je peins sept jours sur sept. Je commence dès le réveil. Quand je peins, ce que je fais chaque jour, tu oublies que je suis ici. Je n'existe pas. Je disparais. T'as compris ? »

« Oui. »

« Parce que le putain de trip du mariage, très peu pour moi », a dit Jason. « Tu t'occupes de ta merde. Je m'occuperais de la mienne. Tu m'entends ? »

« Je t'entends. »

« Bien », a-t-il dit. « Il te suffit d'accepter. C'est un moment hors du temps. » Jason a regardé par la fenêtre de la cuisine les plantes près du portail de côté. Une tige de balisier jaune, aux pétales épais et durs, se balançait légèrement dans la brise marine du matin. Les canaux avaient la couleur d'un miroir.

Jason a traversé la pièce. Il s'est arrêté près de la porte. Il a jeté un autre regard aux plantes le long du portail.

« C'est une belle journée qui s'annonce », a dit Jason. Puis, il a ouvert la porte d'entrée et a disparu.

Cela faisait vingt-quatre heures que je partageais la vie de Jason. J'ai compris qu'il me restait un nombre incommensurable de choses à apprendre. Et j'ai compris que jamais je n'apprendrais assez vite.

10

« On s'accroche de toutes nos forces. Quoi qu'il arrive, on s'accroche », a dit Francine.

Nous marchions dans le couloir qui conduisait à la chambre de mon père. Le couloir était long et gris verdâtre, une sorte de tunnel. Le monde s'était réduit à un étroit canal couleur tôle. Il aurait tout aussi bien pu être immergé. Le service avait tout du sous-marin, claustrophobe, gris, verrouillé. Sans issue.

Dans ce couloir et dans ces alcôves, un sentiment funeste m'a assaillie. La lumière blanche était un souffle lumineux et frais. Le service était aseptisé, le ciel couvert, les étoiles dissimulées.

Jamais l'homme primitif ne pourrait se soumettre à l'hôpital. Un homme primitif insisterait pour être entouré de ses objets les plus magiques. Il y aurait des prières et des chants collectifs, un souffle commun entretenu. Des feux de camps pour flamboyer dans l'obscurité, les étincelles des bûches de cèdres, l'air hérissé de rouge dans le noir, sang et fumée. Il y aurait des amulettes, des charmes, des totems. Les masques seraient repeints. Les calebasses à percussions, sorties de la hutte du guérisseur. Il y aurait des danses, des peintures de sable, des reconstitutions chantées des victoires de la tribu sur le mal, des morts aléatoires et des naissances inexpliquées, une sorte de tintement singulier.

Le guérisseur implorerait la terre. Et la terre répondrait. Les os sacrés de tous les sages décédés rongeraient la nuit noire et rouge et soulèveraient la poussière des tombes fantasmagoriques. Le rêve s'y plierait et le squelette articulerait de vrais mots d'une bouche aux lèvres et à la langue réincarnées.

L'hôpital était trop vide et uniforme. C'était un espace dénudé, une anti-chambre de la mort. Ici, les shamans revêtaient des costumes particuliers, masques blancs et blouses blanches. Ils maintenaient des rituels antiseptiques. Communiquaient en un dialecte privé ancestral. À leur façon appauvrie, ils s'efforçaient de préserver le mystère. Ils adhéraient à des formes ancestrales, mais vidées de leur substance, de leurs relations aux pouvoirs impénétrables.

Les docteurs portaient des stéthoscopes autour du cou et communiaient avec des machines, mais ce n'était pas suffisant, pas tout à fait. Je voulais des cornes d'antilopes sur leurs têtes, des percussions et des tambours. Je voulais une bénédiction tonitruante et prodigieuse, des sels magiques, de la fumée colorée, des genoux sur la poussière, des étoiles guidant les prières.

« Il a repris des forces, tu vas voir », a dit Francine, désespérée, trahissant son manque de conviction. Elle marchait devant moi, un chapeau de paille rouge vif en équilibre sur le sommet du crâne. Tout ce que j'avais à faire était de rester sur mes pieds et de suivre les rebonds de la balle rouge en paille.

Francine a tourné dans une petite alcôve près de la chambre de mon père. C'était une salle de rangement. Francine a ouvert son sac en toile rouge et a commencé à le remplir de tasses, gants de toilette, et chemises d'hôpital. Elle est allée très vite. Personne n'a rien remarqué.

« Cinq cent quarante dollars par jour », a-t-elle fait remarquer doucement. « Ils me doivent bien ça. »

J'ai suivi Francine dans la chambre de mon père. Il fixait le mur en face de lui. Sous les gazes blanches, son visage avait un air renfrogné. La sonde alimentaire dans son nez était rouge, comme une sorte de défense d'éléphant. J'ai essayé de penser à quelque chose à dire.

C'EST QUOI ? Mon père a montré le réservoir à oxygène.

« C'est de l'oxygène. C'est provisoire. Ils vont l'enlever demain. »

Les yeux de mon père étaient très noirs. On aurait dit qu'ils étaient liquides, comme de l'encre. Ses mains reposaient sur le carnet. J'ai remarqué que la bouteille pour l'intraveineuse avait disparu.

« Tu vois ? Ils ont déjà retiré l'intraveineuse », ai-je dit.

Mon père paraissait somnoler. Il a ouvert ses yeux noirs. Il a saisi le carnet.

C'EST QUOI ?

« De l'oxygène. C'est provisoire. »

« Lis-lui le journal », a suggéré Francine. Elle a sorti le journal du matin de son sac en toile rouge. Elle devait enregistrer une émission à Burbank. Elle faisait les cent pas nerveusement. Sa veste de tailleur était ouverte, révélant un chemisier décolleté en soie blanche. Je l'ai accompagnée dans le couloir.

« Qu'est-ce que tu regardes comme ça ? » a-t-elle demandé. « C'est ma robe ? Écoute, ma petite. C'est pour le réconforter, tu peux me faire confiance. »

Ses chaussures à hauts talons clic-cliquetaient avec éclat sur le sol en carrelage vert. Lorsque Francine a disparu au coin du couloir en direction de l'ascenseur, je suis retournée dans la chambre de mon père.

« Tu veux écouter les nouvelles ? »

Mon père est un fanatique des nouvelles. Il ne commence jamais une journée sans une étude approfondie du journal, la section sports d'abord, puis la une et les éditoriaux. Il sait ce qu'il se passe à Cuba, en Corée et en Grande-Bretagne. Ça lui est égal. Les Républicains ou les Démocrates ? Mon père hausserait les épaules comme il le fait devant les matches de baseball du lundi soir entre les Padres et les Braves.

« Je suis un observateur impartial », disait-il, cigare à la main. « Je veux juste voir un bon combat. »

À présent, il était allongé immobile. Les yeux clos.

« Je vais te lire les sports en premier », ai-je dit.

J'ai commencé par les résultats des courses. J'aurais bien aimé un jumelé gagnant, avec des gains à deux et trois mille dollars susceptibles d'éveiller son excitation. Quand il n'y avait que des favoris, des premiers et des seconds choix, je lui inventais des grosses cotes.

C'EST QUOI.

« L'oxygène, papa. Tu as mal ? Tu veux une autre piqûre ? » Francine et moi proposions toujours à mon père une autre piqûre.

« Cinq cent quarante dollars par jour », avait dit ma mère une fois. « Il mérite bien un shoot. »

Mon père était allongé très calmement. Une larme a coulé de son œil. Il l'a balayée maladroitement de la main, comme s'il s'agissait d'un insecte affreux perché sur sa joue. Un tueur.

PAS DE MOTS, a écrit mon père sur son carnet. Puis il a détourné son visage couvert de bandages loin de moi, en direction du mur vert émail.

J'ai roulé rapidement jusqu'à chez moi, vers l'ouest, me précipitant vers la mer, comme si l'on me poursuivait. Des camions surgissaient autour de moi comme des bêtes primitives et enragées agitant l'air, se frayant un chemin à travers l'air, laissant le matin meurtri.

Il était tôt, pas encore midi. J'ai fait ce que j'étais censée faire. Je suis allée ramasser les loyers de Jason.

Je marchais avec précaution. Si je marche sur n'importe quelle portion de rue ou de plage trop souvent, elle se décolore et ternit. Si je ne fais pas attention, le monde va se peupler de bâtiments en papier mâché agonisant sur l'arrière-fond d'un ciel peint en bleu.

Il est essentiel que chaque bâtiment, chaque devanture de magasin, chaque bar ou chaque appartement détienne différentes qualités, ici stuc blanc, là briques, et plus loin, lattes de bois ou blocs d'asphalte. J'ai remarqué chaque bac de géraniums en terre cuite sur les porches et les balcons. Le soleil engourdit et dépouille mes sens. Je me suis forcée à remarquer les différences, les nuances de gris sur les plaques et sur les imprimés des rideaux en coton satiné.

Le temps était clair. Une brise avait chassé l'air maussade des toits et des trottoirs. J'ai compris que le monde entier était précisément le même partout. Composé de millions de rues ornées de balcons, de magasins de vins et d'étalages de fruits. La terre était juste une histoire de bleus liquides, d'endroits sablonneux, de caniveaux brunâtres, le vert des vallées, les rochers blancs, les nuances pâles indéterminées de l'asphalte gris et du pinceau sec. Les angles pouvaient être distendus. Un plan horizontal, poussé, une ligne verticale, étirée. Mais les éléments de base demeuraient les mêmes, fixes, une série de motifs géométriques presque infinis dont seules la proportion et la couleur subissaient des variations.

Cette prise de conscience me surprenait tout en m'attristant. Je me rendais compte que le monde n'était que variation. On pouvait ajouter des éléments. Le blanc-bleu des coteaux des collines sous la neige, peut-être. Mais les composants de base ne différaient que dans leur agencement. Les combinaisons étaient pré-arrangées, définies et limitées.

Je me suis rendu compte que ma vie aussi était définie. Les frontières de mon monde étaient d'une part les canaux et de l'autre l'océan. Jason se situait exactement au centre.

J'ai haussé les épaules, lambeau de plage qui effleure les portes. J'ai collecté le loyer de Mr. Gordon. Il a quatre-vingt-quatre ans et vit seul dans un bâtiment en briques qui fait face à la promenade. Je l'ai observé, arthritique et sourd, alors qu'il préparait le thé sur sa plaque chauffante. Le soleil cognait avec âpreté contre ses vitres maculées de traînées grises. Je l'ai observé verser le thé dans des tasses en porcelaine et les faire glisser habilement au centre de soucoupes assorties. Il me racontait l'été à New-York lorsqu'il était jeune et jouait de la mandoline sur les toits dans une chaleur humide, terne et lourde. Il parlait sans chagrin, comme si ces évènements étaient arrivés à quelqu'un d'autre.

Puis il s'est souvenu de la mandoline. Il est allé dans sa minuscule chambre. Je l'ai entendu farfouiller. J'imaginais la mandoline, le bois infiniment fin, presque rougeâtre comme un cœur dilaté. J'étais effrayée par le bois poli et délicatement ciselé, la rangée de cordes tendues, groupées dans l'attente et encore pleines d'espoir. Si je m'aventurais à la toucher, quelque chose de terrible me serait transmis, de mes doigts jusque dans ma chair. Je me suis levée rapidement, la pièce tournait, j'avais la tête en feu, je suis sortie, oubliant le loyer.

J'oublie souvent les loyers. Je me suis retrouvée dans l'une des petites maisons en bois de Jason. Je dévisageais une femme aux cheveux gris dissimulés par un fichu rouge en coton. Elle aurait pu être en train de battre du linge sur les rochers d'une rivière dans un village polonais aux côtés de ma grand-mère et de sa mère avant que le monde ne change entièrement.

Ses yeux étaient possédés, bleu clair, perspicaces, évaluateurs. J'avais peur de son histoire et de ce qu'elle pouvait m'apprendre. Toutes les vielles femmes ont des maris enterrés, anciens lettrés qui ont enseigné à des enfants dans de petites pièces sombres d'une quelconque ville.

J'ai regardé la vieille femme remplir un chèque de ses mains tremblantes, déformées par la vieillesse et la maladie. J'ai jeté un œil à ses plantes prises dans des pots poussiéreux et aux étagères de livres dont je savais qu'elles laisseraient une pellicule de poussière brunâtre sur mes mains. J'avais peur de ce résidu, la sensation d'une empreinte sur ma chair, vivante comme une sangsue en train de creuser.

Je pouvais presque entendre les pensées de la vieille femme. Qui aurait pu prévoir cet endroit, cette Venise californienne ? Il n'y avait eu aucun présage de tout cela dans les hivers de Floride, nul signe de cette côte ouest lointaine avec sa jeunesse peinturlurée et déguenillée, trébuchante et ivre ou défoncée au beau milieu de la journée, jetant des bouts de bois à des chiens errants et se retrouvant dans les allées derrière sa maison pour mener des affaires d'une nature illicite, peut-être même démoniaque. Aucun signe de cet isolement et de ce chaos dans toutes ces années de dîners hebdomadaires et bien réglés, les thanksgivings, les diplômes et toutes les saisons favorables exemptes de sauterelles, incendies ou autres fléaux.

Quand la vieille dame parlait, ses mains osseuses s'agitaient autour d'elle. Elle était capable de faire apparaître les années aussi facilement que l'on sort un rouge à lèvre de son sac, fouiller et ressortir l'année 31 ou 47 ou 66. J'étais terrifiée qu'elle puisse y parvenir. Je ne voulais pas voir les frêles colonnes vertébrales d'une vie se dissoudre. Je ne voulais pas voir les années se fissurer et se briser sous le soleil, devenir poussière avant même qu'elle ne commence à donner une explication.

Je savais que c'était une vieille femme bonne, une vieille femme propre, sans poils noirs sur le menton ou autre difformité remarquable, claudication, canne, cataractes ou artifices de plastique incrustés dans la chair. C'était une vieille femme bonne, une vieille femme propre qui ne sentait pas mauvais. Mais pourtant, je lui ai tourné le dos lorsqu'elle a sorti une génoise de son petit four tout sale. Tour de magie.

Je dois faire attention.

J'ai oublié les loyers. J'ai marché dans la brise marine, seule habitante d'une ville immergée. La pression était énorme, chaque respiration, un combat, une bataille contre chaque molécule d'air, ces cellules invisibles et crochues.

Je me suis arrêtée sur le pont près de ma maison. Le jour virait au gris. L'air était gris. Le boulevard était gris, comme un vieux chien malade.

Bientôt la nuit allait tomber. Dépouillée du mythe de l'ordre et de l'utilité, les rues et les bâtiments retrouveraient leur forme véritable, amas de boue et de briques, choses tirées de la terre et pourrissant sous les bords asséchés de nuages bas couleur de rouille.

Bientôt ce serait l'heure des amulettes et des chants sacrés. L'instant où l'homme se souvient de la peur primitive de la solitude, seul, séparé de la tribu alors que l'obscurité tombe et que les prédateurs commencent à roder, les léopards à surgir des ombres en rampant, regards lumineux et griffes acérées.

La terre entière semblait suspendue, suspendue entre jour et nuit. Un long moment d'incertitude. Puis le soleil meurtri a répandu un dernier rayon violet-orangé dans le ciel englouti. Les mouettes ont cessé de hurler.

Je suis simplement restée sur le pont, à remuer la tête tout en fixant l'eau qui s'assombrissait, hochant la tête d'avant en arrière, d'avant en arrière comme si j'essayais de débusquer de leur perchoir les fragments de rêve au centre noir de mon cuir chevelu. Puis, j'ai téléphoné à Jason.

« J'ai passé ma vie en revue », ai-je commencé. « Un cliché misérable après l'autre. J'ai repensé à tous ses aspects sordides, dégradants et plein de mépris mutuel. Je me sens vraiment pas bien. »

« Toi et tes solipsismes. C'est insupportable », a dit Jason. Et, d'une voix plus douce, « Pourquoi tu viens pas jusqu'ici ? »

« Venir ? Je pense que je ne reviendrai plus jamais. »

« Oh », a finalement dit Jason. « Si j'avais su ça il y a deux heures, j'aurais pu prévoir quelque chose d'autre pour la soirée. »

« C'est pas trop tard. » J'ai raccroché.

Pendant sept ans, j'ai vécu avec un sentiment de menace perpétuel, comme si une bonne moitié de Venice, Californie, cherchait à me piquer ma place. Et une bonne moitié du temps, je ne faisais rien du tout. J'évoluais dans un silence singulier, mon monde à l'intérieur d'un monde de carrelages blancs et froids et de draps de glace, et je me disais, mon Dieu, est-ce que quelqu'un viendra me débarrasser de ce cauchemar mouvant et respirant la puanteur ?

Et quelqu'un était venu.

Et je n'ai pas parlé à Jason pendant treize mois. J'ai vécu là, dans le Gynécée, à quatre canaux de chez Jason et j'ai organisé et construit ma vie d'une façon telle que jamais je ne suis tombée sur lui, pas une seule fois.

11

Nous nous sommes réconciliés. Ça a été aussi simple que ça.

Je l'ai retrouvé pour boire un verre. Après tout, cela faisait treize mois sans lui. J'avais passé deux mois à voyager à travers le Mexique et la Californie du Nord en compagnie d'un autre homme. Plus tard, j'avais décoré le sapin de Noël d'un deuxième homme. J'avais accroché des néons filaires et des guirlandes argentées à des branches de conifères avec des doigts qui n'étaient pas les miens, des doigts morts, inanimés et étrangement gelés, décoration supplémentaire.

Plus rien ne me touchait. Jason résistait à tout. J'étais allée avec un autre homme à Mexico. J'avais tenté de l'oublier sous un soleil de tequila, blanc et évidé, alors que sonnaient les cloches. Je me sentais traquée par les cathédrales qui pullulaient comme des abcès sur de grandes places pavées où des femmes étaient accroupies près de piles de Chiclets telles des pyramides sacrées. Jason me hantait.

Les hommes ne faisaient que passer. Ils étaient interchangeables, introduisant des morceaux insignifiants d'eux-mêmes à l'intérieur de moi, une lame de quartz, des disques luisants, une sorte d'alphabet moribond qui séchait sans laisser de traces. Je les renvoyais. Je les congédiais comme Jason le faisait avec ses femmes, et je ne sentais rien. J'étais un arbre en hiver, à moitié endormie, tailladée, supportant mon sort.

Jason m'a appelée le jour de son anniversaire. Je savais qu'il le ferait. J'avais attendu toute la journée.

« C'est mon anniversaire », a soufflé la voix chaude et noire de Jason dans le téléphone, noire de nuit et d'attentes, noire et chaude à travers les fils, noire au-dessus du réseau métallique noir des canaux. Jason, faucon noir qui se pavanait. Jason et son sac noir plein de chausse-trapes.

« J'ai trente ans aujourd'hui », a dit Jason, comme s'il s'agissait de mots magiques pouvant tout pardonner.

« Et alors ? » C'était la première chose que je lui disais en quatre mois.

« Alors, je pensais qu'on pourrait se retrouver. »

« Ta copine est occupée ? »

« J'ai pas de copine. »

« Pas de chance. » J'ai raccroché.

Mes mains tremblaient. Je sentais encore la caresse de sa voix sur mon visage. Les parties scellées en moi respiraient à nouveau, s'étirant d'un long sommeil, affamées.

Il était dangereux de lui parler. Ses mots faisaient résonner un écho qui traversait ma tête et mon corps comme un vent d'été. Les vents de Santa Ana, peut-être, qui soufflent furieusement et de manière incontrôlable. Les vents soudains du désert. La ville capturée, roussie nuit après nuit. Le taux de criminalité augmente. Place au règne de la violence, de la confusion, un feu étrange.

Jason a téléphoné le quatre juillet. « Je suis tout seul », a-t-il dit d'une voix pitoyable. Dans sa bouche, c'était comme un crime.

« Quelle surprise ! » Moi aussi, j'étais seule.

« Allons juste boire un verre. Pour fêter notre illusion de liberté avec tous les autres connards enchaînés. Et un peu de maya bicentenaire. De la maya blanche », a proposé Jason.

Je me suis mordu la lèvre. Je me suis souvenue de Jason en train d'attacher mon bras avec la ceinture de sa robe de chambre, mon cœur battant la chamade, mon poing s'ouvrant et se fermant. Et le flash. Le soupir et la transformation en blanc arctique, blanc d'émail, lambeaux de nuages, la mer blanche ouvrant des lèvres blanches de glace.

J'ai allumé une cigarette. Je transpirais. « Tu tombes vraiment au pire moment. Tu aurais dû lever quelqu'un la semaine dernière. Tout le monde t'aime au moins pendant trois ou quatre jours. »

« Tu m'aimes ? »

« Non. » J'ai raccroché.

Pour la première fois, j'ai envisagé la possibilité de le revoir. Et si je décidais de le revoir, tout serait différent, très différent même.

Jason a téléphoné à Noël. Il était saoul. En fond sonore, de la musique jouant très fort. Il criait pour couvrir ce vacarme. « Désolé de te déranger. Nostalgie. Je voulais juste entendre ta voix. »

« Tu veux toujours ce que tu n'as pas, Jason. C'est ton enfer particulier. »

« Je t'ai fait du mal. J'ai été stupide », a dit Jason rapidement. « Est-ce qu'on pourrait se revoir ? En tant qu'amis ? »

« Nous ne sommes pas amis. Je ne t'apprécie même pas », ai-je dit. Mon cœur propulsait des torpilles noires dans mes veines. Elles ont explosé. Il pleuvait et les gouttes étaient d'énormes phalènes jaunes. Des parachutes aux voilures rouges et magenta s'ouvraient, descendaient en tournoyant. Une chorale chantait.

« Accepterais-tu de me voir juste par pitié ? »

J'ai réfléchi à sa question. Puis, j'ai dit non.

Jason a téléphoné le jour de mon anniversaire. Son coup de fil m'a surprise. Je ne savais pas que Jason connaissait la date de mon anniversaire. Il l'avait ignorée durant trois années consécutives. J'ai été désarçonnée. J'étais seule. J'ai accepté de le retrouver pour prendre un verre.

Au début, je ne l'ai pas reconnu. Il se tenait près de moi, vêtu d'une chemise de cow-boy noire et d'un chapeau de cow-boy noir, lui aussi. Il avait l'air maigre, pâle et malheureux, vaguement maladif, comme s'il avait passé toute l'année à se nourrir de bière et de chips.

Lorsque Jason s'est assis à la petite table ronde, il a frotté sa jambe contre la mienne. J'ai essayé de ne pas le regarder, de regarder plutôt la ville en dessous de nous. L'océan, brume bleue presque solide. Les rues, une suite de lignes verticales et horizontales qui s'étiraient ou s'aplatissaient pour former un large couloir d'autoroute vide et nu.

Jason fixait sa bière. « Je pensais que tu m'aurais peut-être pardonné. »

Il a saisi mon bras. Sa main a encerclé mon poignet. Sa main était chaude, sa main était lave, métal, une sorte de cerclage, un foutu lien de mariage. Et je me laissais submerger par la texture de sa peau, la pression de sa main, sa proximité. Brusquement, j'ai commencé à me rappeler, à trembler.

Je sirotais un verre de vin blanc en regardant la ville à travers la baie vitrée, le ciel de gaze bleu pâle, la mer bleu pâle et lente, grêlée de voiliers.

« Je t'aime », a murmuré Jason. « Tu m'aimes encore ? »

Un sentiment de tristesse s'est répandu en moi, chaud et pâteux. En dessous, les maisons formaient une pile horizontale de boîtes pastel encerclées par les tâches vertes des pelouses. Jason a resserré la pression sur mon poignet. Et l'air a étincelé, scintillé, et tout à coup j'étais en train de rire.

C'était un lundi après-midi. Nous avons laissé nos verres sur la table et avons fait l'amour sur la banquette arrière de la voiture, garée dans le parking souterrain de l'hôtel. J'étais jeune à nouveau. C'était avant Jason. Avant Gerald. Avant le silence froid et blême et la construction du mur. Quand j'étais encore à moitié fille. Quand j'avais force et grâce et une ambition encore malléable, chevauchant les mois de juillet concentriques et fuselés et ouvrant un œil vaporeux sur des matins jaunes aux côtés de garçons blonds, à l'arrière de voitures et de baignoires, dans des placards comme des mites, n'importe où, du moment que ça ferme à clé.

Lundi soir, nous sommes allés voir un ballet. Francine inspire une terreur toute particulière aux membres de la direction du Forum, de l'Auditorium civique de Santa Monica et du Hollywood Bowl. Au moins deux fois par mois, des enveloppes pleines d'invitations arrivent dans ma boîte.

« Ne me quitte pas », ai-je supplié dans l'obscurité. Une ballerine a tourbillonné, halo bleu de gaze, fragment de ciel autour de la taille.

« Tu fais des super pipes », a répondu Jason.

Je l'ai regardé dans l'obscurité. La peur était une avalanche, elle m'obstruait les yeux, y déposait des échardes bleues. Quelque chose s'est précipité sur mon visage à vitesse grand V. Et quelque chose en moi s'est brisé.

Mardi, nous avons roulé jusqu'aux montagnes de Santa Monica. Nous avons garé la voiture sur une route poussiéreuse et avons poussé jusqu'à un vieux chemin poussiéreux et étroit. Nous avons fait l'amour sous les eucalyptus. Des brindilles et des épines se sont collées à nos vêtements.

Et le voilà qui remontait la fermeture de son pantalon et retournait vers la route, déjà pressé. J'ai regardé la petite tache blanche qu'était son dos. Crac. Et quelque chose en moi s'est brisé.

Mercredi soir, nous avons eu une invit pour aller voir un film X à Hollywood. L'actrice avait été la voisine de Jason sur Grand Canal. Il l'avait peinte chevauchant le jeu de bascule. Elle lui envoyait toujours des invit pour ses films porno.

« Je veux tout faire. Exactement comme dans le film », a soufflé Jason, un peu plus tard. Il était à genoux au-dessus de moi. Il regardait son corps dans le miroir de l'autre côté du lit.

« Il nous faudrait une baguette de bouleau », ai-je dit.

« Je m'en charge. » Jason attrapait déjà son pantalon. Il m'a regardée, poignets attachés dans le dos, seins pointant vers lui, offrandes jumelles. « Attends ici. Imagine comment ça va être. »

J'étais étendue dans le noir. J'ai imaginé. Jason est revenu avec une tige de bambou et un couteau. Il l'a taillée. « T'as peur ? »

« Oui. » J'ai regardé Jason. Il regardait le miroir.

« Bien. Tourne-toi », a dit Jason.

Je me suis tournée. Le bambou a claqué contre mon dos. J'ai eu le souffle coupé. J'ai essayé de m'asseoir.

« Ça fait mal ? » a demandé Jason.

« Oui »

« Bien. » Jason a fait claquer la tige contre mon dos une nouvelle fois. J'ai sauté. J'ai gémi. J'ai entendu l'air siffler, déchiré. La tige s'est abattue encore une fois. Ma peau était brûlante de douleur, insupportablement brûlante. Le monde entier me semblait rouge. Et le souffle de Jason était chaud contre moi, « Tiens, tiens », et je dégringolais, tombais à travers les poches douces d'air lumineux, flottant, flottant et descendant.

Jeudi matin, nous avons roulé jusqu'aux montagnes. C'était la toute fin de l'hiver.

« Tu sais que toutes ces femmes ne comptent pas. Celles que je paye », a dit Jason comme si de rien n'était. « Ce sont des natures mortes. J'essaie de ne pas y toucher. Ça fait partie de mon travail, mon boulot. C'est les affaires. »

De l'autre côté de la vitre, le haut désert m'a toussé au visage. Je n'ai rien trouvé à dire.

Jason m'a montré un yucca sur une congère. Il m'a expliqué que le yucca avait besoin d'une espèce particulière d'insecte pour compléter son cycle sexuel, cette saison courte où croît en son milieu un tronçon massif, qui éclate et s'offre à suggérer un coquillage. « J'ai vu un reportage sur ça, sur la Vingt-huitième.», a dit Jason.

Le ciel était éclats de bleus froids. Je me suis rendu compte que je n'avais jamais compris Jason ni pour quelle raison j'avais besoin de lui.

« Je vais suspendre une fille à des cordes la prochaine fois. Suspendre le bateau à des câbles. Je vais m'arranger pour qu'on croit qu'elle flotte vraiment. »

J'ai regardé par la vitre. J'ai pensé aux jambes d'une jeune fille flottant au-dessus d'une tapisserie de bleus, de jaunes et de rouges. Jason est arrivé à une route marquée fermée à la circulation dans une brume de fin d'après-midi glacée.

Il a arrêté la voiture. J'ai descendu une colline en glissant jusqu'à un ruisseau de neige fraîchement fondue. Jason était debout en haut de la colline, au-dessus de moi, au-dessus de la ligne de la forêt, où les arbres se tordaient bizarrement, ébouriffés comme des sauvages à la fin d'une course.

Jason m'a déposée près du pont au-dessus d'Eastern Canal. Il semblait nerveux, agité, comme un claustrophobe entouré de murs qui se referment lentement sur lui. Je ne l'ai pas vu pendant trois jours.

Le silence. Le silence comme une chose vivante, se nourrissant d'elle-même, se reproduisant. Ma maison s'emplissait de choses invisibles, traînées de sang des blessures passées, ombres, ombres comme des escargots gluants collés aux murs, ombres et lueurs fantômes des femmes que Jason avait peintes, fleurs grasses et à demi formées qui me lançaient des regards furieux depuis ses murs et les murs du Gynécée.

Trois jours de ténèbres enflant et s'ouvrant comme des pétales. Trois jours de soleil déchirant les corps doux des ombres nichées. Et les matins ahuris, perforés, jaunes entièrement et ouverts comme une blessure mortelle, l'impact d'une balle de magnum.

« Salut bébé », a soufflé Jason. Alors, la nuit s'est ouverte, ouverte en des chemins stratifiés chauds et noirs, des courants chauds de rayons de lune, des vagues, le vent bruissant chargé de sel.

« Je suis occupée. » J'ai baissé la voix. J'imaginais que j'étais assise dans une cloche à plongeur sur le sol de l'océan. J'ai empli ma voix de toute la douleur accumulée, l'obscurité hérissée d'épines, ma solitude, le poids de son absence, la déchirure qui me perforait, me traversait.

« J'ai envie de toi », a dit Jason.

« J'ai un rencard. »

« Renvois-le chez lui à minuit. »

« Ça, c'est pas possible. » C'était un mensonge. Mais il était crédible, j'avais d'ailleurs utilisé le procédé à de nombreuses reprises.

Impossible de me souvenir qui en était à l'origine. Dehors, c'était la fin de l'après-midi. Les canaux brunissaient, chargés d'ombres, couleur de charbon de bois.

« J'ai commencé une nouvelle toile », m'a dit Jason, comme si je m'en souciais.

« Une nouvelle pute », ai-je dit, gratuitement. Je savais que pour Jason elles étaient toutes les mêmes. On ne peut pas multiplier zéro.

« Qui tu crois tromper ? » a fait claquer Jason. « Combien il y en a eu ? Que crois-tu que je ressens ?

« Ressentir? » ai-je répété. « Tu es incapable de ressentir quoi que ce soit. Tu es déficient Jason, comme quelqu'un né avec des nageoires-thalidomides à la place des bras. On ne s'attend pas à ce qu'une personne pareille joue au basket ou soulève de la fonte. Tu n'es pas fini de faire, Jason. »

« Pas plus que toi. »

Impasse. Une maison de miroirs. Tunnels de quartz et allées aveugles. Un dédale. Un cimetière, réseau touffu et périlleux de virages en épingle. Un jardin sculpté de carcasses de voitures, de tôles froissées, sans espoir. De canyons encaissés. Sans espoir. De pures falaises. Et les murs et les sols sont de verre. Et je me multiplie et me démultiplie. Personne ne rit.

J'ai raccroché. La nuit était cisaillée à ciel ouvert, cratère sur la face cachée de la lune. L'air était un réseau fibreux. Je m'y suis enterrée. J'ai fabriqué un cocon et m'y suis endormie.

Le bruit d'un battement m'a éveillée. C'était plus de minuit. Jason frappait du poing contre la lourde porte en bois de ma maison, contre le verrou cassé et la chaîne. Je l'ai laissé frapper pendant un long moment avant d'aller ouvrir.

Jason m'a regardée. Il paraissait surpris. On aurait dit qu'il s'attendait à une crise, s'attendait à me trouver étendue sur le sol, les doigts comateux autour d'une bouteille vide de Seconal à l'étiquette bien visible.

Je n'ai rien dit. Tête vide, rien à dire. C'était la septième nuit de notre réconciliation. C'était la fin de notre première semaine ensemble, une fois de plus.

12

Je me suis retrouvée à rassembler les preuves de ma vie avec Jason, les souvenirs de ma solitude, de mes mondes silencieux. Tout d'un coup, je voulais voir tout ça séparément, sans ce contexte mensonger et ces simples objets empilés à mes pieds, comme une nature morte.

C'était au beau milieu d'une nuit froide, luisante comme la peau humide d'un requin noir. Je me sentais pleinement éveillée, en prise, les nerfs en feu.

J'ai décroché l'une des toiles de Jason du mur du salon. J'ai étudié le tableau. Il dégageait une impression morne et étrangement froide. La pièce paraissait inhabituellement petite, comprimée et enveloppée d'un froid permanent. Sans en avoir conscience, Jason avait réussi à suggérer les fenêtres cassées à l'arrière du bâtiment, le vent qui se lève et vient fouetter le port morose et endormi.

« Je suis un miroir », disait Jason, pressant davantage de peinture rouge sur sa palette en verre carrée. « Tu vois ce que tu veux voir. Je me contente d'être. »

J'étais calme et immobile. Je posais. J'étais un citron, un panier de pommes, une canette de bière, une tache de sable. Jason me peignait. Je sentais le pinceau effleurer ma toute nouvelle chair de toile.

« Tu n'aimes pas ce que tu vois ? » a demandé Jason. Il était en train de peindre une fissure rouge dans l'ombre épaisse et orangée du mur derrière mon épaule.

« Je peux être n'importe quel fantasme. Le plaisir ? »

Il a laissé le mot suspendu dans l'air comme un oiseau empanaché et parfait. Puis il a posé son pinceau. Il a traversé la pièce, et le sol était contre mon dos et Jason s'enfonçait, s'enfonçait.

« Nous ferons un tableau blanc », m'a dit Jason. « Toi, toute en blanc. Chaque chose, une impression de blanc. »

Blanc. Oui, Blanc. Oui. J'ai littéralement couru jusqu'à l'atelier de Jason. La cocaïne était lumière d'étoile blanche cueillie sur toutes les orbites de toutes les étoiles depuis l'origine des temps, depuis le premier son de cloche, l'explosion blanche première, la giration blanche primordiale au sein du vide originel immaculé.

Jason était assis à sa vieille table de cuisine. Les rideaux étaient tirés. Il coupait la poudre blanche avec une lame de rasoir. Ses gestes étaient lents et précis. Nous étions encore précis à cette époque. Il y avait encore des limites et des signaux d'alarme. Jason savait encore installer son chevalet, presser ses tubes sur la palette et faire voguer son pinceau sur la toile blanche. Nous avions encore des mains.

Plus tard, il n'y aurait plus aucune ligne distinctive. Plus tard, nous utiliserions la petite aiguille, nous l'utiliserions jusqu'à ce que la pointe s'émousse et s'avère inutilisable. Plus tard, il n'y aurait plus ni jour ni nuit. Plus tard, il n'y aurait plus que l'aiguille et les ombres, le tourbillon chaud et sombre, les murs ailés, mes bras voiles de toiles, le sol même un bouillonnement de vagues.

Plus tard, le monde irait s'effondrer sous le poids blanc et absolu de la lumière blanche des étoiles. Mon rire était blanc. Mes dents et ma langue recouvertes d'émail. J'étais une étoile. J'étais un coquillage parachevé par le bouillonnement des vagues et le tournoiement de cette maniaque, cette impitoyable, cette salope borgne, la lune.

Jason a travaillé à son tableau toute la nuit. Quelqu'un est allé jusqu'à un évier. De l'eau a coulé. La poudre a été coupée avec une lame de rasoir. L'aiguille est entrée dans la veine sans effort, comme un couteau dans du beurre tendre. Et je me suis sentie blanche comme une orchidée, comme une nappe en coton amidonnée, comme une future mariée dans une robe longue de soie blanche.

J'ai fermé les yeux. J'étais drapée de soie blanche. Je descendais une allée bordée de piliers chargés de bouquets blancs, de lis blancs, d'œillets blancs et de roses blanches. Je me tenais debout quelque part avec un paquet dans les bras, un bébé emmailloté dans une couverture blanche et douce. Je vivais dans une maison blanche derrière une palissade blanche, fraîchement peinte.

« Si on se mariait ? » ai-je dit en riant, ma langue, mes dents, mes poumons, d'un blanc luisant et étincelant.

« Pas question », a dit Jason.

Debout à son chevalet, il souriait. J'ai essayé d'imaginer une époque, n'importe laquelle, où je ne l'aurais pas aimé.

Je vivais dans le duplex de Francine à Westwood. C'était l'heure lente et grise entre jour et nuit qui passait imperceptiblement sans laisser de trace, asséchée. Jason était venue me peindre. Il était venu pile à l'heure, au moment même où les cloches de l'église du quartier sonnaient six heures, six, six, six. Jason se tenait de l'autre côté de la porte. Il portait sa grosse boîte de peintures en bois brun. Les pinceaux avaient l'air durs et raides, comme des doigts. C'était un moment important. Les cloches de l'église ont sonné, six, six, six. J'ai regardé Jason. Mon dernier instant de liberté venait de retentir.

J'ai ramassé les toiles et les ai posées contre le mur près de la porte d'entrée. Tout à coup je n'en voulais plus.

L'aube approchait. Je voulais tout sauf le silence dans ma maison, tout sauf l'image de mon père dans sa chambre d'hôpital, branché à une machine à oxygène. Mon père terrifié, des larmes s'écoulant à travers le réseau épais et blanc de ses bandages. Mon père allongé les yeux grands ouverts et horrifiés, la gorge disparue, la langue coupée, et la malédiction des siècles en ébullition à l'intérieur de sa bouche inutile. Mon père, rivière sauvage ridiculement endiguée, condamnée, damnée. Mon père enfermé dans un silence suffocant, les mots explosant au centre de ses yeux, les larmes s'écoulant entre les gazes.

J'ai erré dans ma maison. Le Gynécée. M'avait-elle un jour appartenu ? Qui avait accroché le miroir au-dessus du lit ? Qui auparavant avait collé du carrelage jaune dans la cuisine ? Du carrelage bleu au-dessus de la baignoire ? Qui avait planté le massif de pensées pourpres et jaunes aux pétales doux dont les motifs rappelaient ceux d'un hématome estompé ?

Le soleil s'est levé, lent et lourd, quelque peu incertain, convalescent faisant ses premiers pas douloureux. Je m'activais dans tous les sens. J'ai fait couler de l'eau fraîche sur mon visage. Pas de quoi me réveiller. Le vrai moi était encore endormi alors que quelqu'un d'autre, imposteur intelligent, assurait le spectacle. Le vrai moi était encore endormi sous un édredon et trois couvertures en laine dans la maison en pierre grise de Philadelphie. Le vrai moi était endormi dans une chambre aux rideaux jaune vif. Le vrai moi attendait le matin, l'appel de Maman, j'allais descendre l'escalier tournant en bois brun pour avaler mon bol de céréales brûlantes pendant que Papa boirait son café, pendant que papa lirait son journal et enfilerait sa salopette de travail en jean, attraperait son grand manteau marron en laine et se frayerait un chemin dans la neige épaisse.

J'ai pris la route de l'hôpital. J'agrippais le volant de manière indécise, frappée au visage par le soleil. Les bâtiments commerciaux le long de Venice Boulevard et les carrés de pelouse devant les petites maisons en stuc, coincées et oubliées entre les usines et les ateliers, n'étaient plus que tournoiement, tourbillon rouge. Des balisiers rouges agitaient leurs bras, des bras rouges comme un homme en feu. Un citronnier étirait sa floraison, des fleurs comme des langues empoisonnées. Le soleil implacable, pus jaune et brûlant, brûlait assez pour pousser au suicide n'importe quel homme sain d'esprit.

Que suis-je en train de faire ? Que suis-je en train de faire ? Et une voix a répondu dans un rire blanc, blafard et doux. Ben quoi, t'es juste en train de tailler la route jusqu'à l'hôpital. Voilà ce que tu es en train de faire. Tailler la ville comme un chirurgien qui taillade la gorge d'un père. Au nord jusqu'à Olympic Boulevard. À l'est jusqu'à Highland Avenue. Tu découvres la subtilité d'Arlington Avenue, sa façon de tourner pour devenir Wilton Place. Tu apprends à mettre une ville à nu, à tailler dans sa chair comme avec un scalpel. De Pico à Vermont. Et tu vois comme tout est blanc ? Le trottoir, ta peau, l'asphalte tout blanc, blanc comme les os rongés des squelettes des chercheurs d'or. La fin de la piste.

Mais que suis-je en train de faire ? Faire ? Tu respires la glu grise entre deux visites à l'hôpital. Tu vis suspendue, éreintée, silencieuse et engourdie. Ce sont les longs préparatifs anesthésiants qui mènent à l'irrévocable. Tu vois la mort qui lèche la chair ? Tu vois son horrible langue pointue ? Tu vois la mort qui se précipite, cette perverse à l'odeur fétide ? Tu la vois lécher la pauvre peau couverte de cicatrices de ton papa ?

Et si je n'arrive pas à lui faire face ? Ne pas lui faire face ? répétait la voix à l'intérieur de moi, bruit sourd et assourdi, canette de bière vide lancée dans les canaux nocturnes, l'eau couleur et texture du métal noir, l'air gorgé d'humidité recueillie aux tréfonds d'un puits. La voix à l'intérieur de moi était une sorte de miroir. Ne pas lui faire face ? Ne pas lui faire face ? Cesser de conduire ? Ne pas s'arrêter aux feux ? Ne pas longer les couloirs calmes, peuplés d'ombres et de bulles, ces couloirs calmes comme champs de mines ? Ne pas sillonner la ville jusqu'à l'hôpital, bâtiment voûté sur Vermont près de Sunset Boulevard dans le cœur étripé et ruiné de Hollywood ?

La ville s'étirait de tous côtés, gorgée de mon passé intangible. Non seulement des coins de rues, mais des lieux précis, des portes invisibles ouvrant sur d'autres époques. L'endroit où j'avais rencontré Gerald, puis Jason. Les appartements où j'avais vécu, aimé, dégueulé, piqué des aiguilles dans mes bras, où je m'étais évanouie et avais hurlé. Encore et toujours les mêmes bourgeons difformes qui s'étranglaient sur des buissons noueux, tordus par le bruit et la poussière. Toujours et encore les mêmes rues résidentielles qui faisaient naître des rangées de pavillons en stuc comme des cloques provoquées par le soleil, le monde se boursouflait.

Le matin était vaporeux, des mouettes hurlaient dans les nuages vides et creux. Je me suis rendu compte que si ces blocs et ces galeries en ciment étaient l'alphabet du futur, alors, nous vivions à côté de l'Histoire. Los Angeles se dresse blanche et à moitié morte, déjà dépassée par les évènements, déjà en quête effrénée d'un souffle, suffocant lentement.

Depuis Fountain Avenue et Vermont, la ville se révélait. Des trouées blanches comme des cicatrices blanches conduisant aux collines. J'ai pris conscience que Los Angeles était une ville en location. Tout entière née des rêves éveillés et humides de petits hommes cupides poursuivant des fantasmes de celluloïd. Los Angeles, jeu de Monopoly planté d'orangers. Le danger est là, trop lointain pour être pris en compte. Les tremblements de terre ne durent que quelques secondes. C'est trop en attendre.

J'ai tourné sur Vermont Avenue. Je faisais face aux dos brunis et nus des collines. Que suis-je en train de faire ? Et la voix à l'intérieur de moi a répondu. Tu es en train d'attendre, ma petite. C'est ce que tu es en train de faire. Attendre. Tu n'as toujours pas compris ? Los Angeles est la grande salle d'attente du monde. Attendre d'être découverte. Attendre ton chèque de sécurité sociale. Attendre le retour du cancer. Attendre la faille, le tremblement de terre. Attendre les mots blancs et cassants annoncer que l'homme que tu appelles ton père est mort. Attendre avec ta petite vie qui s'écoule dans la brume grise d'un après-midi chaud et blanc.

J'ai garé la voiture. Tout semblait bourdonner. La circulation sur Vermont Avenue bourdonnait. Le soleil semblait bourdonner. Les insectes lents et ivres bourdonnaient. L'air bourdonnait dans les alcôves et les couloirs du service de réanimation. Soudain, j'ai compris, Los Angeles était le pavillon des incurables du monde.

Le gardien du parking m'a souri. Il semblait me connaître, ma voiture poussiéreuse, mon visage blême, moi qui, chaque jour depuis une semaine, me garais dans la chaleur du soleil. Les infirmières m'ont souri, encore pleines d'espoir. Tout le monde souriait, encore plein d'espoir.

J'ai traversé le hall d'entrée de l'hôpital. Francine était appuyée contre le distributeur à cigarettes. J'ai imposé à mes jambes de continuer. Mes pas étaient maladroits, irréguliers. On aurait dit que l'air s'était finalement liquéfié, transmué et qu'il s'écoulait comme un poison, qu'il s'écoulait comme un torrent débordant de ses berges et dévalant les collines basses, dévalant toujours plus loin, pour atteindre le ciel inutile, pâle et asséché.

13

« Ça ne cicatrise pas », a dit Francine. « Les tissus irradiés ne veulent pas se refermer. Ça n'arrête pas de s'ouvrir, en direction de l'artère. »

« Quoi ? »

Je me suis arrêtée au milieu du couloir. J'ai pensé à mon père étendu, immobile sur son lit blanc alors que son artère éclatait. Ce serait un rêve rouge fulgurant, son dernier. Peut-être allait-il se revoir jeune homme, courant à vive allure dans son t-shirt des Yankees, aveuglé par un soleil rouge. Ses oreilles s'empliraient une nouvelle fois du gémissement rouge de l'enfance, des sirènes et des sifflets, de la gifle de la batte contre la balle, du camion à glaces, des enfants hurlant dans le soleil, une apparition singulière.

« Ça ne cicatrise pas », a répété Francine. « Il veut mourir. Il ne supporte pas les tubes. Si ça ne cicatrise pas, ils ne pourront pas enlever les tubes. Pas moyen de manger. »

« Les tubes pourraient rester définitivement ? » ai-je demandé, souffle coupé. J'ai vu mon père avec un tube rouge en plastique posé solidement dans le nez, une sorte de défense rouge, expérimentale, l'homme-éléphant.

« Ou pire. »

Francine a allumé une cigarette. Deux garçons de salle poussaient un homme d'âge mûr dans un fauteuil roulant. L'homme hurlait. Du sang formait une flaque rouge parfaite sur sa cuisse. Les portes des urgences se sont refermées.

« Il veut se suicider. Mourir avec honneur », dit-il.

« Qu'est-ce que tu lui as dit ? »

« Je lui ai dit, mourir ? Comment tu peux mourir ? Tu veux que je t'apportes tes somnifères pour une petite overdose ? Il faudra d'abord que tu te débarrasses des sondes alimentaires enfilées dans ton nez. Ça te donnera peut-être une raison de vivre. »

« Qu'est-ce que tu en penses ? » a demandé une voix. Ça ne pouvait être moi. J'avais disparu. Quelque chose était resté en plan, quelque chose de blanc et d'engourdi qui posait des questions comme si elles comptaient vraiment, comme si les explications comptaient, comme si l'horreur pouvait être nommée.

« Il traverse une grave dépression », a dit Francine. « Si les tubes ne sont pas enlevés, tu lui en veux ? »

Je n'ai rien trouvé à dire.

« J'ai vu le chirurgien deux fois », a dit Francine. « Il va essayer une greffe de peau. Prendre de la peau sur ses jambes et ses épaules. Dans l'espoir que la nouvelle peau recouvre la plaie et la referme. Il a appelé ça un greffon. »

« Bizarre », ai-je dit. J'ai pensé à une couverture en patchwork. J'ai pensé aux tribus de guerriers qui écorchaient leurs ennemis à vif.

« Greffon, mon cul », a dit Francine. « Je lui ai dit de remettre le vieux sur pied. »

J'ai pensé à quelque chose de terrible. Lorsque mon esprit a mis le doigt dessus, il s'est vidé, est devenu vierge. C'était comme se réveiller et poser les yeux sur un énorme iceberg blanc. J'avais froid, j'étais désorientée et étrangement petite. J'ai retenu ma respiration.

« Et si le greffon ne marche pas ? S'il ne peut pas enlever les tubes et ne réussit pas à se suicider. »

« J'ai envisagé cette éventualité », a dit Francine. « À toute chose malheur est bon, on ramasse le vieux et on le pousse par la fenêtre. »

Le temps n'existait pas dans la chambre de mon père. Les rideaux étaient baissés. L'air semblait d'un gris luisant particulier, sans saison, la couleur de l'attente.

SUIS UN CITRON, avait gribouillé mon père sur son carnet. Il a pris le bloc et l'a agité en direction de ma mère.

« Arrête », lui a dit Francine.

SUIS UN LOSER. SANS ESPOIR.

Francine s'est approchée de la fenêtre. « Regarde », a-t-elle hurlé en montrant la fenêtre. « Une chambre particulière avec vue. Les techniques les plus avancées. Cinq cent quarante dollars par jour. Par jour. »

Mon père a fermé les yeux. Il a détourné son visage de la fenêtre.

« Ne jette pas ton ticket », a dit Francine à mon père, d'une voix plus douce. « Il faut attendre la photo-finish. Tout peut arriver. »

TUBES INSUPPORTABLES.

« Les tubes sont provisoires », a dit Francine rapidement. Elle a commencé à faire les cent pas.

ET SI ????

« Si les tubes restent ? » Francine a regardé mon père. « Si la greffe de peau ne prend pas ? S'ils n'arrivent pas à te fabriquer une nouvelle gorge ? Alors, on te portera et on te passera par la fenêtre. »

Une bataille se livrait tout près des lèvres de mon père. Je pense qu'il essayait de sourire.

« Tu souffres ? » C'était la première chose que j'avais dite. « Je demanderai de la morphine. »

PAS DE PUTAIN DE DROGUES, a écrit mon père. Il m'a regardée, ses yeux comme des puits sombres, les portes de tunnels profonds. Il a semblé penser à quelque chose puis oublier, tout en même temps. Il s'est affaissé et recroquevillé, paquet blanc dans un berceau blanc.

Francine a ouvert les rideaux. En une nuit, la pelouse avait produit une éruption de petits bourgeons blancs en formes d'étoiles et de pâquerettes jaunes. Sensation de rosée dans les nouvelles pousses.

« Tu peux donc pas te réjouir un peu du printemps ? » a demandé Francine.

J'EMMERDE LE PRINTEMPS.

« Pas dans ton état », lui a assuré Francine.

VEUX MOURIR.

Francine a jeté un coup d'œil à sa montre. « J'ai une conférence budgétaire à Century City. Toute une journée coincée avec des trous du cul. Je reviendrai plus tard. »

Elle s'est penchée et a embrassé mon père sur un petit coin de peau libre de bandage, juste à côté de la sonde alimentaire en plastique rouge. Elle m'a montrée du doigt. « Lis-lui le journal. Trouve quelque chose de grotesque. Des meurtres en série, le crash d'un 747. Quelque chose qui lui donne un sens de la perspective. »

Mon père avait fermé les yeux. Il les a laissés clos jusqu'au départ de Francine.

J'ai cherché quelque chose d'excitant sur la première page. Un tremblement de terre en Amérique du Sud tuant vingt ou trente mille personnes et laissant un million de sans-abris affamés. Un train s'encastrant dans un bus scolaire à l'arrêt. Un ouragan, une sécheresse. J'ai trouvé l'histoire d'une star de football universitaire de vingt-et-un ans qui perdait son combat contre le cancer.

ENCORE.

J'ai lu l'histoire une nouvelle fois. J'ai jeté un coup d'œil à mon père. Il fixait le plafond.

ENCORE MAIS PLUS D'ACCENT DRAMATIQUE.

J'ai lu l'histoire une troisième fois, prenant les pauses appropriées, faisant jaillir certaines phrases de ma bouche, petits oiseaux à plumes doués de vie autonome. Et je me suis dit, envole-toi, rejoins le sommet des arbres, construit des nids solides, plane dans le ciel, ivre de baies et d'air bleu.

LE GOSSE A EU MAUVAISE DONNE, a écrit mon père. Il a fait une pause, le stylo agrippé entre ses doigts, et moi aussi. Il a laissé tomber le stylo-feutre sur le sol. Une larme a glissé de l'un de ses yeux, et s'est écoulée, vacillante, le long de sa joue. Elle a disparu dans le coton autour son cou.

Mon père était allongé complètement immobile. De l'autre côté de la fenêtre, la pelouse faisait hocher des rangées de petites têtes blanches, bourgeons étourdis de soleil, pétales intriqués, comme tricotés.

« Tu sais, tu trahis ta propre philosophie », ai-je commencé, cherchant quelque chose à dire, et d'une certaine façon retrouvant le ton de Francine. Je me suis presque sentie endosser son rôle, jambes écartées, pieds bien plantés sur le sol, un bras posé sur la hanche. « Toutes ces années, après le premier cancer. Les vingt années pendant lesquelles je grandissais. Tu disais toujours que la vie était une tombola, une loterie. Vis chaque minute parce qu'il n'y a aucune garantie. »

Mon père semblait regarder la lumière du soleil qui se traînait à contre-cœur à travers les stores. Je me suis dit qu'il écoutait.

« C'est ce que tu m'as appris, papa, je m'en souviens. On habitait encore ensemble. On venait d'arriver ici, en même temps que les Dodgers. C'était avant Chavez Ravine. Tu t'en souviens ? On les a vus jouer au Coliseum. Je me souviens de toute l'équipe, papa. Snyder, Hodges, Wally Moon, Gilliam, Charlie Neal, Roseboro. On avait Koufax et Drysdale à cette époque. »

ÉQUIPE DE NULS.

« Je sais. Je me souviens juste de l'époque où on habitait ensemble. Tu t'asseyais à l'arrière de la maison pendant la nuit, tu arrosais le pêcher et écoutais chanter les geais bleus. Tu étais toujours dehors à regarder quelque chose. La cour. Le ciel. Tu étais juste heureux d'être en vie. Chaque chose était une joie. »

PENSAIS L'AVOIR BATTU À PLATE COUTURE, a écrit mon père. J'ai tenu sa main. Après un instant, il a fermé les yeux.

J'ai marché dans le couloir. J'avais besoin d'une cigarette. D'habitude, je fumais de l'autre côté du couloir, dans une alcôve où était stockée la morphine. Chaque fois que j'allumais une cigarette, une infirmière ou un médecin surgissait dans mon dos et me disait que personne ne fumait au troisième étage, du médecin-chef aux personnes de service. Ils voyaient ce qu'était le cancer, ils le voyaient tous les jours.

C'était quoi le cancer, après tout ? Aussi ancien que les collines, les pierres, le pêché originel. Il se reproduisait dans les matins de sifflets d'usines, de métal, de charbon et d'acier et de blocs de pierres grises, de trams, les cicatrices noires des voies ferrées comme les lignes noires des points de suture.

Les cellules sauvages du cancer avaient peut-être pris modèle sur l'horizon délabré, les berges épaisses et basses des nuages toxiques, les rivières stagnantes et irrémédiablement mortes sous les bulles de savon, les boîtes de conserves rouillées et les vieilles bouteilles. Dernier héritage sans doute de générations nées avec des éclats de bronze dans les poumons, la suie des cheminées et les trottoirs des villes. Quoi de surprenant à ces corps en éruption, dégueulant la contagion ?

J'ai allumé une cigarette. J'imaginais la maladie souffler comme un volcan rouge au centre de la gorge de mon père. Elle se développait comme l'armoise et le yucca, végétation naturelle du bassin de Los Angeles. Peut-être s'était-elle frayée un chemin d'accès par les pores et avait enfoncé ses racines, d'abord hésitante puis, trouvant prise, s'accrochant aux parois de chair douce et faisant éclore ses bourgeons. Le médecin avait dit qu'elle poussait à l'intérieur de mon père depuis deux ans. Deux ans pendant lesquels il avait marché en sa compagnie, dormi en sa compagnie, s'était nourri en même temps qu'il la nourrissait. Pendant deux ans, il avait vécu avec ce germe mortifère qui se ramifiait en lui. Deux années de cette chose, vomissant des cellules dans une folle fornication avec la mort.

Soudain, je me suis rendu compte qu'il avait dû la sentir, cette sensation vague de ramification, cette sensation indistincte d'être hanté. Il l'avait dissimulée. Il la portait en lui comme un bijou singulier, un petit soleil, petit secret lové en lui, qui le réchauffait. Il avait dû sentir les épines dans ses joues, sur sa langue, les échardes lorsque les jeunes pousses avaient explosé. Peut-être avait-il senti l'invasion et s'était coulé dans la chaleur de sa radiance toute particulière après une décennie de solitude.

Autrefois l'homme aux cheveux gris était sage. Mais mon père avait passé ses années grisonnantes seul. J'étais à Berkeley avec Gerald. J'étais accroupie à moitié morte à Venice avec Jason. Et mon père avait pris des cheveux gris comme l'orage qui s'épuise au-dessus d'une mer grise, à trois cents kilomètres de la terre pour répandre ses promesses en d'indifférentes vagues grises. Il avait vieilli. Sa tribu s'était désintégrée, ravagée par ce lieu nommé Los Angeles et les événements qui simplement arrivaient, ces choses que l'on appelle destin et hasard.

« Je la pratique depuis longtemps, Francine », l'explication de mon père me revenait à l'esprit. C'était la nuit avant son hospitalisation. La nuit où je l'avais trouvé écroulé sur le sol de la cuisine. « On était branchés tous les deux, ta mère et moi. C'était une sorte de clocharde de seize ans. J'en avais trente-cinq. Je savais que ça ne pourrait pas durer toujours. Le cancer a tout emporté. Bouleversé l'équilibre. »

« Et elle était folle. Je l'ai toujours su. Une désaxée, hors d'elle. Elle m'a alpagué à un coin de rue, pour me soutirer de quoi bouffer. Je lui ai dit tu es une gosse au bout du rouleau. Dans six mois, t'es au tapin. Elle a pigé que c'était pas du gringue. Je lui ai dit, je t'épouserai, ma petite. Qu'est-ce que ça peut foutre ? Par temps d'orage, n'importe quel port fait l'affaire, pas vrai ?

« Elle avait ce truc avec son père, un complexe d'abandon. Quand je suis tombé malade la première fois, elle a dû arrêter d'être une enfant. C'est bien ce qu'elle était. Une gosse. Jouant à la poupée avec toi toute la journée. »

« Elle l'a pris pour elle quand je suis tombé malade. Je peux la comprendre. On était des joueurs. Elle a pris un ticket et a tiré le gros lot. Pourtant, pour une grosse gagnante comme elle, elle est vraiment pathétique », avait dit mon père avant d'entrer à l'hôpital, la nuit où il avait bu du whisky directement à la bouteille, la nuit où le monde avait commencé à s'effondrer.

« Je n'oublierai jamais la première fois », m'avait dit Francine un jour. « Ils poussaient son fauteuil roulant jusqu'aux urgences. Il avait levé les yeux et dit, désolé, ma petite. Ne te retourne pas. Garde les épaules bien droites et continue à avancer. Alors qu'ils le poussaient dans le bloc opératoire, il a tendu la main et m'a empoigné le cul. Il riait quand ils l'ont fait entrer. »

J'ai commencé à longer le couloir. Partout, un bourdonnement insistant s'accrochait aux nappes de fluides qui s'écoulaient à travers les tuyaux et les bouteilles dans un lent goutte à goutte. Les patients étaient dissimulés derrière des ombres verdâtres, les rideaux complètement fermés. Les lents fluides suintaient. Les postes de télé collés en haut des murs écoulaient leur douce lueur radioactive bleue, onde cinglante et mortelle.

Je réussissais presque à comprendre leurs rêves. Ils sont étendus et branchés, dans la pénombre de leurs chambres et imaginent que leur pauvre chair délabrée s'est finalement détachée, et ils sont enfin asséchés de toute pourriture humaine. Ils voudraient pouvoir s'assécher davantage, être aussi fins que la peau des poissons, mais quelque chose les rattrape. Alors ils se battent, luttent contre ce fil tendu et la sensation d'être suspendus. Ils goûtent au sel, habités d'un désir terrible pour la crête éclatée des vagues postées telles des sentinelles gardant les portes et les carillons de la mer, ce doux passage vers les profondeurs pourpres et tourbillonnantes. Finalité. Sol marin.

J'ai jeté un coup d'œil par la porte de mon père. Il dormait. J'ai traversé le couloir rapidement, essayant de ne pas regarder dans la pièce où se trouvaient les plateaux de morphine. Je me suis dit que je pouvais passer devant cette pièce et ne rien sentir, rien.

Dans la cafétéria de l'hôpital, la lumière était blanche et crue et le monde tout entier était une sorte de bas-relief. Une grosse pendule ronde était fixée au mur au-dessus de mon épaule, appareil implanté chirurgicalement dans le plâtre. J'ai entendu son tic-tac, sa respiration. Les heures ont passé.

Francine est entrée. Elle s'était changée. Elle portait une jupe de tennis blanche. Ses jambes étaient longues et bronzées. Un médecin l'a regardée avancer. Un aide-soignant s'est immobilisé sur son passage.

« Tu regardes ma raquette de tennis comme une offense personnelle », a observé Francine. Elle s'est assise. Elle a approché son visage à quelques millimètres du mien. Ses yeux étaient d'agate, mouchetés, comme balayés par le vent.

« Tu ne connais rien à rien, ma petite. Si j'ai appris une chose de tout ça, c'est qu'il faut vivre tant qu'il est encore tant. Fred le sait bien.

C'est un homme plein d'énergie. C'est normal. Il n'a que quarante ans. »

Je pensais à la pendule encastrée dans le mur, les yeux perpétuellement grands ouverts comme si elle devait rendre des comptes.

« Tu as une mine terrible », a observé Francine.

J'ai failli sourire. Notre interaction était devenue un exercice de style. Nous parlions par analogie, par des nuances si codées et étranges que chacun de nos souffles venait renforcer notre aliénation. Nous tournoyions au sein des mêmes cercles cruels et habituels.

Un jour, j'avais quitté Gerald à une époque singulièrement virulente de notre vie. La Garde Nationale était postée à tous les coins de rues de Berkeley. Ils dormaient dans des tentes à trois rues de notre appartement. Les hommes portaient des uniformes. Ils avaient des fusils à baïonnettes. Circulaient dans des camions spéciaux de l'armée. La ville ressemblait aux actualités filmées de la Seconde Guerre mondiale en Europe. Une banderole disant BIENVENUE DANS PRAGUE OCCUPÉE était étendue devant le bâtiment de notre appartement.

Gerald et moi, on avait passé toute la semaine à s'engueuler. Je pense que nous dormions toujours dans le même lit à cette époque. Il me semble revoir son dos, blanc dans la lueur du réverbère.

« C'est à cause de moi ? » n'arrêtais-je pas de lui demander. J'étais assise bien droite et me balançais dans l'obscurité. « Pourquoi tu vas pas voir un docteur ? Pourquoi t'essaies pas au moins ? » Et je me balançais dans l'obscurité pensant qu'il devrait le faire, pourquoi il le fait pas, avancer à tâtons, la méthode scientifique, c'était quoi son putain de problème ? Gerald ne respectait même plus ses propres règles du jeu.

« Tu n'apprécies pas les rythmes cosmiques à leur juste valeur. Soit patiente », avait dit Gerald au mur. Il avait l'air déçu et fatigué.

Patiente, je me suis dit. Patiente ? Et j'étais entrée dans le salon. Lentement, délibérément, comme si je faisais la poussière, j'avais pris notre lampe et l'avais laissée tomber sur le sol. Le pied en céramique avait volé en éclats.

Gerald était entré dans le salon comme un ouragan. Il portait son caleçon blanc. Il portait toujours un caleçon blanc comme un bandage blanc. Il avait l'air quelque peu aseptisé, protégé des cuisses à la taille. Les parties dissimulées de son anatomie étaient en sécurité, recroquevillées, secret blanc et minuscule. Secret qui apparemment n'avait plus aucune importance.

« T'es folle ou quoi ? » a-t-il demandé. Il fixait les fragments de ce qui avait été notre lampe. Du pied, il a touché les morceaux de céramique. Ses lèvres se sont tordues, comme s'il était en train de manger quelque chose de terriblement amer. Gerald détestait le gaspillage.

Gerald étudiait alors l'anthropologie. Il était assis sur le sofa marron à lire Levi-Strauss. Je l'interrompais, plaçant des obstacles sur son chemin, sa quête sacrée du savoir.

Il m'ignorait. Ses doigts blancs bougeaient lentement au long du bord des pages blanches. Silencieusement, d'un geste de l'épaule ou de la main, il me signifiait de lui ficher la paix, juste lui ficher la paix. Je regardais ses épaules s'affaisser davantage dans l'ombre. Sa main gauche se fermer en poing. Tremblante et à bout de souffle, j'insistais.

« Il y a quelque chose qui cloche chez toi », ai-je finalement hurlé, me sentant vidée.

Gerald a laissé son livre se refermer. Flap. Petit oiseau blanc. Ce n'était pas qu'il ne pouvait faire l'amour avec moi, son épouse légale et certifiée par le Palais des Mariages de Las Vegas, expliquait-il. C'était qu'il ne le voulait pas. Distinction essentielle. Ça n'avait rien à voir avec une maladie ou une faiblesse physique ou émotionnelle. Il n'était la victime d'aucune dichotomie corps-esprit.

C'était une question philosophique, à savoir, le droit d'exercer son libre-arbitre. J'avais tort. Je n'avais aucun sens du flux et du reflux des choses. Et d'abord, qui avait décrété que le sexe devait être la part essentielle d'une relation ? Si je faisais preuve d'une telle insistance, c'était à cause de mon penchant de petite bourgeoise américaine, des préconstruits publicitaires qui souillaient mon cerveau comme des crottes de rats.

J'imaginais mon cerveau comme un couloir gris et vide jonché de mines et de grenades, de bombes à fragmentation, de napalm. Gerald était encore en train de parler. C'était tard dans la nuit. Il faisait face au mur, me tournant le dos, pavé blanc, falaise, glace, intouchable. Les Américains avaient un penchant morbide pour une simple fonction biologique sans conséquence. Les îliens de Trobriand et Samoa n'étaient pas comme ça. Les natifs de Saturne n'étaient pas comme ça. Où était mon sens de l'anthropologie ?

« Je pensais que tu avais du potentiel à une époque », a avancé Gerald d'une voix triste dans l'obscurité. « Mais tu es juste comme les autres, à agiter comme des sangsues de vilaines mamelles adipeuses. Il faut connaître le sable, ses grains, si l'on veut en venir à bout. Un sourd ne recule jamais. »

Au matin, j'ai essayé d'avoir l'aéroport. J'ai encore essayé dans l'après-midi. Chaque tentative me laissait exténuée. Les cours avaient été suspendus. Je ne savais pas où était Gerald. Il y avait des couvre-feux. Six personnes avaient été abattues. Des hélicoptères larguaient des nuages de gaz lacrymogène. Je portais ma valise à travers les rues bloquées par la Garde Nationale, à travers les camions de transports de troupes et les manifestants, la police, les paniers à salade et les femmes au foyer ébahies. Certaines parties de la ville étaient verrouillées par des soldats qui marchaient épaule contre épaule, comme une gigantesque saucisse grise ondulant lentement de l'avant, baïonnettes au fusil. Je voyais la lumière du soleil ricocher sur leurs baïonnettes.

« Tu as une mine terrible », m'a dit Francine à l'aéroport. « Et ces chaussures, c'est une mauvaise blague. »

J'ai regardé mes pieds. Le style de mes chaussures n'avait jamais été le sujet de mes préoccupations. J'ai pensé aux comportements sociaux des primates, aux marques de parenté et à la création des mythes. Je me suis mise à pleurer.

Et aujourd'hui, j'étais assise dans la cafétéria de l'hôpital. Les tables en Formica étaient d'un jaune pâle. On buvait du café dans des gobelets en polystyrène.

« Tu détestes ma raquette de tennis, je le vois bien », a dit Francine. « Tu veux que je m'effondre ? Comme une mégère en deuil ? Tu as de la merde dans les yeux, ma petite. Laisse-moi te dire une bonne chose. Moi, je vais toujours de l'avant. Je fais plus en une journée que toi en une année. »

« Quelles sont les chances du greffon ? »

« Bonnes », a dit Francine. « Si le greffon prend, au revoir les tubes. Et puis, il pourra éventuellement rentrer chez lui. »

Chez lui, c'était la maison pastel de West Los Angeles, avec ses pièces bien carrées, utilitaires. Chez lui, c'était les vignes noires, qui croissent, sauvages, dans le coucher de soleil et les ombres qui longent le portail en bambou. Chez lui, c'était dix-huit heures. L'heure d'une rasade de bourbon et du journal télévisé.

J'ai regardé Francine. Elle tenait un miroir en équilibre sur la paume de sa main. Elle se passait du rouge à lèvres. Je me suis rendu compte que ma tête se balançait lentement d'avant en arrière, dessinant une sorte de cercle. J'ai touché mon front. Je sentais que j'avais besoin d'un large bandage blanc autour de la tête. Un bandage pour empêcher les lambeaux de s'envoler.

Tout ça est bien réel, me suis-je dit, sous le choc. C'est vraiment en train de se passer. Ça commence sans prévenir. On vit comme on a toujours vécu, en ouvrant les yeux sur un matin vide et jaune, sous un soleil de plomb. On pointe un visage maussade à travers une brume grise. Le téléphone sonne. Quelqu'un dit, Va voir ton père. Il est malade. Il a besoin de toi. Et tout à coup, vous êtes deux. L'une petite et terrorisée, une enfant qui pleure, ne me quitte pas, papa, je n'ai que six ans, papa, je balaie toujours les feuilles des trottoirs d'automne devant la maison en pierre grise en attendant ta voiture, en attendant avec maman. Et tu me fais signe, tu as construit des maisons, tu as des taches de peinture sur ton pantalon, ta boîte à outils est pleine à craquer.

Et tout à coup vous êtes deux. Deux, assises sous un œil métallique évidé et étrange, planté dans le mur. Tic-tac, tic-tac, tic-tac. L'une est petite, recroquevillée à l'intérieur, elle se cache, elle hurle. Ne meurs pas, papa. Ne meurs pas. Ils m'appelleront une femme si tu meurs, et plus une petite fille.

Et le corps de l'autre est en mouvement. L'autre trouve le père avachi dans sa cuisine en train de pleurer, en colère, amer, déjà à moitié brisé. C'est le cancer, dit-il. C'est encore le cancer. Et le monde entier se grippe.

« Fred et moi, on est vraiment sur la même longueur d'ondes. Ce que je veux dire, c'est que ce type est différent. » Francine s'est penchée vers moi. « Son taux de récupération au lit est plus rapide qu'un jeune de vingt-et-un ans. Entre-temps, je le laisse me gorger de son énergie. »

« Énergie ? »

« Des sources d'énergie alternative. Tu sais, Colette a fini très riche. Elle avait des tuyaux sur la bourse. Elle connaissait certains hommes au gouvernement », a dit Francine d'un air songeur.

« Le greffon », ai-je commencé. « Peut-être que s'il voit que le greffon prend bien. Peut-être qu'il se prépare tout simplement à mourir. Peut-être croit-il qu'il ne va pas s'en sortir. »

« Peut-être », a dit Francine prudemment.

Les choses demeuraient sans réponse entre nous. Comme des débris accumulés dans le petit couloir d'air blanc où nos épaules se frôlaient presque. Quelque chose restait en suspens. Trois étages au-dessus, mon père était allongé en suspens, indécis entre la vie et la mort.

« Allons voir les bébés », a suggéré Francine.

Nous avons pris l'ascenseur jusqu'au quatrième étage. Nous étions en face de la vitre derrière laquelle la moisson quotidienne de nouveau-nés était exposée, tous emmitouflés de blanc et de perfection, leurs doigts minuscules recroquevillés comme les pétales de certaines orchidées totalement blanches.

« Ton père et moi, on voulait ça pour toi », a dit Francine. Elle avait l'air triste. « Est-ce que c'était un rêve si terrible de notre part ? Que tu épouses quelqu'un ? Que tu tisses des liens chargés de sens ? Qu'un enfant naisse et grandisse de votre amour ? » Francine m'étudiait. « J'ai adoré être mère, tu te rappelles ? »

Et de nouveau, c'était l'hiver à Philadelphie. La neige tombait, douce, cristalline, fine pellicule de gaze blanche qui nous scellait. Des bûches brûlaient dans la cheminée. Francine lisait de la poésie à voix haute. Elle faisait cuire une tarte aux pommes. J'avais droit à mon morceau de pâte, mon petit moule en métal. Nous faisions une grosse tarte et une petite tarte. Parfois, c'était la mienne que papa mangeait. Mère faisait le repassage. Je repassais les mouchoirs et les serviettes pendant qu'elle repassait les chemises de papa. Nous attendions que papa rentre à la maison, pour apporter de la chaleur, faire rire maman, nous faire sentir en sécurité à l'approche de la nuit. Et papa quittait son manteau d'hiver en laine noire. Il se tenait devant l'évier de la cuisine, se brossant les mains, la pièce sentait la térébenthine et le savon, une pointe de lotion pour les mains, l'odeur de viande en train de cuire.

« Ton père aurait aimé des petits-enfants. Il aurait été bien pour un gamin. Il adorait les enfants, tu t'en souviens ? »

Quand je me rappelle mon enfance, c'est toujours l'hiver. Mon père enlève la neige avec une pelle. Mon père est un gros paquet noir au centre de la rue nappée de blizzard. Nous tirons ma luge dans la neige. Le ciel est un filet de branches taillées au couteau. Mon père me tire jusqu'au sommet des collines. Dans un terrain inoccupé, on découvre un ruisseau. Je rêve de radeaux, de barges et de ports. Et je glisse sur la neige en riant.

Au-delà de la vitre, les bébés se balançaient lentement dans leurs berceaux blancs identiques, mus par un courant interne. D'abord un, puis un autre, comme une série de dominos blancs. Francine tapotait la vitre avec sa main.

« Tu peux sûrement plus en avoir maintenant, après toutes les drogues que tu t'es enfilées », a-t-elle dit. Elle s'est laissée aller à frissonner.

14

Les portes de l'hôpital se sont ouvertes d'un coup sec sur mon passage, telle une bouche de verre. Un homme d'un certain âge était assis, voûté et sanglotant sur l'herbe près du passage pour les ambulances des urgences. Personne ne faisait attention à lui. Il était toujours là quand je suis sortie du parking avec ma voiture, petit monticule perdu sous les ombres projetées par le bâtiment.

J'ai monté les trois marches jusqu'au porche de ma maison. Ma cousine Rachel avait écrit. Je me suis assise sur le porche et j'ai lu sa lettre deux fois. Puis j'ai téléphoné à Jason.

« Tu me manques. » Silence. Est-ce que je lui avais manqué ? « Tu m'as manqué la nuit dernière. »

« Je suis là à présent. Tu me veux maintenant ? »

Maintenant, maintenant.

J'ai dit oui.

Malgré tout, lorsque Jason m'offre une partie de la journée ou de la nuit, c'est comme si j'avais encore six ans. Je suis dans la vieille Hudson grise avec papa. Il va m'acheter une glace à la vanille. Papa m'emmène au cirque, à l'aquarium, au zoo. Lorsque Jason m'offre la moindre chose, je me sens entière. Je me sens aimée.

J'ai observé ma maison. Les derniers vestiges de Gerald Campbell avaient été jetés. Les toiles de Jason étaient soigneusement posées contre la porte d'entrée. La maison se dépouillait. Et sa mise à nu ne faisait que commencer.

Il restait les cadeaux de Francine, dont je n'avais plus besoin, dont je n'avais jamais eu besoin. Tous les hameçons forgés et les petites ancres qu'elle m'avait donnés. Ses tentatives de me raccrocher à ce qu'elle appelait le monde réel. Lorsque Francine parlait du monde réel, on aurait dit que c'était elle qui l'avait inventé.

J'ai rassemblé les vases peints à la main achetés par Francine lors de ses voyages d'affaires à Rome, Jérusalem, Buenos Aires et Paris. Si je parvenais simplement à atténuer les formes et les masses inutiles, le sentiment de présences passées, peut-être serais-je alors en mesure de comprendre. Peut-être qu'une fois sols et murs libérés du poids des meubles et de la pacotille pour touristes, la vérité se révèlerait d'un seul coup, dépoussiérée, limpide.

« Tu ne peux pas me faire ça, à moi », disait Jason. Il était sous le choc. C'était il y a un an de ça, deux peut-être, juste après notre réconciliation.

« Faire quoi ? » ai-je demandé doucement.

Je savais exactement quoi. Cette nuit-là, je m'étais éclipsée. Je m'étais éclipsée une bonne partie de la semaine en compagnie d'un autre homme.

L'autre homme ne signifiait rien. Il était accessoire, une sorte de planche à la dérive. Il n'a pas empêché la douleur qu'était Jason. Sous la surface, les hommes n'étaient-ils pas tous les mêmes, prisonniers de leurs idiosyncrasies ? Je n'avais plus la capacité à mémoriser de nouvelles lignes de jeu. Jason m'avait consumée.

« T'étais où ? » a réclamé Jason.

« Ça ne te regarde pas », ai-je dit doucement, posément, savourant la tension que je décelais dans sa voix.

Jason a raccroché. Il a ouvert la porte d'entrée de ma maison sans frapper. Il m'a attrapée par les épaules et poussée contre le mur.

« Salope », a-t-il sifflé. « Faut que je sache. »

« J'étais avec quelqu'un. »

« Je le sais bien, salope, je peux le renifler. »

Le renifler sur lui, ça m'était aussi arrivé. C'était comme une tache invisible, les filaments d'une autre personne, l'impression légère laissée sur la peau, comme un vernis.

« Est-ce qu'il te baise comme ça ? » a demandé Jason. Il m'arrachait déjà mon jean. Il continuait à m'appuyer contre le mur. « Hein, salope ? Il te baise comme ça ? Comme moi je te baise ? »

« Personne me baise comme toi », ai-je murmuré, le front pressé contre la fraîcheur du mur en plâtre.

« Pourquoi tout gâcher ? » a demandé Jason. Il en avait fini.

J'étais assise sur le sol. J'ai allumé une cigarette, je l'ai regardé. « De toute évidence, je ne te fais pas confiance. »

Le visage de Jason était tendu par une colère qui montait en lui, blanche et lente. Il y aurait vengeance. Cela m'était égal. Ses nouvelles armes n'étaient que de simples variantes, des versions raffinées de celles que je connaissais. Et j'avais déjà été brûlée jusqu'à l'os. J'étais proche de la pureté, au-delà de la cendre.

Plus tard viendrait l'escalade. Plus tard, je me rendrais à l'atelier de Jason à l'heure où la nuit diminue déjà, devient grise.

« T'as tiré ton coup ? » a-t-il demandé, en ouvrant sa porte pour me laisser passer. J'ai frôlé son corps nu en entrant.

« Oui », ai-je dit dans l'obscurité. J'ai senti que Jason me suivait, chaleur sombre distinctive dans mon dos.

Je me suis allongée sur son lit. J'étais un accessoire sorti de son placard. J'allais être dépoussiérée et polie, admirée brièvement. Ensuite, Jason me remettrait à ma place.

« Est-ce que tu te sens aussi vivante que ça avec lui ? » a demandé Jason. Il respirait par petites bouffées, irrégulières et furieuses, comme s'il fumait.

« En fait, il était tendre et gentil. »

« Gentil ? Depuis quand c'est ton truc ? » Jason a paru légèrement surpris.

Je n'ai rien dit. J'étais allée à une fête. Je m'étais retrouvée à parler avec une jeune femme. Elle avait dix-neuf ans. Elle jouait du clavecin dans un petit orchestre. Elle avait besoin qu'on la ramène en voiture. Je l'avais déposée.

J'ai regardé la jeune femme se déplacer dans les pièces de sa maison. Gracieuse et agile, elle était étrangement sûre d'elle. Je n'avais jamais eu dix-neuf ans de cette façon. Toujours en train de douter. Pencher au-dessus des toilettes à dégueuler. De me tenir dans les ombres embuées du Giovanni's, au milieu des pâtes dans leurs grosses casseroles graisseuses, et à me traîner à moitié endormie, à moitié morte, à travers les pièces, à travers les rues.

Tout à coup, la fille a tourné son visage vers le mien. Elle paraissait plus jeune que ses dix-neuf ans. Elle jouait du clavecin. Elle ne se marierait jamais, jamais. Elle avait l'air plus jeune que je ne l'avais jamais été. Elle s'est penchée vers moi et m'a embrassée. Sa bouche a tressailli.

Je me suis surprise moi-même. Quelque chose a étincelé, quelque chose d'électrique, d'osé, de cru. Je suis restée avec elle. Je me suis dévêtue. Je me sentais déterminée. Elle a laissé une lumière éclairée dans le couloir. Je me suis assise sur le bord de son lit. Je l'ai regardée allumer une bougie et j'ai espéré que ce serait simple, indolore, quelque chose que je pourrais évacuer, en changeant de vêtements, en faisant la queue au supermarché, et personne n'en saurait rien. Et j'ai offert mon visage à l'autre. Mes lèvres étaient baisées, ma poitrine caressée. J'étais un raisin mûr qui éclate et répand son jus.

« Tu viens de chez ton amant gentil ? » a demandé Jason.

C'était la nuit suivante. Il était tard. Pourtant, il avait laissé les lumières allumées. Pourtant, il m'avait attendue.

J'ai acquiescé. Jason a regardé la pendule de la cuisine. « Seulement minuit », a-t-il observé. « Qu'est-ce qui s'est passé ? Sa femme est arrivée ? »

« Pas sa femme, son mari », ai-je dit. « Pour tout te dire, c'est pas un amant, mais une maîtresse. »

J'aimais la façon dont sonnaient mes mots. Ils ont empli l'air entre nous de quelque chose de blanc et effilé. Je me sentais encerclée de piques, de petites colonnes de marbre derrière lesquelles je pouvais me dissimuler. Un lieu sûr au cœur des ruines, presque définissable. J'avais envie de sourire.

Jason a saisi mon poignet. « T'étais avec une nana ? C'est bien ce que t'es en train de me dire ? » Les veines de son front ont tressauté. Ses yeux ont viré au noir. « Une femme ? » Jason s'est tu. Il a regardé le mur de la cuisine comme s'il cherchait quelque chose, un accessoire commun qui pourrait tout expliquer. Finalement, il a dit « Ça me dégoûte carrément. » Puis, il a lâché mon poignet. Et il a fixé ses doigts comme s'il s'attendait à y trouver une tache sombre et brillante. Mon poignet est retombé le long de mon corps, le poing blanc frappant ma hanche, une sorte de gong.

Tout ça n'était-il que la proie de mon imagination ? Est-ce que son visage s'effondrait lentement en plaques de glaise grisâtre ? Mais oui. Ses yeux étaient sombres. Ils dardaient. S'agitaient. Je les sentais étinceler. On aurait dit qu'ils se déchiraient, que des griffes y poussaient. Les yeux de Jason étaient en tumulte, comme si tout à coup, il avait eu une vision d'un millier de futurs possibles, et que chacun d'entre eux était en train de mourir, réduit en pièces, piégé, lessivé.

Je me sentais légère, éthérée. Je pouvais dériver comme de la fumée. J'ai souri gentiment, lèvres parfaites, bouche mi-close, soyeuse dans l'obscurité, une fleur, sans défaut. Je me suis étirée sur son lit. J'avais trébuché sur de l'or, des pépites et des éclats, de l'or au kilo, à la tonne. J'attendais Jason dans l'obscurité. L'attente n'a pas été longue.

Plus tard viendrait l'escalade.

« Qui c'était ? » a-t-il demandé, en parlant dans mon corps. « Un homme ? » Jason a mordu mon sein. Je sentais sa langue, ses paupières, ses ongles, son souffle chaud, un souffle acide. « Une femme ? » Sa voix semblait voleter, trémuler.

J'étais un miroir. Des choses informes et sombres serpentaient et se contractaient sur la surface fumée et ondulante. Sa peur me frôlait, pulsation filant à travers l'obscurité, un courant, électrique.

« C'était un homme ? » Jason semblait implorer. Il a serré mon visage entre ses mains et a regardé vers le bas au travers des ombres, regardé vers le bas comme s'il cherchait quelque chose. Je savais qu'il ne trouverait rien.

« Non », ai-je menti sans aucun effort, le regardant droit dans les yeux. Mon visage était imperturbable. Rien ne filtrait ou ne tremblait. « C'était une femme. »

« Mon dieu », a-t-il dit. Il s'est laissé glisser. Il s'est recroquevillé dans la pénombre, blessé et replié sur lui-même. Son visage était une voile soudain privée de vent. Les toiles s'agitaient en claquements blancs inutiles. Jason a pressé son visage sur l'oreiller. Il s'est mis à pleurer.

« Allons, allons », ai-je dit, tapotant légèrement son dos. « Allons, allons », ai-je dit doucement, gentiment, laissant courir mes ongles sur sa chair, laissant glisser mes doigts le long de son petit dos. Je souriais dans l'obscurité, souriais là où il ne pouvait me voir. Un sourire étrange et lourd sur mes lèvres.

Tout à coup, cela m'était égal qu'il peigne des adolescentes blondes et nues accroupies dans un bac à sable au-dessus d'une pile d'oranges, comme de jeunes poules étranges. Cela m'était égal qu'il peigne des femmes s'enfilant des canettes de bière sur une tapisserie de serviettes de plage fleuries, leurs jambes orange, jaunes et roses disparaissant dans les fils bleus, rouges et or. Cela m'était égal que n'importe quelle jeune femme avec n'importe quel ventre de jeune fille plate s'agenouille sur un bateau de plage en plastique, les hanches tendues vers l'avant, dans cette position universelle d'invitation absolue. Il m'avait fallu dix années pour que cela me soit égal.

« Où tu vas ? » Jason s'est assis sur le lit.

« Dehors », ai-je dit. C'était une autre nuit, une autre bataille.

Jason a rabattu les couvertures, en colère. Il m'a suivie dans sa salle de bain. J'ai peigné mes cheveux lentement, en arrangeant soigneusement les longues mèches rouges autour de mon cou. Dans la semi-obscurité, elles étaient comme du corail. Et pourquoi pas, je pouvais être une sirène drapée de coquillages.

« Il est une heure du matin. »

Ses mots m'ont fait l'effet d'un gong. Une heure du matin. Comment oses-tu ? C'est moi l'homme. C'est moi le dur. Je suis le métal. Je suis le temps, la limite, la longitude. Tu n'as pas le droit de me défier.

J'ai mis des anneaux d'or à mes oreilles. J'avais conscience que Jason me regardait, que ses yeux et son visage se fragmentaient. Je mettais du rouge à lèvres rose. Mes cheveux avaient la couleur des carillons marins. J'étais une sirène. Je me foutais de l'heure.

« N'y va pas », a dit Jason.

Je soulignais mes yeux de bleu luminescent. On aurait dit l'intérieur d'un abalone. J'ai passé du rouge sur ma peau jusqu'à ce que tout mon visage se mette à luire.

« Tu fais ça pour me faire chier », a dit Jason. Il me suivait jusqu'à la porte d'entrée. Sa voix semblait faible, en état de choc.

J'ai fermé la porte d'entrée. Je sentais encore sa présence derrière moi en traversant le pont au-dessus de Grand Canal. L'air s'agitait dans mon dos, succession de petites éruptions noires. Quelque chose à l'intérieur de moi a souri.

Il y avait des trêves, de brèves périodes de calme sous les cieux bleus et nus. Assise sur le porche de ma maison. J'étais une coquille qui se rendait aux courants et marées. C'était la fin de l'après-midi, un autre jour d'une saison indécise mais chaude. J'avais collecté mes loyers. Je regardais les tournesols hocher leurs têtes, leurs visages comme des colliers de grosses perles jaunes reflétées dans l'eau. Le canal semblait respirer.

Soudain, Jason est apparu à l'horizon. Il pagayait sur son canot jaune sous le pont de Howland Canal. Il s'est rapproché, de plus en plus jaune. Il a attaché son bateau au piquet qu'il avait planté sur la berge du canal devant ma maison. Le Gynécée.

« Je suis venu te sauver de tout ça », a-t-il dit en faisant un semblant de révérence. Il a souri. Il m'a offert sa main. Je l'ai prise.

Jason ramait. Le soleil était à vif dans le ciel, d'un rouge épais et lent. Une douzaine de canards noirs se sont écartés au passage du bateau.

« C'est comme au bon vieux temps », a dit Jason.

Sa voix avait un certain éclat. J'ai fait bouillir des pommes de terre dans l'alcôve de la cuisine de son atelier. Jason était dans la pièce de devant, il peignait. Le bon vieux temps ? J'ai plongé les pommes de terre dans la casserole. Elles flottaient comme les corps brunâtres et boursouflés des noyés.

Jason était à son chevalet. Il regardait un bulletin d'information spécial sur le mouvement des travailleurs en Argentine. Son regard allait de l'écran de télé à sa toile. Il a regardé le présentateur. Il a trempé son pinceau. Il faisait face à la toile, en prise avec une serviette aux motifs géométriques, qu'il assombrissait, ajoutant des fissures d'ombres à l'intérieur des ombres, un autre motif encore, plus subtil.

« Tu sais que j'ai besoin de toi », a dit Jason, en regardant la toile. Une cigarette se consumait dans le cendrier posé à côté de sa palette. Il a bu une gorgée de bière. Le présentateur parlait d'agriculture, de taux de natalité et de religion.

« Tu as toujours besoin de ce que tu n'as pas », ai-je dit tristement.

« On pourrait essayer », a dit Jason d'un ton convaincu. Il a reposé son pinceau.

Je lui ai tourné le dos. Je suis retournée dans la cuisine. C'est à cet instant que j'ai compris que je n'avais plus besoin de lui. Jason avait été un miroir. Je l'avais vu comme un reflet de celle que j'avais été. Vide et terrorisée. L'image s'était figée. C'était tout ce que Jason voyait.

Avec le temps, j'étais devenue un miroir. J'avais appris à montrer à Jason sa peur et son chagrin, les contours de son échec. Je lui avais montré des fragments de gris à peine esquissés, la couleur de son malheur envahissant.

Les miroirs n'étaient pas fidèles. Ils reflétaient simplement ce qui était déjà passé. Les miroirs avaient des vies incomplètes comme les particules radioactives. Les miroirs avaient des trous dans le temps comme des messages envoyés d'étoiles lointaines qui, même à la vitesse de la lumière, mettent des siècles à arriver.

Un étrange processus de filtrage s'était produit, l'aliénation de certains éléments vitaux. Les miroirs étaient limités. Ils étaient pellicules de glace. Ils contenaient une vision passée, plus inconsistante qu'un rêve. En bref, ils étaient inutiles.

Maintenant, c'était la fin de l'après-midi. Les canaux devenaient boueux. J'attendais le coup de fil de l'hôpital. Quelque chose était arrivé. Une infection. Une hémorragie interne. Une artère qui s'était rompue, une lueur rouge dans l'alcôve sombre et luisante, une braise. Quelque chose était arrivé. Quelque chose d'inattendu. Une suffocation. Un affaissement.

J'attendais le médecin dans sa blouse blanche. J'attendais les mauvaises nouvelles de la gorge de mon père. Dernière scène blanche. Il saigne. Son cou se désagrège, s'effondre sous la gaze blanche. Il tousse dans son sommeil. C'est son dernier rêve. Il entend le hurlement d'une ambulance dans le parking de l'hôpital. Dans son rêve, c'est le cri de garçons qui jouent au softball dans un champ en friche du Bronx, encore cultivé à cette époque.

Tout à coup, j'aurais voulu que la maison soit complètement vide, dépouillée des restes inutiles et faux. Mais oui, les murs étaient une sorte de membrane. Ne respiraient-ils pas ? Ne s'inclinaient-ils pas ? Ne désiraient-ils pas que la brise marine cinglante les mette à nu ? N'aspiraient-ils pas à être libérés ?

J'ai rassemblé les preuves tangibles et indéniables de ma vie avec Francine. J'ai fait une pile bien nette des corsages de paysans grecs, des robes de mariage mexicaines et des foulards de soie français. J'ai emballé avec soin les vases peints à la main dans des journaux. J'ai rempli des cartons et les ai transportés dans le coffre de ma voiture.

Le téléphone sonnait. Je suis rentrée en courant. L'air vibrait et se brisait en étroits rayons blancs, effilés et tournoyants, comme des flèches. Le son me griffait le visage. Mon cœur s'est emballé. Je me sentais prête à courir. Le téléphone semblait grogner, prêt à mordre. Apeurée, je l'ai saisi, saisi pour le faire taire.

« Je suis malade d'inquiétude », a dit Francine. « Frapper la balle ne m'a pas délivrée aujourd'hui. Je pense qu'il est en train de mourir. »

« Ne pense pas à ça. Les pensées possèdent un certain pouvoir. »

« Tu t'es remise au LSD ? »

« Pas du tout. Ne gaspille pas ton énergie. »

« Quelle énergie ? J'ai l'impression d'être en train de mourir. Je serai toute seule. Je me fais vieille. Ça ne se voit pas, mais je le sens. Dans mes os. » Francine s'est mise à pleurer. En fond sonore, des voix et le son d'assiettes qui s'entrechoquaient, le cliquetis particulier de la porcelaine et du verre. « Je ne sais pas quoi faire », a admis Francine.

« Mais tu es en train de le faire. On est sur la défense. Nous sommes en première ligne. On s'accroche. » Qui était en train de parler ? De l'autre côté de ma fenêtre, les canaux brunissaient lentement. L'automne sur les canaux.

« Et si le greffon tient pas ? » a dit Francine en reniflant.

« Ça n'arrivera pas. On le laissera pas faire. »

« Si seulement tu ne me détestais pas », a commencé Francine. « Fred dit que c'est passager, que c'est juste une phase. Il est en analyse depuis vingt-deux ans. Il dit que je menace ton identité. Tu te sens en compétition. C'est pour ça que t'es si peu généreuse, tellement hostile ? Fred dit... »

« J'emmerde Fred. » De l'autre côté de ma fenêtre, deux jeunes garçons escaladaient le pont sur Eastern Canal. Ils laissaient tomber de petites pierres dans l'eau. J'ai remarqué qu'ils en avaient un plein sac. Ils ont commencé à les lancer sur les canards.

« Fred, c'est quelqu'un de cher », a murmuré Francine. « Je suis au Polo Lounge en train de l'attendre. Il avait une réunion à la Warner cet après-midi. » Francine a retenu sa respiration. « Je pense que ce type est le bon. »

Avec elle, chaque type était le bon. Ils étaient intelligents, vivants, indispensables. Ils avaient tous des vies débordant de preuves tangibles immuables, Harvard, hôtels particuliers et comptes en banque au Panama. Ensuite, ils la laissaient tomber. Le puits s'asséchait de manière inattendue. Les vents se mettaient à mugir à nouveau. Et tout à coup, elle se retrouvait assise seule sous des perrons devant une rangée de bâtiments en briques noires, et c'était toujours l'hiver, et elle n'avait jamais la clé de la porte d'entrée.

« Je me fais du souci », a dit Francine. À propos de mon père ? À propos du contrat avec Warner ?

« Ça va aller. » J'ai raccroché.

Il commençait à faire sombre. Les murs nouvellement dépouillés suçaient les ombres. De nouveaux nids sombres naissaient.

« Nettoyage de printemps ? » a demandé Jason. Il est entré dans le salon à moitié vide. Il a remarqué les murs blancs. Il m'a regardée.

J'ai haussé les épaules. Je savais que les cartons devaient être faits. Je creusais de nouveaux sillons au travers de la glu qui me constituait. C'était comme si, en quelque sorte, j'avais trébuché dans une nouvelle dimension. Au bout du compte, un changement s'était bel et bien produit. Les jours ne se bornaient pas à se lever et se coucher, s'ouvrir et se refermer les uns après les autres, sans interruption, sans fin, sans signification. Certains évènements extraordinaires venaient altérer le cours des choses. Il suffisait d'attendre l'arrivée de ces évènements et avec le temps, ils secoueraient l'ordre établi. Le changement était une rivière, qui serpentait et dansait, lourde de neige fraîchement fondue, tantôt se frayant un passage dans la montagne, tantôt capitulant, tantôt en crue, tantôt remodelant le sol tendre de la vallée.

Si le greffon ne prenait pas, mon père allait mourir. Le visage de mon père était une souillure noire enflée à l'intérieur d'un cadre blanc, une enveloppe de gaze blanche. Il portait un collier autour du cou. Les bandages donnaient naissance à des sondes alimentaires. On l'arrosait comme une plante.

« Peux-tu nourrir un homme affamé ? Un homme qui vient avec sa cuillère ? » Jason a souri. Je l'ai regardé prendre l'ampoule de verre dans sa poche.

Bientôt, je serais ombre stellaire. Bientôt je serais astre lunaire décoloré. Je tourbillonnerais blanche incandescence, au-delà de la nudité, au-delà des os. Au commencement était le soleil blanc, l'écume blanche, un bouillonnement soudain et inattendu.

« C'est prémédité ? Ta façon de ne pas me parler ? » Sa voix était douce. Elle effleurait les ombres.

« À peine. » Je mesurais l'eau dans la cuillère. « Une des choses que j'ai apprise de toi, c'est de ne jamais rien prévoir. »

Jason a regardé mon bras. « T'es pas de taille pour ça », a-t-il dit, toujours avec la même voix douce. « Il faut que tu ralentisses. »

« Je vais bientôt arrêter. »

« Arrête maintenant. »

« Pourquoi ? Tu m'as jamais aimée dans le rôle de femme au foyer », ai-je dit sans avoir l'air de rien.

« Je t'aime pas non plus en junkie. »

« Toi et moi, on a aucune distance. C'est ça le problème. » Je tapotais les parois de la seringue. « On peut pas à la fois mordre et être mordu. Il n'y a rien d'autre. Entre les deux, on jappe et on hurle comme des chiens battus. On jappe et on s'étale dans la poussière. »

Je me suis levée. J'ai fermé les rideaux de la cuisine. J'ai offert mon bras à Jason. J'ai fermé les yeux. Dehors, les canaux étaient scellés, verrouillés dans la nuit. Alors, il a enfoncé l'aiguille.

15

Le jour n'était pas levé quand je me suis réveillée. Mon sommeil d'intoxiquée avait été agité. Comme dériver sur une mer d'argent trop calme. Je voyais sans cesse des éclats d'étoiles.

Je me suis assise sur le porche devant chez moi. La brume grise m'enveloppait, telle une vague.

Chère Rachel,

Tu sembles aller beaucoup mieux, déjà. Et ta flopée de questions comme des appels d'oiseaux marins. Je pense en particulier à cet oiseau blanc boursouflé, qui tournoie au dessus du port à Ensenada, et plonge en piqué sur les têtes de bonites qu'on lui lance, perçant l'air de ses cris jetés aux carcasses de bateaux rouillés. Des oiseaux plus gras que des enfants ardemment désirés. Tu vois, je me méfie de ce qui est soudain. Pas facile d'effacer ce qui a été. Et la véritable nouveauté émerge lentement, centimètre par centimètre, pâle et incomplète.

Tu veux en savoir davantage sur notre famille ? Son chagrin est aussi plat et vaste que les terres sombres et stériles qui l'ont engendrée, chaque génération aussi maudite que la précédente. Notre histoire se déroule lentement, pli après pli, comme un rouleau de ce velours lie-de-vin autrefois à la mode à la cour du Tzar.

C'était des paysans, Rachel. Les plus pauvres des fermiers. Ils étaient sans racines, incultes, arrogants et méprisés. Ils n'en étaient plus à se prosterner devant l'Étoile du Nord pour assurer la fertilité de leurs chèvres et de leurs vaches, mais guère s'en fallait. Leur religion était devenue abstraite et transportable. Même s'ils ne la comprenaient pas vraiment, ils étaient tout de même fiers de leur différence absolue, de leurs manuscrits et de leurs coupes de cheveux indéchiffrables. Ils se terraient, isolés et sombres comme des arbustes rachitiques, les cieux monstrueux déversant toujours trop ou pas assez.

Le paysage de nos origines a modifié nos yeux. Je crois que les êtres développent les organes dont ils ont besoin. Nos yeux sont énormes, illuminés par les cieux de Pologne, les yeux du ghetto et de la suspicion. Nous avons des yeux de mutants, capables de voir à la périphérie, de détecter les catastrophes qui guettent dans l'ombre – les Cosaques, les sécheresses, les pogroms, les inondations et les idiosyncrasies des rois.

Ta mère ne t'a donc rien dit ?

Ils sont venus lentement, l'un après l'autre. D'abord, Joseph, le père de Rose. Il se disait tailleur, souffrait de tuberculose et est devenu aveugle à coudre des ourlets et à économiser pour que les autres puissent traverser l'Atlantique en troisième classe, à peine mieux logés que les marchandises. À la fin, il y avait seize membres de la même famille dans un trois pièces de l'East Side.

Katrina, la mère de Rose, est morte presque tout de suite. Une femme exceptionnelle. Il paraît qu'elle lisait l'hébreux et le polonais, incontestable exploit pour une femme issue de cette culture rigide et étouffante. Elle est morte avant la fin du premier hiver.

Rose, treize ans, était l'aînée des enfants. Ils l'ont envoyée travailler dans un atelier. Elle n'avait jamais pris le funiculaire, n'avait même jamais mis les pieds dans une vraie ville.

Le détective privé a retrouvé ses frères et sœurs. Nos grands-oncles et grands-tantes. Ceux qui renient nos mères. Je suis allée chez eux et j'ai eu l'impression de faire un voyage dans le temps, d'entrer dans une autre dimension. On traverse une pièce, mais en réalité on franchit un sas et on se retrouve plusieurs siècles en arrière. Un trou noir au centre de la toile.

J'ai demandé à ces grands-tantes et grands-oncles de me parler de Rose. Malgré le passage des décennies, ses petits frères et sœurs crachent pour se protéger du mauvais œil. Je me suis présentée chez eux déjà irrémédiablement jugée coupable, et je me suis sentie étranglée par la sombre étrangeté de dix mille Sabbats claustrophobes.

Là-bas, à la ferme, elle a reçu un coup de pied de cheval, m'ont-ils prévenue. Ils disent qu'elle n'est pas stable, mentalement. Le traumatisme crânien. Ils se sont tus. Leur cheval mythique m'a fait sourire. L'absolue simplicité de leur explication, tentative vaine et puérile pour assigner une cause physique à un phénomène unique et inexplicable, a provoqué en moi un sentiment hybride, à mi-chemin entre le rire et la colère. Mais ce n'était ni l'un ni l'autre.

Plus tard, j'ai demandé à notre grand-mère si elle avait reçu un coup de pied de cheval. Elle a souri. Puis ajouté, ils disent que des conneries.

Rachel, je te raconte l'histoire du cheval juste comme point de départ, comme symbole arbitraire. Notre lignée a été empoisonnée par cette intensité difforme que certains appelaient maladie mentale avant notre grand-mère. Que penser de sa mutante de mère, Katrina, qui lisait de la poésie, qui lisait à une époque où une femme n'était guère que le prolongement de sa cuisine, pas plus importante que ses marmites, une nécessité qui ne méritait pas qu'on s'y attarde ? C'est vrai quoi, les femmes ont été dotées de bras pour balayer, remuer dans les casseroles et bercer les enfants. Dieu a dû les ajouter en dernier. Correction de dernière minute.

Pourquoi est-ce que je te raconte tout ça ? Il y a un lien avec l'histoire de notre famille. Tu verras en temps voulu.

Le téléphone a sonné. Je me suis dit ça y est, et je suis rentrée dans la maison en courant. Il est mort. La blanche excuse finale.

J'ai saisi le téléphone et j'ai jeté un coup d'œil à Jason. Il semblait petit et pâle dans mon lit. Pâle mammifère marin allongé sur une plage, peut-être un phoque.

« Ils viennent juste de l'emmener pour la greffe », a dit Francine. « J'ai un mauvais pressentiment. »

« Explique. »

« Il souffre depuis hier soir. Une douleur insupportable. »

« Que disent les médecins ? »

« Les paris sont encore ouverts. » Francine a marqué une pause. « J'ai peur. »

« N'aie pas peur. » J'ai dit ça alors que mon cœur accélérait, mon pouls cognait, tout mon être à vif, laminé, court-circuité, pris de folie ; un corps soudainement envahi par des nuages de colère orageuse.

« J'ai l'impression d'être punie », a dit Francine.

« C'est une réaction normale. » J'essayais d'être précise avec ma mère. J'essayais d'être douce et calme et d'inspirer longuement, suivant les conseils que la Croix Rouge prodigue en cas de morsure de serpent. Il fallait que je fasse très attention et que je prenne bien mon temps, sinon j'allais me mettre à hurler. Et si je commençais à hurler, j'avais peur de ne jamais pouvoir m'arrêter.

« Écoute, ma petite. Nous avons, tous les trois, plusieurs âges en même temps. Mon modèle est défectueux. Arrêt de croissance, fixation infantile. Je suis à la fois ta mère et ta fille. Tu es la seule chose que j'aie jamais vraiment aimée. »

Je n'ai rien dit. Je ne trouvais rien de simple à répondre.

« Est-ce que tu m'aimes ? » Francine s'est mise à pleurer.

« Oui. »

« Mais en même temps, tu me détestes ? »

« Oui. »

« Tu es cruelle. Tu es une fille sans cœur, tu seras hantée par les remords. Non pas que je veuille te jeter un mauvais sort, mais... »

« Alors ne le fait pas, Francine », ai-je dis, sèchement.

« Tu es méchante avec moi. Tu sais à quel point je suis seule. Effroyablement seule. Tu ne viens jamais me voir. Et tu sais que ça ne marchera jamais avec Fred. Il a pris l'avion de minuit pour Miami. Il... »

J'ai inspiré longuement. « Il faut que je raccroche maintenant. »

« Pourquoi ? Qu'est-ce qui se passe ? » demanda Francine, à la fois blessée et offensée, terrifiée et meurtrie.

« J'ai l'impression d'être en train de mourir », ai-je répondu.

Dehors, il y avait quelque chose qui n'allait pas dans la cour. Les glaïeuls étaient trop vifs et intenses. Leurs fleurs de la taille d'un poing s'ouvraient en gueules hurlantes. Les pétales raides et rosés ressemblaient aux robes de soirée en organza que je n'ai jamais voulues, celles dans lesquelles Francine m'enfermaient pendant cette enfance interminable que je ne voulais pas, que je ne comprenais pas.

Je préférais les chrysanthèmes le long de la grille. Le même jaune que les linos de cuisines javellisés, ceux que Francine désirait pour moi. Les chrysanthèmes étaient du même jaune qu'une salle de jeux pour enfant. La salle que jamais je n'aurais. Les chrysanthèmes jaunes étaient résistants et demandaient peu de soins. Parfaits et pratiques pour tous types de tables, chevets compris. Je pourrais les emmener à l'hôpital ? Au cimetière ? Arrêteraient-ils la descente au creux de la journée, cette crevasse béante, cet œil de bœuf écarquillé, jaune et brûlant ?

« Qu'est-ce que tu fais ? » a demandé Jason.

Il a bu du jus d'orange à même la bouteille, sans refermer la porte du frigo.

« J'écris une lettre. »

Ça ne se voit pas, crétin ? T'es aveugle ? Et j'attends que Francine rappelle. Ils tentent la greffe de peau aujourd'hui. Il est au bloc. Ces sadiques à moitié abrutis en blouse blanche amidonnée enlèvent des petits carrés de peaux bien nets de son dos et de ses cuisses et les recousent dans sa gorge. Il a souffert toute la nuit. Même les bouchers sont inquiets.

« Reviens au lit quand t'auras fini », m'a dit Jason.

Il est retourné dans la chambre. Je l'ai entendu allumer la télé. Il m'a semblé que le présentateur parlait de la Harbor Commission.[1]

J'ai regardé dans mon salon. Des cartons s'alignaient le long du mur, des petites boîtes avec mon passé enterré à l'intérieur. Préparation pour un autre enterrement, grandiose celui-là ? Puis je me suis souvenue que j'attendais que Francine me rappelle de l'hôpital. Je me suis souvenue que j'étais en train d'écrire une lettre à ma cousine Rachel.

Quelque part, ma cousine se demandait si elle avait intérêt de prendre une substance appelée lithium. Quelque part, ils coupaient mon père en morceaux. Quelque part un homme parlait de la taxe sur les bateaux de plaisance. À mes yeux, il était désormais clair que je n'avais pas un jeu de cartes complet. Quelqu'un l'avait-il remarqué ?

---

[1] Comité qui veille à la bonne gestion d'un port.

L'Histoire. Oui. C'était pendant la Crise de 29. Notre grand-mère Rose n'est pas descendue du bus au bon arrêt. Une erreur classique. Imagine l'immensité de New York pour elle. Le réseau urbain où serpentait la pourriture insondable des boulevards monotones pour une petite fille qui avait grandi dans une ferme, qui allait puiser l'eau et nourrissait les poulets. New York a ouvert sa gueule démente. Notre grand-mère n'était même jamais allée à Varsovie.

Elle avait quatorze ans, nos cheveux roux et nos yeux d'ambre sombre. Elle lui est littéralement tombée dessus. Un accident au mauvais coin de rue. Mais quelle allure il avait, cet Américain, avec son costume noir empesé et son automobile. N'oublie pas que notre grand-mère avait des images dans la tête. N'avait-elle pas des yeux maussades et trop sombres ? Assise à sa machine à coudre, ne rêvait-elle pas de taffetas rose ?

Le pêcher a été commis dans l'automobile. Un dimanche, il l'a secrètement emmenée pour un pique-nique à la campagne. Il l'a déposée en bas de chez elle et ne l'a jamais revue. Notre arrière-grand-mère, Katrina, était déjà morte. Imagine Rose, assise devant sa machine à coudre avec son ventre gonflé, ne comprenant pas ce qui lui arrivait, jusqu'à ce que la monstrueuse faute soit visible. Et même alors, il avait fallu lui expliquer.

C'était la crise. Les choses changeaient. Le patriarcat se sentait assiégé. Son père, Joseph, l'a abandonnée. Il l'a ouvertement méprisée pendant sa grossesse puis l'a jetée dehors, seule dans ces pauvres rues sauvages. Elle parlait à peine l'anglais. Quand elle a eu des jumelles (deux filles, tu te rends compte ?), ils l'ont pris comme un mauvais présage, preuve absolue de l'horrible contamination par les gènes bourgeois étrangers. Et puis, qui voulaient encore des filles ? Comme si la vie n'était pas assez dure comme ça.

Nos mères sont nées une nuit de janvier à l'hôpital de la charité. Rose y est allée seule en métro. Le blizzard cinglait la ville. Son père, Joseph, a parlé à l'infirmière-chef et n'est pas allé plus loin. Quand il a appris qu'il y avait deux bébés, il a craché par terre dans le couloir pour éloigner le mauvais œil. Il a peut-être eu des visions d'indicible péché qui l'ont fait frissonner.

Il n'est pas rare que des peuples primitifs éprouvent peur et révulsion face à une naissance multiple. En regardant les deux bébés identiques, notre arrière-grand-père a peut-être vu les deux cornes d'une force satanique, un démon du nouveau monde, gris pierre, dur et dominant. Il a refusé de revoir sa fille ou les jumelles. Je pense que ça a été le moment décisif, l'incident qui l'a poussée dans cet étrange exil où elle vit depuis.

Mais après tout, ils disent qu'elle n'a jamais été bien, même à la ferme en Pologne.

Bien sûr, elle ne pouvait pas travailler et s'occuper des fillettes toute seule. Mais elle a essayé. Elle avait quinze ans. Elle allait à l'usine tous les matins et laissait les bébés emmaillotés dans des langes, à l'ancienne. Elle les a gardés comme ça pendant presque deux ans. Une assistante sociale leur est tombée dessus. Ils ont apporté des documents pour que Rose les signe. Elle était analphabète. Ta mère était provisoirement aveugle à cause d'une rougeole pas soignée. Ma mère avait la coqueluche. Elles ont été emmenées en ambulance à l'hôpital de l'orphelinat.

Notre grand-mère ne savait pas encore qu'elle avait officiellement renoncé à son droit de garde. Elle pensait qu'elle pourrait récupérer ses filles. Mais elle n'a jamais gagné assez d'argent.

Rose a commencé à travailler comme serveuse dans les Montagnes Catskill. Elle se sentait peut-être calmée par une vision verdoyante à laquelle elle n'a jamais donné de nom, pas même en yiddish. Peut-être pouvait-elle marcher pieds nus dans l'herbe en fin d'après-midi, pendant son seul jour de congé hebdomadaire, quand elle n'avait pas à porter les plateaux de potages onctueux, de viandes et de pommes de terre fumantes, de pâtisseries au chocolat et à la crème.

Rose rentrait à New York à la saison morte. Tous les samedis, nos mères sortaient de l'orphelinat et prenaient le métro pour lui rendre visite. Elles s'asseyaient dans la minuscule cuisine de l'appartement de Rose, celui qu'elle occupe encore.

Elle était fascinée par la géographie. Nos mères lui apportaient des livres, des atlas volés dans les bibliothèques. En fin d'après-midi, elles s'asseyaient toutes les trois devant les cartes étalées, Rose indiquait avec le bout de son doigt l'itinéraire exact qu'elle avait suivi de Cracovie jusqu'à New York et maudissait la moitié du monde.

Elles se disent orphelines. Mensonges. Nos mères choisissent simplement de ne pas se rappeler ces samedis après-midi, quand elles avaient six et sept ans. Ces années pendant lesquelles elles se tenaient dans la cour carrelée au pied de l'immeuble en brique, alors que Rose les appelaient par sa fenêtre du sixième étage et lançaient vers leurs mains tendues des pièces de monnaie enveloppées dans du vieux papier journal.

La chaîne est longue comme un collier de perles noires. Coûteuse. Magnifique. Mais il ne faut pas la porter trop serrée autour du cou. Il ne faut pas s'étrangler. Il faut l'appréhender perle après perle, sans se précipiter, en savourer les noires profondeurs, les noires cavités des yeux et la glaçure couleur de sang séché.

Rose n'a jamais pris d'amant. Il y avait un cuisinier qui, pendant quatre ou cinq étés de suite, lui a fait des propositions. Mais il ne pouvait pas accepter les jumelles, alors elle l'a éconduit. Elle était encore adolescente, mince et rêveuse. Elle devait plaire aux hommes. Mais elle se sentait souillée, irrémédiablement coupable. Elle a dû être soumise à certaines tentations entre vingt et trente ans, alors qu'elle portait les lourds plateaux, les viandes et les pâtisseries crémeuses, sur une mer de nappes blanches amidonnées. Des marchands prospères et ventrus lui ont sûrement fait des avances dans les couloirs moquettés de l'hôtel ou sur la pelouse près du bungalow où logeait le personnel saisonnier. Mais Rose leur a résisté.

Sa folie a peut-être même rebuté des hommes en vacances. Ils ont dû sentir sa noirceur qui brûlait comme une plaie ouverte et brillait au centre de ses yeux sombres et ambrés. Cette intensité qu'aucun homme n'est capable de gérer.

Quand elles ont eu huit ans, nos mères ont été envoyées dans des familles d'accueil. Elles n'ont jamais revu Rose. Elles se sont toutes les deux mariées pendant la guerre. Peu de temps après, notre grand-mère s'est réveillée un matin avec les jambes presque paralysées. Depuis ce jour-là, elle a besoin d'une canne pour marcher et ne sort que rarement de chez elle, quand elle y est contrainte.

Tu ne trouves pas bizarre qu'elle ait arrêté de marcher l'année où nos mères se sont mariées ? L'année où nos mères lui ont envoyé des faire-part laconiques, une fois les mariages célébrés ? Peut-être que c'est à ce moment-là qu'elle a pris pleinement conscience qu'elle ne récupérerait jamais ses filles. Peut-être qu'il n'y avait plus de raison pour continuer à marcher.

C'était il y a longtemps. Depuis, handicapée et solitaire, petite femme courbée, elle vit dans un monde miniature qu'elle a inventé, dans un coin de la ville qui s'appelle Washington Heights, avec ses briques et son obscurité, ses rues, ses immeubles, ses habitants. Les pièces occupées depuis trop longtemps ont une odeur particulière. Tu le découvriras peut-être.

Nos mères ont effacé son appartement de leur mémoire aussi facilement qu'une armée détruit un village, le coupant de l'Histoire par le mortier et par le feu. Ainsi, à leur façon, elles ont enterré l'histoire de leur mère.

Rose habite dans une ruelle édentée qui donne sur un pauvre boulevard gris, qui ne semble aller nulle part, fragment d'une immensité maintenant oubliée. On ne peut même pas retrouver le sens dont il avait sans doute été investi.

J'y suis allée en taxi. Je tenais serrée l'adresse que le détective m'avait donnée. Le petit morceau de papier était taché par la sueur. Mes mains tremblaient. De jeunes Noirs et Portoricains appuyés contre des voitures garées en double file, criaient et riaient, lançaient des pièces contre des murs de brique en riant. L'air était vivant. C'était le début de l'automne. Des enfants jouaient dans la cour, un espace réduit dont les carreaux orangés étaient cassés. Comme je traversais la cour, mes pieds semblaient s'enfoncer dans le carrelage. Il y avait de l'écho. Les voix résonnaient nettement, pointes de flèches volantes.

Je suis passée devant un portail en fer forgé qui forçait sur ses gonds. J'avais l'impression d'entrer dans une créature vivante ; pas un immeuble, mais un corps encore tiède. Tout résonnait. La lumière du soleil tombait en aiguilles qui ricochaient. Des radios emplissaient de musique les couloirs aux carreaux gris. Les basses résonnaient, grondaient et s'enroulaient contre les escaliers carrelés.

Il fallait monter six étages pour aller chez elle. Soixante-sept marches, je les ai comptées. Imagine-la, se hissant d'une marche en ciment à une autre, avec sa canne, ses morceaux d'ailes de poulet kasher, sa carte d'invalide, ses jambes déficientes et ses cheveux teints en roux. Parce qu'elle se teint encore les cheveux. Elle est tellement handicapée qu'elle a du mal à se pencher en avant au-dessus de son vieil évier en céramique écaillée. Malgré tout, elle s'accroche à ce dernier vestige de vanité, sa jeunesse, nécessité intrinsèque irrépressible. Et il me vient soudain à l'esprit que lorsque je l'ai vue, elle n'avait pas encore cinquante-cinq ans !

Les murs des couloirs qui menaient à son appartement étaient couverts d'obscénités peintes en rouge, en anglais et en espagnol. Même à travers les murs épais, odeurs et sons s'infiltraient. Des chiens jappaient. Des enfants braillaient. Une odeur d'oignon et de viande avariée planait comme un voile dans tout l'immeuble. Il faisait froid dans les couloirs, un froid coupant. J'avais du mal à respirer.

Je haletais quand j'ai frappé à sa porte, un sac sur le dos. J'étais venue de Berkeley en bus. Je me déplaçais au hasard, créature du vent que rien ne presse. C'était il y a sept ans. Le monde était alors différent. Des portes s'étaient ouvertes qui sont maintenant fermées. Sans doute pour toujours.

Pourtant, j'avais encore des attentes. Je voulais une grand-mère qui

porte un tablier en vichy bleu pâle. Je voulais des biscuits tout chauds sortis du four dans leurs moules en ferraille. Je voulais l'histoire de ma vie nette et complète, avec ses dates, ses lieux, son rythme et la liste des défunts. Je n'étais pas prête pour la vieille femme derrière la grosse chaîne de porte en métal, rousse et courbée.

Le téléphone a sonné. Mon bras a sauté dessus et a reçu une onde de choc en établissant le contact.

« Il est sorti des soins intensifs », a dit Francine.

« Et ? »

« Il dort. Ils l'ont coupé en morceaux, et il dort. » Francine a marqué une pause. « Ils vont lui faire passer des tests quand il sera réveillé. S'il se réveille. »

« Quel genre de tests ? »

« Foie. Reins. Je crois que ça y est. Reste près du téléphone. »

« Et toi ? »

Francine a laissé jaillir un petit rire. « Moi ? J'étais à l'hôpital à cinq heures ce matin. Je n'ai pas pris de jour de congé pour autant. Pourquoi est-ce que tu ne continues pas à faire ce que tu fais de mieux ? Rien. » Francine a raccroché.

Rose m'a examinée sous la lumière mourante, alors que le jour tombait en lambeaux derrière les briques. Je t'attendais, m'a dit ma grand-mère. Elle a ri, et le son était celui du vent qui déchire un maigre buisson, sombre et noueux.

Je t'en dirai plus sur Rose plus tard. Tu dis que tu te promènes au bord de l'océan. Moi aussi, j'habite au bord de la mer, mais cette mer est différente, barricadée et intouchable. La mer est importante, bien sûr, les motifs et le sel.

Le lithium est-il un sel ? Une poudre blanche ? Est-ce qu'il ouvre de nouveaux sillons à la surface de l'eau ? Est-ce qu'il t'aide à rester au-dessus des vagues sur l'aile d'un goéland ? Est-ce qu'il te laisse chanter ?

J'ai plié la lettre dans une enveloppe. J'ai traversé le pont sur Eastern Canal et je l'ai postée. Quelque part, la fille de la sœur jumelle de ma mère examinait toute la myriade de possibilités qu'un produit appelé lithium pouvait offrir. Quelque part, une petite fille apprenait l'histoire de sa famille. Quelque part, mon père dormait après avoir été écorché et rapiécé.

Il était midi. Jason attendait, couché sur mon lit. Qu'il attende.

16

Il ressemblait à un chien de course, mince et élancé, extrêmement bien préparé. Il était allongé sur le côté, en appui sur un coude, l'après-midi drapé sur son corps. Les rideaux pinçaient la lumière du soleil et projetaient des ombres furtives sur sa peau, petites étoiles explosives. Il portait une de mes petites culottes en dentelle. Très serrée.

Le son de la télévision avait été monté. La poussière dansait dans l'interstice, entre la lumière du soleil et celle, plus pâle, diffusée par l'écran.

Je me suis assise sur le bord de mon lit. Les fenêtres étaient ouvertes. Plus bas, je pouvais voir les canaux, bande pâle et laiteuse derrière les tiges de tournesols.

« Dis-moi que tu m'aimes en dentelle blanche », m'a demandé Jason. « Raconte-moi. »

Il voulait que je lui raconte une histoire de sexe, que je brode un fantasme susceptible de l'exciter. L'habitude s'était installée depuis notre réconciliation. Nous avions découvert un territoire où nous pouvions oublier que nos vies se jouaient sur un champ de bataille perpétuel, et nous blottir dans le doux giron de l'invention.

Il m'arrivait de me vêtir d'un peignoir de soie. D'allumer des bougies dans ma chambre. Ou de le laver dans un bain de mousse onctueuse et le sécher dans des serviettes chaudes. Lui masser le cou et le dos avec des huiles. Nous avions trouvé une crème aromatisée à la cerise qui chauffait au contact de la peau, et plus encore quand on la faisait pénétrer. Je lui versais le contenu de la bouteille directement sur le dos.

Pendant ce temps, Jason feuilletait un magazine avec des photos en couleurs où des femmes faisaient l'amour entre elles. Je lui ai léché la cheville et l'intérieur de la cuisse. Je me suis enfoncée dans le creux de son corps. Je transpirais. Je faisais des efforts.

« Tu devrais acheter des jarretelles noires », a dit Jason en regardant le magazine.

« Fais-moi quelque chose », a-t-il ajouté. Il a fermé les yeux. « Raconte-moi une histoire. »

C'était une autre nuit. Il pleuvait. Jason était étendu sur le dos, la bouche entrouverte. Le visage gonflé par l'attente. Dans la pénombre, ses jambes avaient l'aspect de la porcelaine.

« Il y a une exposition dans une galerie. La pièce est vide. Je te fais entrer. » Je regardais son visage, son dos danser sur le drap. « Je te tiens au bout d'une chaîne. Je te fais coucher sur une estrade. C'est toi qu'on expose. Une foule a été invitée. Tout le monde peut se servir de toi. » La bouche de Jason était grande ouverte. J'avais l'impression qu'il commençait à trembler.

« Qui se sert de moi ? »

« Tous ceux qui le désirent. » J'étudiais son visage. « Des hommes se servent de toi. » Je l'ai dit doucement et j'ai vu les hanches de Jason se soulever du matelas. Il entrait dans l'obscurité. « Des hommes s'assoient sur ton visage, Jason. Tu es attaché. Tu ne peux pas bouger. L'un après l'autre, ils s'assoient sur toi. Ils enfoncent leur bite dans ta bouche. Ils s'assoient sur ton visage et tu enfonces ta langue dans leurs culs. Tu les lèches. »

« Des hommes se servent de moi ? » Jason a murmuré. Il ondulait dans le lit, il dansait avec l'obscurité.

« Ils te sodomisent. »

« Non ! » Jason a crié.

Il voulait dire oui.

« Tu ne te sens pas mieux maintenant ? Après avoir extériorisé ta colère ? » a demandé Jason doucement.

J'y ai réfléchi. C'était un peu plus tard dans la nuit, nous étions couchés. Au bout d'un moment, j'ai dit « non ».

« Parle-moi des femmes », en venait à me demander Jason, en s'enfonçant dans le matelas, avec un mouvement rotatif des hanches.

Alors je racontais parfois une histoire à Jason, lui disais que j'avais rencontré une jeune femme lors d'une soirée, une fille qui était plus jeune que je ne l'avais jamais été. Je lui disais que je l'avais raccompagnée par hasard, sans attendre quoi que ce soit. Je n'avais pas cherché quelqu'un avec qui coucher cette nuit-là. Je n'avais même pas pris de bain. Ma culotte avait encore la moiteur de son sperme. Je parlais à Jason des jeunes mains qui faisaient glisser mon jean et de la langue frémissante, l'aile d'un papillon qui me léchait et le léchait, le mur de sa colle blanche encore blottie en moi. Les hanches de Jason ondulaient, soyeuses et argentées sur les draps blancs, alors que les néons de la cour inondaient toute la pièce d'une lumière de pleine lune.

« Jouons. » Je sentais le souffle de Jason sur le lit à côté de moi. « Dis-moi que tu m'aimes en dentelle. »

À la télé, un journaliste montrait un groupe d'enfants faméliques étendus dans le fossé d'une étroite rue boueuse. Ils auraient pu être un tas de vieilles planches cassées. La caméra s'est approchée pour faire un gros plan sur leurs grands yeux horrifiés.

« Est-ce que je ressemble à une femme ? » m'a demandé Jason. Il caressait du bout des doigts la dentelle de la petite culotte, là où l'élastique hyper-tendu imprimait une fine rainure rouge sur son pénis gonflé.

Oui ? Tu es superbe. Je te lécherai, je te séduirai. Non ? Tu es horrible. Repens-toi. Je te battrai. Je pourrais avoir seize ans. Je pourrais être un homme. Le geôlier ou la victime. Il n'y avait plus de distinctions. Les objets dansaient et serpentaient, vifs et pétillants. Ils flottaient sur des ailes craquantes, anonymes. Tout n'était plus qu'ombre et lumière, formes et aplats de couleurs.

Et blanc. Blanc de marbre. Blanc de tombe. Mon père dans son berceau blanc. Mon père nouvellement bandé, nouvelles blessures, sutures neuves. Et blanche, la petite culotte en dentelle serrée. La peau de Jason, porcelaine parfaite.

« Tu es superbe. » Dans un souffle. « Tu es ma salope de jade au souffle brûlant. »

« Enlève-la », a-t-il murmuré. « Enlève-la avec ta bouche. »

J'ai allumé une cigarette. « Elle te fait mal ? Elle te blesse ? » Dehors, il était toujours midi, immuable.

Jason a gémi. Nous étions déjà passés par là. « Oh oui, oui. » Il avait la voix d'un petit garçon. D'une petite fille ?

« Elle brûle. » Murmure de Jason.

« Bien. Concentre-toi sur la douleur et la brûlure. Il se pourrait que je t'oblige à la porter des jours entiers. » Comment contraindre Jason à faire quoi que ce soit ? « Tu sais à quoi elle finirait par ressembler ? »

« Oui. »

« Dis-moi. »

« Une couche-culotte. »

« Shootons-nous », ai-je suggéré.

L'alcool et le coton étaient prêts sur la table de nuit. Je me suis assise par terre. Jason tenait mon bras en équilibre sur son genou. Le sang a jailli dans l'aiguille.

Soudain des phalènes sauvages m'écarquillaient furieusement les yeux. J'étais la bougie et l'arche de lumière. Jason avait trouvé mon pouls bleuté, fragile. La pièce était excessivement jaune. J'ai senti l'odeur de l'alcool. La chambre était remplie de citrons mûrs. Même l'ampoule au plafond était d'un jaune métallique luisant, comme une lune en captivité. Je voguais sur les eaux tièdes d'un port tropical et nageais, glissant au-dessus de requins noirs rapides comme des flèches, vers une anse où se trouvait une cascade obstruée par des fougères dégorgeant de roches recouvertes de mousse velouteuse.

J'ai soupiré. J'étais d'un blanc arctique. La mer a ouvert ses lèvres glacées. Mes pas longeaient des avalanches et des phoques albinos. J'étais blanche sous le crâne blanc du ciel dans ma blanche saison. C'était un Noël d'enfant infini. Je me trouvais dans une pièce où les tables étaient recouvertes de nappes blanches. De grosses boîtes blanches étaient fermées par des rubans de soie blanche. J'ai déballé une paire de patins en cuir blanc qui montaient jusqu'au genou. J'ai patiné sur des trottoirs blancs de neige. Il y avait de la glace. Je ne suis pas tombée.

L'après-midi s'écoulait, sang blanc versé dans le blanc de l'air. Et j'étais ce blanc qui défie toute raison. La côte empoisonnée a disparu, érodée jusqu'à la pureté des vieux coquillages, leurs sillons blancs comme creusés par des vers, sculptés par des brûlures, fins comme des ailes de papillons. Des mouettes blanches et grasses ont crié dans la blancheur épaisse de l'accalmie.

J'ai fermé les yeux. Au départ, un soleil blanc. Au départ, une chaîne d'acides aminés blancs reliés par un ruban blanc. Je suis du marbre blanc. Non. Je suis pierre tombale blanche. Non. J'ai des bandages blancs autour de la tête. Je n'ai plus de langue. Ma bouche a été cousue, scellée. Des petits poils blancs sortent entre la gaze et les sondes alimentaires. Non.

Je me suis assise. C'était mieux. Oui. J'étais piquets de clôture fraîchement peints en blanc et touches de piano ivoire. Je donnais un récital. Ma chair était blanche et douce, mon sourire parfait. Je portais la rose blanche la plus onéreuse qui soit. J'étais ballottée sur la crête des vagues. Je connaissais le vrai chemin des profondeurs. Je dérivais au-delà des derniers récifs, nue à l'exception de pâles bas de soie. Mes poumons déployaient des voiles blanches sur la crête blanche des vagues, et je voguais à l'infini.

Le téléphone a sonné. J'ai regardé mon bras droit flotter depuis mon flanc d'un blanc pur. « Allô ? » Quand ma bouche s'est ouverte, j'ai bu des nuages.

« Il souffre terriblement. » C'était Francine.

« Quoi ? » J'étais une vague, la tranche coupée d'une étoile. Je n'étais pas ternie, je n'avais peur de rien.

« Il ne supporte rien dans les tubes. Pas même de l'eau. Attends. Voilà le docteur. Je te rappelle. »

J'ai regardé par la fenêtre de la chambre. Les canaux étaient d'encre. J'étais un couloir vide et gris. Un vent maussade soufflait.

« Tu veux jouer maintenant ? » Jason voulait savoir, sa main posée légèrement sur mon dos nu. Il avait enlevé ma petite culotte trop serrée.

Silence. Silence des draps de glace. Draps blancs. Draps d'hôpital. Marbre. Tombes. Blanc panégyrique. Politesse de circonstance. On a fait tout ce qu'on a pu. La vie est une loterie. Il n'y a aucune garantie. J'avais envie de hurler.

« On fait comme si tu m'aimais », ai-je commencé. « Je suis ta femme. Tu es parti longtemps. Mais tu viens de rentrer. »

« Merde », a dit Jason. « Mais après, on jouera un de mes scénarios. »

J'ai fermé les yeux. Jason me léchait dans le creux du cou. « Je ne te laisserai plus jamais. » On aurait dit qu'il le pensait. J'ai senti son souffle sur moi, un vent de mai, quand les fraises tirent leurs nouvelles petites langues roses sur les flancs des collines. Frémissement rose. Jason a continué de susurrer : « Laisse-moi te montrer à quel point tu m'a manqué. »

Mon dos pressé contre les draps frais, Jason murmurait dans mon cou, mes yeux étaient fermés, et j'enfonçais mes ongles longs dans les muscles de son dos. Je trébuchais, je flottais, je tombais le long de canaux vert mousse. La nuit était un tunnel soyeux. La nuit luisait et frémissait, ouvrait ses bras de plumes noires. La chaleur était incroyable, desséchante et intense. Et j'étais prête à tout croire, tout, une fois encore.

17

« Tu ferais mieux d'arriver, et vite. » La voix de Francine était tendue, d'une sobriété absolue. Je me suis sentie envahie par l'horreur. L'horreur était une pile de briques énormes. Les briques me tombaient sur la tête.

« Explique-moi. » Déjà je cherchais mon jean par terre. Par un effort de volonté, j'ai obligé mes jambes à continuer de bouger, ne pas s'arrêter de bouger pendant que j'arpentais le petit couloir devant ma chambre. Le matin était une brume blême. Mes yeux, des galets gris. Je ne pensais pas pouvoir y arriver. Le bord de la falaise, il n'y avait plus qu'à sauter.

« Il souffre terriblement. C'est épouvantable. Ils ne peuvent même pas lui faire absorber de l'eau. La douleur le rend fou. » Francine s'est arrêtée. Puis elle a ajouté : « Ils l'ont mis dans une camisole de force. »

J'ai reçu un électrochoc. D'abord au niveau des orteils, puis dans tout le corps. Un courant froid. Une injection de glace. L'impression que des petites créatures rampaient et sautillaient dans mes vaisseaux sanguins. Subitement, la chair de poule est apparue sur mes bras. J'ai senti mes cheveux se dresser. Puis j'ai hurlé. Le hurlement est parti de la brume blême et lointaine. Il a mis du temps pour se tisser depuis mes orteils avant d'être finalement éjecté, noir, par ma bouche. Au bout d'un moment, je me suis rendu compte que j'avais laissé tomber le téléphone. Je l'ai repris. Tout ce que j'ai dit, c'est : « Quoi ? »

« Ils ne savent pas d'où vient la douleur. Mais il a tiré sur les tubes. Il les a arrachés. Ils l'ont retrouvé au milieu de la nuit. Il boxait dans le couloir. » Francine a baissé le ton. Elle a longuement inspiré. « Il a fallu quatre infirmières pour le remettre au lit. Et l'attacher. »

Des chiens aboyaient le long de Howland Canal. J'ai entendu un homme crier. « Vous avez entendu ? Une femme qui hurlait ? »

Francine s'est mise à pleurer. « C'est horrible. Il est sur la mauvaise pente. En train de mourir. Aide-moi, je t'en prie. »

« J'arrive. »

Jason était assis sur mon lit. « J'exige une explication. » Il était en colère, encore à moitié endormi.

Je cherchais mes clefs de voiture. Du pied, je faisais passer serviettes et jupes d'un bout à l'autre de la pièce. Je tirais sur un chemisier. J'ai compris qu'à un moment ou à un autre, j'avais perdu ma motivation pour garder l'appartement net, propre et rangé. J'ai retrouvé mes clefs par terre sous mes chaussures. Les chaussures étaient sous un drap de bain et un cendrier renversé. Je me suis arrêtée un instant sur le seuil de la chambre.

« J'aurai besoin de toi ce soir. Je ne t'ai rien demandé depuis très longtemps. Attends-moi chez toi. Promets-le moi. »

Jason a longuement regardé le drap en travers de ses pieds. « Donne-moi d'abord une explication. »

« Impossible pour l'instant. Attends-moi. » Je l'ai regardé droit dans les yeux.

Je marchais dans le petit matin blême et brumeux. L'herbe dans les jardins le long de Eastern Canal semblait humide. L'air était pâle, ineffable. Non pas l'air de la terre, mais celui d'un monde plus petit avec un antique soleil sur le déclin. Un monde où l'aube était sans cesse mise à nu. Une femme, debout devant chez elle : « Vous avez entendu ce hurlement ? »

J'ai fait un signe négatif de la tête et je me suis dirigée vers ma voiture. L'heure de pointe m'a engouffrée, vague grise et froide.

L'hôpital se dressait, énorme, des murs de cinq étages grisâtres, de style néo-espagnol, plaqués sur le matin blême. Le bâtiment lui-même paraissait avoir froid. Le matin semblait fragile, presque évanescent.

Francine est venue à ma rencontre sur le parking. Ses mains tremblaient. J'ai soudain compris que la femme qui était ma mère sentait la vieillesse, la poussière, le musc. Au-delà du lustre de la jeunesse, il y avait autre chose, quelque chose qui mûrissait. Ou pire ? Qui pourrissait ?

« Il boxait dans le couloir », Francine s'est interrompue. « Il ne m'est rien arrivé de pire depuis que les souris me sont tombées sur la tête. Je logeais chez des gens qui fermaient le frigo à clef. Je n'avais le droit de pénétrer dans la cuisine que pour y faire le ménage. Je savais qu'il y avait des souris dans la pièce où je dormais. Je les entendais dans la machine à coudre. Une nuit, le plafond m'est tombé dessus. Des morceaux de plâtre et des souris. Des souris qui couraient sur ma tête, sur le lit. Je n'ai pas vraiment été surprise. » Francine a eu un sourire. « Je savais depuis longtemps qu'il y avait des souris dans cette pièce. »

Nous étions dans l'ascenseur. Nous suivions la bande grise du couloir étroit au troisième étage, passant devant les portes où les mourants étaient allongés dans des voiles verdâtres d'ombre fine, et lentement, les liquides suintaient et bouillonnaient, tandis que la juste quantité de lumière tombait lentement par les stores vénitiens, et les philodendrons rêvaient des rêves vert foncé sur leurs sellettes, des rêves de tiges impossibles, de rames qui s'enroulent jusqu'aux nuages, le ciel vert, immense.

« Il dit qu'il n'en peut plus. Les tubes. La douleur. Il m'a dit – il l'a écrit sur son carnet, qu'il allait sauter par la fenêtre. »

J'ai senti une vague de froid dans le couloir, du froid qui s'accrochait aux carreaux du sol et des murs. J'ai frissonné.

Il était important d'être précise. « Qu'est-ce que le docteur a dit ? »

« Il reste sur sa position. Il dit que la greffe va marcher. »

« Et nous, qu'est-ce qu'on fait ? »

« On lui donne la volonté de continuer », a répondu Francine sans hésiter.

Elle s'est arrêtée devant la chambre de mon père. La porte était fermée. Un écriteau y avait été fixé : visites interdites. J'avais déjà vu ces pancartes sur les portes des morts-vivants, les squelettes blafards recroquevillés dans l'ombre verdâtre alors que leur vie se retirait. J'avais vu ces pancartes sur les portes juste avant l'arrivée du prêtre. Juste avant que toute la famille débarque subitement, sortie de nulle part, avec les derniers bouquets, des compositions gigantesques de roses et d'œillets. Juste avant que les familles apparaissent, chargées de paniers de fruits grotesques et de boîtes de chocolats. Les mains de ma mère tremblaient.

« Je lui ai demandé ce qu'il voulait pour ses funérailles. Il a dit qu'il fallait l'enterrer avec ses chaussures à crampons. Il veut aussi qu'on lui mette une casquette des Yankees de 1927. Il en a une quelque part. Tu y vas. » Les yeux de Francine étaient très sombres, grands ouverts. Elle avait du mal à trouver son souffle. « Il sera peut-être mieux avec toi. »

J'ai ouvert la porte. Mon père était à nouveau branché sur l'oxygène. L'intraveineuse était également de retour, scotchée et plantée dans sa main. La peau de ses bras était d'un jaune tacheté inhabituel, ses vingt années de bronzage californien s'étiolaient irrégulièrement. Les stores étaient baissés. Il était sous morphine. Il m'a regardée approcher de son lit avec ses yeux noirs trop grands ouverts.

VEUX PAS DE ÇA. Il a écrit le message de sa main gauche. Sa main droite était immobilisée par l'intraveineuse. Le message était un gribouillis noir et laid.

« Tu ne veux pas de l'hôpital ? » J'étais terrorisée. « Tu as mal ? Tu veux une piqûre ? »

VEUX PAS CETTE VIE QUI PUE. Mon père m'a brandi le papier sous le nez.

J'étais immobile près de son lit, étrangement figée. J'étais une plaque de glace portée par les eaux sur une mer vide, trop bleue et trop profonde. J'ai senti que ma mère entrait dans la chambre. À travers la brume froide, j'ai vu ma mère redresser ses minces épaules. Elle a jeté un coup d'œil aux notes de mon père. Ensuite, elle a traversé la pièce et a tiré les stores. Mon père a détourné son visage comme si l'invasion soudaine du soleil lui faisait mal, une gifle jaune.

« Tu ne veux plus vivre ? » lui a demandé Francine. « Bel exemple pour ta fille. » Ma mère arpentait la petite pièce. Elle l'a traversée, a touché la vitre comme un nageur tapote le bord de l'eau, puis a retraversé dans l'autre sens, une longueur de plus.

« Tu aurais dû y penser avant. Avant l'opération, tu ne demandais qu'à vivre. Alors c'est quoi, ça ? Du chantage au suicide ? » Elle s'est penchée vers lui. Elle a pris le carnet de mon père et a étudié le message comme s'il avait été écrit en code. « Te suicider ? Alors que les souris me sont tombées sur la tête ? Après tout ce qui m'est arrivé ? Et elle ? » Ma mère m'a montrée du doigt. « Tu dois donner le bon exemple à ta fille. Tu sais que cette gosse est pas bien. »

PEUX PAS SUPPORTER. Mon père m'a tendu le message. Pendant un instant, je me suis demandée s'il voulait parler de Francine.

« Tu t'attendais quand même pas à une partie de campagne ? Tu te souviens de la première fois ? C'était pire. Le cobalt. Tu te souviens ? Tu te souviens pas. Le cerveau oublie. Tu iras mieux. Crois-moi. »

Mon père a montré Francine du doigt. Puis la porte. Ma mère l'a regardé fixement.

« Je crois qu'il veut que tu partes », ai-je suggéré. « Va prendre un café en bas. »

Je me suis assise sur le bord du lit de mon père. Je devinais les formes de son corps sous le drap. Il avait d'épais pansements sur les jambes, là où la peau avait été enlevée. On lui avait enfoncé une sonde alimentaire en plastique rouge dans le nez. Trois fois par jour, une infirmière prenait le tube et y déversait un liquide épais et brunâtre. Ils n'utilisaient plus le verbe manger. « C'est l'heure de vous alimenter. » Alimenter, comme pour un moteur ou une machine.

Mon père regardait par terre, le sol carrelé de gris. Peut-être qu'il suivait les contours du soleil qui coulait, lent et paresseux, se balançait mais ne se courbait pas. Mon père a fermé les yeux.

« Papa, qu'est-ce qui s'est passé ? Ils disent que tu boxais dans les couloirs la nuit dernière. Ils t'ont mis dans une camisole ? » J'ai tendu le carnet à mon père. Puis son stylo-feutre.

PAS SOUVENIR. TROP DE MED. ? VU LA MORT, ALORS LEVÉ ?

« T'as vu la mort ? Tu t'es levé ? »

SALOPE, SACRÉE BAGARRE.

« La mort voulait te mettre au tapis ? »

Mon père a acquiescé. Ses yeux étaient de l'encre noire.

« Mais t'avais déjà vu la mort. La première fois. Tu t'étais relevé, tu te souviens ? »

Il avait passé vingt ans à attendre qu'elle revienne, à attendre l'obscure embuscade.

Mais il avait réussi à tenir. Il pariait sur des chevaux au soleil. Il s'asseyait près d'une fontaine devant le panneau des cotes, les montagnes en arrière-plan, Santa Anita. Il regardait les cotes évoluer et l'eau couler, les papillons effleurer les gouttelettes de leurs ailes, les cotes changer, un massif de pensées orange et pourpre comme un cercle d'hématomes entourant la fontaine où les noms des champions étaient gravés. Native Diver. Round Table. Swaps. Omaha. Man o' War.

Le soleil se couchait derrière le portail du jardin en bambous. Mon père lisait la feuille de pronostics du lendemain. Il s'asseyait sur une méridienne au crépuscule, la feuille sur les genoux, accompagné par le bruissement de la vigne vierge qui poussait vers la maison. La maison, jaune pâle perdu dans le coucher de soleil pastel. Il sortait un poste de radio. Les Dodgers jouaient pendant qu'il arrosait l'abricotier, le citronnier et l'oranger. En échange, ils lui donneraient leurs fruits.

Et sa fille ? Au loin, derrière les teintes pastel, sa fille grandissait pour entrer dans un âge adulte distendu et mutilé. Un âge sans raison. Ma vie est une tache. Est-ce qu'il l'a pris comme une punition porteuse de culpabilité ?

J'ai pris sa main. Je voulais lui demander de me pardonner de l'avoir déçu. Pardonne-moi de ne pas t'avoir donné de petits-enfants, de gendre. Mon père aurait tant aimé un gendre, un type régulier, disait-il, un type régulier qui l'appellerait pour aller manger un sandwich au bœuf épicé avant d'assister à un match de boxe. À la place, je lui avais donné Gerald. Et puis Jason.

Je n'ai rien donné à mon père, pas même le sentiment qu'il pouvait partir tranquille, me laisser flotter dans le temps qui passe, d'abord fille, puis mère. Mon enfance durant, j'ai gardé un rire moqueur secret au fond de moi. Personne n'est venu avec un bouquet de fleurs. Pas de présentations nettes et sèches avec des jeunes gens bien comme il faut qui savent arriver avec une bouteille de whisky et qui aspirent à devenir dentistes ou entrepreneurs, puis à m'épouser.

Je lui ai amené la brigade en blue-jean. Je lui ai amené des fantassins de la révolution, les croisés du nouvel ordre, marqués par des visions d'enfer éternel. Ou au contraire, les habitants du paradis verdoyant de Mendocino, ceux qui avaient au fond des yeux des feuilles et des branches de séquoia, parce qu'elles y étaient tombées un jour et y resteraient à jamais incrustées.

J'avais ignoré son histoire, ses données. Considéré son expérience comme nulle et non avenue. Elle n'avait pas plus de sens pour moi que les caoutchoucs qui poussaient à l'arrière du jardin ou la cascade de bougainvillées au-dessus du barbecue. Et depuis le décor pastel dans le lointain, il me regardait m'enfoncer dans l'obscurité et mes obsessions sauvages. Mon adolescence était un caillot de rage féroce et inutile. Il avait dû le sentir.

La main de mon père était mince, sculptée jusqu'à l'os. À quoi pensait-il ?

« Tu t'es levé pour chasser la mort à coups de poing ? » Mon père a acquiescé. « Je suis fière de toi, papa. Tu t'es battu contre la mort comme un brave. Tu as fait ce qu'il fallait. Les peuples primitifs, dans les tribus, se lèvent et lancent leurs poings en criant vers les esprits du mal. Tu as agi avec naturel. N'aie pas honte. »

SUIS MOURANT.

Je ne l'avais jamais vu si pâle. Ses mains, bronzées après des années sur les champs de course californiens, où il fait toujours beau et chaud, où le terrain est toujours si léger que même des tocards couvrent le 1200 mètres en une minute dix, ses mains, avaient maintenant la couleur de la cendre. Son menton, d'un gris de givre. Des poils blancs sortaient des bandages entre la sonde alimentaire et le tube vert attaché au morceau de métal incrusté dans sa gorge.

Je me suis souvenue que mon père, jeune, avait fait de la boxe. Avant qu'il n'épouse ma mère. Ça datait de l'époque où il parcourait le pays en train ; il travaillait quelques mois à Chicago, Saint-Louis, la Nouvelle Orléans, puis reprenait la route, à la recherche de quelque chose. Est-ce qu'il avait trouvé ?

« Je ne crois pas que tu sois mourant », ai-je dit doucement. « Je crois que tu as eu une explication avec la mort la nuit dernière. Tu t'es levé sur tes deux pieds et tu l'as chassée. Je crois que tu as gagné le combat. »

SUIS STUPIDE. AVAIS PRESQUE ATTEINT ESPÉRANCE DE VIE MOYENNE. STUPIDE DE ME SOUMETTRE À ÇA. AURAIS DÛ EN FINIR MOI-MEME.

Lentement, il a refermé les yeux et s'est laissé aller contre l'oreiller. Il dérivait vers la somnolence.

Il y avait une odeur particulière dans le couloir. Une odeur froide mais avariée. La sensation que quelque chose de sucré pourrissait lentement. Le froid. J'ai pensé à la carcasse rouillée d'un navire abandonné. J'ai pensé à des appartements meublés avec des tapis marron usés et maculés, empestant le whisky et le tabac froid. Des pièces dont fenêtres et volets seraient restés fermés des semaines durant. J'ai pensé à un courant d'air, une volute chaude qui passe sur la terre friable.

J'ai marché vite. Je ne me suis pas laissé le temps de regarder par les portes des alcôves vertes, les aquariums humains où la vigne vierge se tordait dans l'ombre et tissait de lentes toiles aux doigts crochus et appelait. Descends, descends. Rends-toi. C'est vert et frais ici. C'est mieux. Ne fait qu'un avec la vigne verte et l'ombre verte. Ne fait qu'un avec la cavité creusée dans le sol. C'est mieux. Ta peau n'est qu'illusion. Tu peux t'en dépouiller comme d'un vieux manteau. Viens à moi. Deviens verdure et fraîcheur pour ne faire qu'un avec moi. Ce sont tes os que je veux.

Je ne me suis pas retournée. Je savais que la mort se trouvait dans ce couloir, juste derrière mon épaule gauche.

« Il est en train de mourir », a dit Francine.

Je me suis assise à côté d'elle dans la cafétéria. Les yeux ocre jaune de ma mère contenaient une multitude de minuscules éclats noirs. Les lignes noires de ses yeux semblaient maintenant exploser. Elle portait les débris d'un terrible orage intérieur.

« Il est en train de mourir, a-t-elle répété, avant d'ajouter d'un ton morne, la chambre sent la mort. »

« Il n'est pas en train de mourir. C'est pour ça qu'il s'est levé. Il s'est battu pour repousser la mort. La crise sera bientôt passée. » Francine n'a pas répondu. Elle n'avait pas l'air convaincu. J'ai continué. « Il y a des forces qui peuvent être exploitées. Il s'est connecté à l'une d'entre elles quand il s'est levé pour se battre. »

Francine m'a scrutée du regard. « Tu n'es pas du tout dans le jeu », a-t-elle remarqué. « Prends ta place à la table. Tu es de la partie. Ta place est réservée. Tu es sur la liste des joueurs depuis que j'ai décidé de te mettre au monde. Tu me suis ? Il ne voulait pas de toi. » Francine a allumé une cigarette. Je l'ai regardée longuement. « Il voulait continuer à vivre comme un vagabond. Toujours entre deux trains. Se réveiller à Baltimore. Prendre le train. Direction Belmont. Assister à un combat au Garden. Prendre un train. Se réveiller à Philadelphie. Aller à un match de baseball. Déjeuner à Washington. » La tête de Francine ballottait.

« Il pensait que je pourrais continuer comme ça indéfiniment. Comme si je n'en avais pas assez bavé pendant mon enfance. Comme si j'avais besoin d'être encore disloquée. Je n'avais jamais eu de chez moi. » Ma mère me scrutait à la lumière crue de l'hôpital. « Je m'étais déjà fait avorter deux fois. Il pensait que les enfants allaient le ralentir, casser son rythme. Il pensait que je n'étais pas prête pour la maternité. C'est ce qu'il disait tout le temps. Je n'étais pas prête. Je n'étais pas assez adulte, qu'il disait. Il disait que je ne saurais pas être une mère. Alors j'ai fini par lui dire, on garde ce gosse où je fais mes valises. Il savait que je ne plaisantais pas. Tu comprends ce que je te raconte ? »

J'ai fait oui de la tête. Je pensais à mon père boxant contre la mort dans les couloirs. Il avait dû sentir la mort se pencher sur lui. Il avait dû sentir le souffle vert et frais. Alors il s'était levé. Redressé pour lui faire face, pour l'affronter. La mort voulait le mettre au tapis. Mais mon père respirait encore.

« Tu es de la partie que tu le veuilles ou non », disait Francine. « Ça implique que tu vas lui apporter ses repas, si jamais il remange. S'ils lui construisent une nouvelle gorge. S'il survit à tout ça. S'il peut se passer des tubes. Si la greffe marche. Tu me suis ? »

« Oui. »

« Ça implique que tu iras t'asseoir au bord de son lit. Tu lui parleras. Tu feras tout ce qu'il faudra. Nous lui donnerons la volonté de continuer. Donc je te le dis franchement, prends tes cartes et joue. »

J'avais six ans. Je prenais des cours de piano après l'école. Je faisais la collection des dinosaures en argile. Je faisais la collection des papillons. J'étais fascinée par les métamorphoses. Mais quelque chose de terrible se produisait. Mon père passait des journées entières dans son lit. Elle lui montait ses repas sur un plateau. J'avais l'impression que mon père, ce grand homme, redevenait un petit garçon. Il ne parlait plus correctement. Il murmurait. Il maigrissait. Il ne conduisait plus sa voiture. Il s'asseyait à la place de maman, et c'était elle qui prenait le volant. Il sortait tous les jours pour le traitement au cobalt. Et c'était quoi, le cobalt ? Eh bien, le cobalt était bleu, une sorte de machine bleue, une sorte de pistolet avec lequel ils visaient la gorge de mon père. Alors il jetait sa nourriture par terre, et de sa voix rauque disait, de la merde, de la merde.

Maman s'appuyait contre la porte d'entrée et pleurait. Elle regardait les étrangers traverser la rue, les étrangers qui venaient et emportaient les lampes en cuivre et le service en porcelaine. Le canapé était parti. Le grand buffet en verre et en bois où elle rangeait le service en porcelaine dans le salon était parti, lui aussi. À l'école, j'apprenais les couleurs. Personne n'avait le temps de regarder mes pommes rouges, mes bananes jaunes et mes arbres verts. Papa portait une vieille robe de chambre en laine grise. Il avait toujours froid. Maman pleurait.

« Il est arrivé quelque chose à papa », m'a dit maman. Nous étions toutes les deux dans son lit. Papa était parti. Les yeux de maman étaient piquetés de rouge à force de pleurer. « Papa est parti à l'hôpital. » Est-ce que je savais ce qu'était un hôpital ? « Quand il va revenir, il ne sera plus le même », m'a-t-elle expliqué. « Il faudra qu'il se repose beaucoup. Il parlera d'une drôle de façon. »

« Drôle ? » J'étais couchée dans le lit avec ma mère, dans le grand lit où papa et maman dormaient ensemble. Drôle ? Papa était toujours drôle. Il me regardait jouer avec mes dinosaures en argile. Il entrait dans ma chambre et faisait semblant d'être un dinosaure. Il arrondissait ses épaules pour me prendre et me lançait en l'air. Il me regardait étudier mes papillons. Il étendait ses bras au maximum et faisait semblant d'avoir des ailes. On étendait tous deux nos bras et on faisait semblant d'avoir des ailes, et on courrait dans la rue en écrasant les feuilles d'automne sous nos pieds. On riait.

« Drôle, maman a répété, comme Billy. »

Billy avait douze ans. Il habitait en face. Il était sourd de naissance. Quand il parlait, les mots semblaient difformes et douloureux. Tout le monde disait qu'il parlait comme ça parce qu'il mangeait des asticots. J'ai pensé à mon père parlant comme Billy. Est-ce que les gens allaient dire que mon père mangeait des asticots ? Je me suis levée. J'ai regardé ma mère. Elle me regardait depuis le lit. Elle me tendait les bras. J'ai pensé à mon père parlant comme Billy. Et je me suis évanouie.

« On aura le résultat des tests aujourd'hui. C'est peut-être la vésicule. Il ne supporterait pas une autre intervention pour l'instant. Il faudra peut-être prendre une décision. »

« Débrancher ? »

Francine a regardé la table. Elle a fait oui de la tête. Elle se mordait la lèvre.

Lentement j'ai réussi à me lever. Le monde s'était brisé en éclats d'images fixes.

Mon père m'emmène pour la première fois à un match de baseball. Les Athletics de Philadelphie vont jouer. J'ai l'impression d'être assise sur cet étrange siège dur depuis longtemps. Je me lève. C'est l'hymne national. Je dis à mon père : « Je veux rentrer à la maison. » Il regarde le grand terrain vert. « Mais le match n'a même pas encore commencé », dit-il. Puis il hausse les épaules. Il rit, et son rire est vaste comme le vent. «D'accord, ma petite, d'accord. » Alors il me prend la main et me guide hors du stade.

Je suis assise sous un arbre. Des chevaux passent devant moi. C'est Delaware Park. Mon père me demande à voix basse de choisir un cheval. Je les regarde passer, énormes près de mon visage. Je montre du doigt une bête grise gigantesque. Mon père me dit de rester assise à côté de l'arbre. « Juste une petite mise », dit-il à Francine. Elle est en colère. Dans la voiture en rentrant, elle ne parle pas à mon père. Elle s'appuie contre la vitre de la voiture et elle pleure. De temps en temps, elle dit : « Doux Jésus. Cent dollars. Doux Jésus. Il a fallu que tu mises tout. »

Mon père part en train. C'est les vacances. Il n'est pas obligé d'aller travailler. Il me fait signe depuis le train. Il va au champ de courses à New York. Il rentre tard dans la nuit. Il rit. Il va dans la vieille cuisine. Il sort une pleine poche de billets verts. Il les jette sur la table comme des cartes. Ma mère et mon père rient ensemble. « Achète-toi un chapeau », dit mon père à ma mère. « Achète ce manteau que tu as repéré en ville. » Mon père nous entoure toutes les deux de son bras. Il nous sert si fort que j'ai peur qu'il nous casse.

Il arrondit ses épaules pour me prendre et me lance en l'air. Il me porte sur ses épaules. Il étire ses bras de chaque côté de son corps comme s'il avait des ailes. Il me porte comme ça dans toute la maison.

« Où tu vas ? » m'a demandé Francine. Son visage paraissait pâle, fragilisé, cassé.

« Chercher ma meilleure carte. », ai-je dit, sans m'arrêter.

C'était le matin, immobile avant midi. Le ciel était d'un bleu pur. La brume s'était levée. La journée devenait étrangement chaude. Un vent semblait prendre sa source quelque part. J'avais l'impression d'être observée.

Quand je suis rentrée chez moi, Jason était parti. J'avais encore l'odeur de mon père dans les narines, le froid, la sensation des fibres pourrissant dans la chair brûlée au cobalt, qui refusait de cicatriser sur le cou charcuté de mon père. Je sentais encore le sang, la contamination et le mal, le Mal.

Le téléphone a sonné. « Le docteur sort de sa chambre », a murmuré Francine. « Il a apporté un stimulateur cardiaque. » Ma mère a inspiré longuement. « Il dit qu'il est peut-être en train de nous échapper. »

« Il va vivre », ai-je répondu. « La crise sera bientôt passée. »

Je sentais encore le froid en moi, je sentais mes os bifurquer en pointes froides et affûtées, blancs comme des brindilles en hiver. Philadelphie en hiver. Les branches taillées. Les tas de neige accumulés contre la porte d'entrée. Papa trouve sa pelle et nous ouvre un passage. Un nouveau chemin. Nous sommes sauvés à nouveau. Nous sommes reconnaissants. On regarde papa s'éloigner en voiture.

Je me suis assise sur le porche. Le temps était venu de penser à la mort. La mort était futée. La mort était une voleuse qui ne laissait rien, qui cachait même les os. La mort avait de grands bras ténébreux et l'haleine argileuse. La mort pouvait mettre au tapis. Elle avait des dents et des ailes. Elle laissait des marques de griffures sur la peau, elle arrachait des morceaux de chair et alignait les points de suture, noirs comme des rails dans la neige. Elle pouvait transformer un grand homme en petit garçon. Elle pouvait obliger un grand homme à parler d'une drôle de façon, sa voix mangée par les vers. Il fallait maintenant penser à la mort, dans la lenteur de la mi-journée avant que le monde se remette à tourner dans le noir, avant que le ciel noirci à l'encre de poulpe se remette à puer, à bouillonner, à vouloir se rassasier d'un corps enterré.

Mon père avait arraché ses tubes. Il s'était battu avec la mort au milieu de la nuit dans les couloirs de l'hôpital. Il avait livré bataille seul. Il avait exploité une force, un passage peut-être esquissé par inadvertance. Elle bougeait encore. Elle étendait d'énormes bras couverts d'écailles. Elle avait des griffes et des crocs. Elle mordait les malades et les faibles. Elle puait. Son haleine était un vent maussade dans des allées pavées, percées entre des rangées de ruines, des ornières étroites qui sentaient la pisse de milliers de générations de mendiants, d'estropiés et de lépreux.

Une porte avait été ouverte. Il faudrait la refermer.

18

Le début d'après-midi était d'un bleu vitreux, aussi pâle qu'une fausse améthyste. L'après-midi d'une clarté inhabituelle.

L'horreur absolue s'infiltrait lentement, comme la pluie quand elle lutte pour pénétrer la boue sèche et nue. Mon père risquait de ne pas passer la nuit. J'ai pensé à mon père avec ses nouvelles cicatrices brûlantes. Mon père emmailloté de blanc faisant l'inventaire de ce qu'il lui manquait. Gorge et langue évidées, joue en partie enlevée, cordes vocales sectionnées. Mon père assis sur la ligne d'horizon, hésitant soleil rouge en irruption.

Je me suis assise dans l'alcôve de la cuisine chez Jason, devant la table que mon père m'avait trouvée dans un bric-à-brac. Une table de cuisine, symbolique, une ancre pour une femme, un cadeau pour une fille. Picasso le chat était sur une chaise à côté de moi. La voiture de Jason n'était plus là. Je lui avais demandé de m'attendre. Je lui avais dit que c'était la première fois que je lui demandais quelque chose depuis très longtemps, des années peut-être. Et il était parti.

Picasso léchait sa patte avant droite. C'était simple. Si mon père vivait encore demain matin, l'orage passerait, désamorcé et oublié. L'hiver passerait. Laisserait place au spectacle de l'ivresse des bourgeons et des insectes, le printemps et ses promesses suspendues aux rouges et jaunes généreux des plantes grimpantes.

La température est montée de façon inattendue. J'ai entendu des sirènes. J'ai pensé, Père, tu ne dois pas mourir. Réchauffe-toi lentement. Le pire est passé. Les canyons érodés crachent de jeunes cactus. Tu as survécu à la révolution cruelle du soleil. Crois-moi, Père. L'hiver se termine. Tu lui as survécu.

L'après-midi semblait suspendu. La chaleur augmentait et devenait infernale. Des sirènes brisaient les ombres de fin d'après-midi. J'ai entendu des ambulances et des hurlements. Les vents hérissés de Santa Ana déferlaient dans les rues, ils sentaient le désert, la lumière blanche, les maigres buissons épineux et les pierres blanches.

Les vents n'étaient pas sans saveur. J'ai pensé aux buissons desséchés et aux épines arborées par les plantes du désert. Une folie chaude enveloppait la ville. Elle m'a trouvée. Elle pouvait virer à l'est vers le lit d'hôpital de mon père. Elle pouvait l'arracher à l'oxygène et à la solution saline plantée dans sa main. Simulacre de crucifixion. Qu'arriverait-il si les vents s'engouffraient dans la ville jusqu'à lui, brûlant tout sur leur passage ?

La nuit était acérée, claire et chaude. Jason n'était pas rentré au crépuscule. J'étais assise dans son atelier vide. Picasso et moi, on se regardait dans les yeux. La nuit était une tranchée noire. La lune se tenait suspendue au centre mort de la fenêtre, parfaitement ronde, miroir circulaire incrusté dans la gorge de la nuit.

Picasso sentait les vents lacérer la maison. Il sentait la chaleur particulière de la pleine lune, qui semblait l'appeler et le convoiter, étrange désir circulaire. Il était agité. Il voulait sortir, goûter le lustre de la lune, cette lumière blanche aussi substantielle que la neige. Il voulait frotter ses griffes contre les corps nocturnes des plantes conspiratrices. Il désirait chasser, que sa gorge frémisse de petits ronronnements pareils aux vaguelettes dans les ports. Il voulait faire couler le sang.

Je l'ai regardé pendant un moment. Puis j'ai fermé la porte qui donnait sur la pièce principale. J'ai pris Picasso. Je l'ai installé sur mes genoux.

J'ai caressé le chat. Lui ai frotté l'échine. J'ai remarqué que ses longs poils étaient collés. Jason ne le brossait presque jamais. Il avait des saletés dans sa fourrure, des brindilles, des feuilles et de petites taches d'huile rondes dues à ses stations sous les voitures. Sa longue queue fournie était emmêlée autour d'une tige de vigne vierge. J'ai compris qu'il semblait déjà s'éloigner de cette terre.

J'ai caressé Picasso sous le menton et j'ai pensé, quelle dégénérescence de se retrouver au fil des siècles aussi petit et insignifiant. Tu te souviens de l'époque où tu étais un prédateur ? Quand tes rêves allaient au-delà des souris, des lézards et des petits oiseaux ? Tu savais trouver la jugulaire, tu te repérais dans la jungle, tu connaissais les vents millénaires qui soufflent dans les herbes jaunies.

J'ai appuyé avec mon pouce sur une tache d'huile qu'il avait sur la tête, et il a ronronné. Le chat ronronnait. De la lune émanait une chaleur blanche et étrange. J'avais le sentiment d'être observée.

J'ai des choses à te raconter, mon petit. Il y a un autre homme. C'est mon père. Il est retenu dans la toile blanche d'une araignée noire. Une énorme araignée qui maîtrise la technologie et l'histoire. Une araignée noire qui s'adonne à l'art cruel du scalpel. Il est lentement dévoré. Il est dépecé vivant. Je sais que tu apprécies les morts lentes et douloureuses. Je t'ai observé quand tu torturais des oiseaux, j'ai vu tes griffes lacérer les cous duveteux. Je t'ai vu ivre de sang.

Il y a un autre problème. Quelque chose qui s'appelle cancer. Des griffes acérées ont mutilé la gorge de mon père. Le cancer a pris sa gorge et sa langue. Creusé ses premiers sillons. Plus tard, des racines ont poussé, nourries et réchauffées par le sang. Elles ont donné des bourgeons. Il était colonisé.

Maintenant, son visage est sombre et enflé. Les bandages forment une épaisse écharpe autour de son cou évidé. Ils ont déployé des tubes pour l'alimenter et le saigner, comme des branches. C'est ainsi. Il devient arbre désormais. Et il ne cesse de penser qu'il est six heures, l'heure des nouvelles et d'une rasade de bourbon. L'heure d'un cigare et des pronostics du lendemain.

Je regarde sa bouche qui se tord et s'arrondit. Il essaie d'émettre des sons qui ne sortent plus. Je peux à peine lire les messages qu'il griffonne. Inlassablement, je lui explique à quoi sert la machine à oxygène. Il l'entend peut-être siffler. Il la montre du doigt et fronce les sourcils.

Tu vois où je veux en venir, petit chat ? Dans la vie telle que nous prétendons la connaître, il est certaines traverses, de petites crevasses. Des endroits où la fresque murale qu'est notre monde, se sépare en parcelles/secondes/cellules individuelles. Ces fissures peuvent être fatales.

Le vent chaud prenait la maison d'assaut. Il était furieux, enragé. J'ai bercé Picasso dans mes bras. Il a remonté sa tête tachée d'huile vers moi et fermé ses yeux jaunes. J'ai caressé la douce fourrure autour de son cou. Il ronronnait, un bourdonnement profond. Et j'ai pensé au bourdonnement à l'hôpital, au bouillonnement lent des liquides, au sifflement de l'oxygène. Le bourdonnement.

Une frontière est franchie. La fresque murale qu'est notre monde explose en mille fragments. Le ciel tournoie. L'encre jaillit comme de la lave en fusion entre les coutures déchirées. Assez pour noyer un homme fort. Et mon père est faible, sans défense. Et le ciel se déploie sur le monde. Des fragments noirs s'abattent sur nous.

Dehors, je sentais le vent se diriger vers la mer, hampe puissante et chaude. À Philadelphie, c'était la saison des cerfs-volants. J'avais six ans. Papa devait m'emmener au parc et faire s'envoler mon cerf-volant. Mais ce jour-là, papa n'avait pu venir. Ni ce jour-là, ni les suivants. Papa restait au lit. Quand il parlait, c'était un murmure, un souffle rauque. Il fallait qu'il s'approche de votre oreille. Tout était donc devenu secret ?

Je suis allée seule au parc. Mon cerf-volant était un oiseau. Il s'est pris dans un arbre mort. Le ciel avait le bleu d'un regard d'enfant, il était suspendu entre les collines, greffé sur cette journée comme un rectangle de chair bleue. De la chair bleu cobalt ? Le ciel était un œil de bœuf exorbité. « Arrête de pleurer. », m'a dit ma mère, en faisant chauffer la soupe. « C'est juste un morceau de papier. Je t'en achèterai un autre. » Mais quelque chose est arrivé à mon Père. La saison des cerfs-volants l'a déchiqueté. Papa n'était peut-être que de papier.

Qu'est-il arrivé au ciel ? Le ciel bleu avec ses petites bouches de nuages blancs a été enroulé comme une voile usée. De grandes mains l'ont remisé.

Ensuite, d'autres grandes mains ont emballé les lampes en cuivre et le service en porcelaine. Je m'asseyais dans des chambres étranges qui m'étaient assignées par des étrangers souriants. Maman conduisait la voiture. Papa ne parlait plus du tout. Et on a pris un taxi pour aller à la gare. Pourquoi est-ce qu'on allait à la gare ? On allait en Californie. Et c'était quoi, la Californie ? C'était là où il y avait des orangers mais pas de neige. Pas de neige ? Quoi alors ? Eh bien, juste le soleil et les palmiers. Et soit sage, reste assise à ta place. Laisse papa essayer de dormir.

Me voici réduite à rien, en l'air dans le ventre d'un faucon. Je fais mon nid dans le tronc violé d'un chêne. Je casse mes poupées. Je leur arrache les bras. Je brûle leurs têtes de faïence. Je m'entraîne à l'invisibilité. Je me penche vers les ombres et les murs, je tisse des liens métalliques et froids. Et je hurle, je n'aime pas cet endroit. Il n'y a pas de ciel. Pas de ciel en bordure de boulevard, dans un appartement où papa se roule en petite boule dans son lit toute la journée. Pas de ciel dans des appartements collés à un boulevard où s'agglutinent des camions nauséabonds. Où est maman ? Va-t-elle bientôt arrêter de travailler ? Non. Et Papa reste au lit toute la journée, et le soleil est étrange, défectueux. Il tombe dans l'océan – plouf. Il saigne. Papa saigne. Papa a un tiroir plein de bandages spéciaux. Maman est partie. Elle va bientôt revenir ?

La vie est dure pour tout le monde, dit maman à son miroir. Maman se peint les lèvres en rouge. Maman agrandit ses yeux. Ses dents sont des voiles vernies. Si ça va aussi mal que ça, demande le divorce. C'est une chiffe molle. Tu n'as pas besoin de ses ficelles cassées, de ses bras inutiles. Tu n'auras même pas à l'enterrer. Maman parle de Gerald. Elle dit de partir, tout simplement. Les vers feront le reste.

Dehors il faisait très noir et très chaud. Le souffle du vent ressemblait à une longue toux rauque. L'air était graveleux. Le ciel ressemblait à un tombeau fermé. J'ai caressé le ventre blanc et doux du chat.

Couteaux noirs, les sirènes lacéraient la nuit. Sensation de fumée.

Peut-être que les choses se seraient passées différemment si Jason avait été là, s'il m'avait attendue, ou s'il était rentré. Peut-être que ça se serait passé différemment si la lune n'avait pas été si brillante, si nettement gorgée de sang.

Peut-être que si les vents de Santa Ana n'avaient pas soufflé, déchirant l'air, transformant la nuit en arbuste maigre et noueux. Peut-être, si la nuit n'avait pas été percée de sirènes, de chiens hurlants, de cris et de pleurs.

J'attendais Jason, la nuit était une avalanche, les molécules d'air étaient prises de folie. Je tenais Picasso sur mes genoux. Son ronronnement était doux. Et la nuit enfonçait son poing sauvage. L'air était pointu, acéré, indubitablement vivant. Picasso était doux et chaud sur mes genoux. Il m'écoutait, il entendait mes pensées comme si je lui chantais une berceuse. Puis une idée m'a traversé l'esprit : le chat voulait peut-être dormir.

Picasso s'est pelotonné contre ma poitrine pendant que je traversais Pacific Avenue. Les quelques voitures ne semblaient pas le perturber, pas plus que la lune pleine et hurlante, le vent de torture. Il avait confiance en moi.

Mes pieds ont touché le sable froid. Je me suis retournée d'un coup. J'ai regardé la partie du chemin de bois visible derrière moi. J'avais peur que quelqu'un me voie. Mon cœur battait à toute allure. Ma tête était un orage noir bouillonnant. C'est à ce moment-là que j'ai pris conscience de ce que j'allais faire.

Je me suis assise juste au-dessus du sable mouillé, Picasso sur mes genoux. Je l'ai caressé, et il a ronronné, doucement. Je le tenais bien au chaud contre ma poitrine. Nos cœurs battaient à l'unisson. Les vagues se brisaient sur la plage, puis se retiraient, se brisaient et se retiraient, doucement, un bourdonnement.

C'était simple. Une porte s'est ouverte. Une crevasse déchirée dans la toile. Quelque chose est entré. S'est arrêté net. C'était un chasseur. Il était affamé mais décérébré comme un requin. Prêt à tout. Énorme.

Il refusait de repartir bredouille, humilié sans nouveau scalp, sans peau ni crâne séché. Ignorer sa présence, sa froideur et ses dents était une insulte. Un sacrifice était nécessaire.

Picasso ne s'est jamais vraiment débattu. Il me regardait, incrédule, ses yeux comme des billes jaunes ébahies, curieusement figés. J'ai pensé aux billes que les enfants appellent des yeux de chat. J'ai entendu des sirènes derrière moi. J'ai senti le vent fouetter mes épaules, un souffle chaud, souffle du désert qui frottait mes chairs. La lune soufflait du platine au-dessus de moi. Il y a eu un craquement lent.

Picasso a mis longtemps pour mourir. Ça m'a surprise. À la fin, mes doigts étaient raides et me démangeaient, une fois que les os de son cou ont craqué et qu'il s'est ramolli. Un mince filet de sang a coulé de sa bouche et, goutte après goutte, a glissé le long de son cou pour finalement perler sur ma main.

Je l'ai laissé tomber sur le sable mouillé. J'ai laissé les vagues laver le sang sur ma main. J'ai trempé ma main dans l'écume et la fluidité, alors le sang est parti.

Ensuite, les vagues ont encerclé le corps inerte du chat. Les vagues ont étendu leurs mains noires et l'ont enlacé. Le sel s'est infiltré dans sa blessure. Il était enveloppé de volutes fluides et noires.

J'ai tourné le dos à la mer. J'ai senti la puissance des vagues dans mon dos, elles frappaient et grignotaient les berges, cognaient avant de se retirer, un bourdonnement. J'ai senti le rythme, le vent, la brume salée, la terre qui grognait alors que les eaux noires et froides me léchaient les chevilles.

J'ai regardé le ciel. Le sacrifice serait-il suffisant ? Suffirait-il à recoudre la déchirure ? Quelque chose en moi a durci au-delà de l'imaginable.

Cette nuit-là, la lune était pleine au-delà du possible, du même jaune qu'une médaille d'enfant. Elle semblait me suivre sur le chemin du retour.

J'ai fermé ma porte à clef. Je sentais encore la lune, sa chaleur jaune singulière. Elle était suspendue au centre du ciel comme si un ingénieur l'avait placée là avec précision. Elle pendait juste au-dessus de ma tête, ronde et brillante comme une terrible promesse.

Je me suis dit, c'est quoi, après tout, cette lune ? Juste une piqûre d'épingle, un éclat, une pièce de monnaie collée sur un ciel métallique noir et inutile. La lune est une torche vide. La lune est un kyste, insensible à mes malédictions, ou pire, maudite elle-même, fixée là, abandonnée, inutile et aveugle.

La lune était du même jaune qu'une bille. Le même jaune que les yeux de Picasso quand j'ai enfoncé mes doigts dans son cou jusqu'à ce que ses os craquent et que son sang, goutte après goutte, tombe sur mes mains.

Je restais allongée, immobile dans mon lit. Maintenant les choses vont changer. À partir de maintenant, toi la Mort, satanée salope, tu as affaire à moi.

19

Il faut une explication à tout.

Nom. Âge. Attirance sexuelle. Profession. Rituels tribaux effectués. (Rayez les mentions inutiles).

1. Recherche de visions expérimentales/relations hallucinatoires avec des forces dites magiques, spirituelles ou même philosophiques.
2. Mariage.
3. Naissance.
4. Mort.
5. Contact avec des lieux maudits, des serviteurs ou des forces du mal. Contact aussi avec les maléfices, parfois appelés concepts, art, science ou histoire.
6. Contact avec des forces divines, parfois appelées miracles ou chance.
7. Renaissance.
8. Torture physique.
9. Sacrifice sanglant, exorcisme, etc.
10. Autres (préciser).

Francine a appelé à neuf heures précises. En regardant la pendule, j'ai pensé, sept, huit, neuf, dans mon panier neuf.

« Son cœur s'est arrêté pendant la nuit. Puis, il est reparti. Je n'étais pas là quand c'est arrivé. Je viens juste de l'apprendre. En fait, il a l'air beaucoup mieux ce matin. » Elle semblait surprise. Pour la première fois depuis des semaines, sa voix était énergique. Des semaines ? Sa voix avait une autre dimension, le grondement d'une folie blanche qui approche, un nuage blanc à la perfection suspecte.

Mon corps tissait sa toile, secrètement ivre. Elle a dit le cœur de ton père s'est arrêté alors mon cœur s'est arrêté et j'ai senti mon sang se retirer de mon visage, j'ai senti le froid, mes cellules qui s'effondraient. Mais il est reparti. Elle a dit son cœur est reparti. J'ai compris qu'il n'était pas mort. Non, bien sûr que non. Elle parlait. J'avais vingt-sept ans quand il a eu le premier. Maintenant tu as vingt-sept ans. La roue tourne, disait-elle. Elle disait vraiment ça ?

« Il a une mine épouvantable. Grise. Comme l'enfer. Mais quand même moins terrible que les jours derniers. Pour la première fois, j'ai l'impression qu'il a une chance de s'en sortir. »

Les vents de Santa Ana étaient tombés. La journée était douce et claire. J'ai rejoint Francine à la cafétéria de l'hôpital. Elle avait une jupe de tennis blanche. Elle avait rajeuni. Un interne est passé près de nous avec du poulet frit sur son plateau. Francine l'a regardé marcher. « T'as une sale tête », m'a-t-elle dit.

J'ai haussé les épaules. J'avais un gobelet en polystyrène dans les mains. Il aurait pu être un caillou blanc et chaud.

« Écoute, ma petite, tu trouves que je suis ridicule ? Obscène ? Une raquette de tennis à quarante-six ans ? Si demain je m'écroule, morte, et ça pourrait arriver, dis-leur que j'étais là, vivante, à faire face. Tu me suis ? Je n'ai pas jeté l'éponge. Je continue à frapper. Comme ton père. »

Mais non, Francine n'a rien dit de tout ça. Elle souriait. Elle sirotait du café dans un gobelet blanc. Elle disait : « Il a l'air tellement mieux aujourd'hui. Ils vont le faire marcher demain. La greffe se présente bien. La douleur est partie. Je me mets en congé pour la journée. Allons faire des courses à Beverly Hills. »

« Je ne crois pas », ai-je dit prudemment.

« Allez, viens », a dit Francine, presque gaie. « On commencera par Rodéo. Je t'achèterai un milk-shake. »

J'ai fait non de la tête.

« Non, non ! », elle a crié, en tapant le poing sur la table. « C'est tout ce que tu sais dire. Non. Non. Et le temps passe. Tu as presque trente ans. Tu laisses la vie t'échapper ! »

Je n'ai rien répondu. Francine portait un chemisier blanc sur sa tenue de sport. Elle donnait l'impression d'arborer une paire d'ailes pâles.

Elle a demandé : « Tu ne me laisseras jamais en paix, hein ? »

Oui/non/peut-être. Les trois en même temps. Aucun des trois. On peut nuancer ? Joindre un document en annexe ? Non ?

« Il y a tant de choses que tu ne sais pas », disait Francine. « Ton père m'a appris. Tout ce que nous avons, c'est le moment présent. Tout peut arriver sans prévenir. J'ai appris tard. Mais j'ai compris. Tu ne vois donc pas ? » Ma mère a approché son visage tout près du mien. « Chaque seconde est importante. Tu le vois lutter, juste pour avoir une chance de continuer à vivre ? Où est ton sens de la vie ? »

Envolé, j'ai pensé. Comme tout le reste. L'impulsion était limitée, faible dès le départ. Elle avait été amputée. Francine s'était servie. Mon père aussi. Quelque part, Gerald s'est moqué de moi et dans cette obscurité particulière s'est servi à son tour. Jason est arrivé avec une pelle. A emporté des parties de moi par brouettes entières, par camions. J'avais un cerf-volant en forme d'oiseau. Il s'est cassé. Tout a été cassé.

Francine regardait la fille sur la chaise. Elle l'examinait/m'examinait. « Ne laisse pas tomber ton père », a-t-elle dit au bout d'un moment. Puis elle a ajouté : « Je ne plaisante pas. » Ses mots étaient des échardes blanches acérées.

Le lit de mon père avait été relevé pour qu'il soit assis. Il lisait un numéro d'*Esquire*. Ses lunettes étaient coincées dans la gaze près de ses oreilles. Il m'a entendu arriver. Il a laissé le magazine tomber par terre.

SUIS MAUDIT.

Je me suis assise avec précaution près de ses jambes. Je devinais les pansements sur ses cuisses à travers le drap. Je regardais ses lunettes coincées dans les bandages autour de sa tête. Au début, mon père avait refusé de toucher ses lunettes, sans parler de les mettre. Il avait dit qu'il n'en aurait plus jamais besoin. Il ne lirait plus jamais.

SUIS MAUDIT.

« Qu'est-ce que tu veux dire, maudit ? » C'était moi qui parlait ?

CANCER 2 FOIS.

« T'as échappé deux fois à la condamnation. T'as une bonne longueur d'avance », a dit quelqu'un.

VU DANS MIROIR. HORRIBLE. MUTILÉ.

« Il y a des tas de variétés de cicatrices… » Les cicatrices d'enfance. Les cicatrices de Francine, assise en hiver sur les porches froids de bâtiments en brique. Des maisons où le frigo était toujours fermé à clef. Des maisons dont les plafonds s'effondraient, dans lesquelles des souris lui couraient sur la tête sans qu'elle soit vraiment surprise, elle savait qu'elles étaient là. Les cicatrices des premiers pas et des premières traces de pneus dans la neige vierge. Et des cicatrices dans le cou, dans la gorge. Des cicatrices comme une toile invisible tombée sur l'anatomie de Gerald, une sorte de glu dans son giron où plus rien ne bougeait. « Il y a les cicatrices physiques, papa. Et les cicatrices mentales, émotionnelles. »

LES AI TOUTES. C'EST MON TIERCÉ.

Je suis restée assise sans bouger. Les stores étaient à moitié remontés. Je voyais les nouvelles fleurs blanches pointer leur nez sous une bonne épaisseur de lierre. Le temps était toujours clair.

TRÈS TRÈS TRISTE. Une larme a coulé le long de la joue de mon père. OPÉRATION = ERREUR. PARI MERDIQUE. Mon père a jeté son carnet par terre.

J'ai pris sa main. Elle était presque sans vie, fragile, une feuille coupée. « Papa », d'une voix douce, très douce. J'avais remarqué que les bruits forts le rendaient nerveux et le mettaient en colère. « De quoi as-tu peur ? La greffe fonctionne. Ils vont bientôt enlever la sonde alimentaire. Tu vas rentrer à la maison. Tu es en train de gagner la partie. »

Mon père a acquiescé. Il semblait attentif.

« Tu as peur que le cancer revienne ? Qu'il se ramifie ? Prenne racine en d'autres lieux, les poumons peut-être ? » Je lui ai tendu le carnet.

MALADIE INSIDIEUSE. REVIENT TOUJOURS.

« Mais est-ce que tout ne revient pas, d'une façon ou d'une autre ? » Je ne pensais pas au cancer. Je pensais à Venice Beach, aux vagues venues enlacer Picasso. J'ai compris que si quelqu'un restait à Venice Beach assez longtemps, la mer lui serait révélée dans l'absolu. Si quelqu'un restait assez longtemps, tôt ou tard tout viendrait s'échouer sur la plage. Les morts rendus par la mer, tas d'os blancs recrachés. Vieilles canettes de bière, fragments de galères, et un chat étranglé à poils longs, blancs et roux.

VEUX MOURIR.

Mon père a griffonné ces deux mots avec difficulté. J'ai fait semblant de ne rien remarquer.

SUIS MOURANT.

« Personne ne peut le dire. Il faut attendre la photo-finish. C'est pas le moment de jeter ton ticket. »

TA COMPARAISON AVEC COURSES = MERDIQUE.

J'ai regardé mon père. Il y avait une petite étincelle au centre de ses yeux trop sombres. J'ai pensé qu'il était peut-être en train de sourire.

Le téléphone sonnait quand je suis rentrée chez moi. C'était Jason, chaleureux et repentant. Est-ce que j'étais en colère parce qu'il n'était pas rentré hier soir ?

« Non », ai-je répondu. Il faut de l'espoir pour être en colère. La colère implique attentes et violations. Je n'étais pas en colère.

« Picasso est parti. Je suis rentré ce matin, et il n'était pas là. D'habitude, il m'attend tous les matins. »

C'était à mon tour de parler ? Silence. L'espace silencieux était un maelström, une sorte de trou noir qui aspirait l'air, implacable, dévorant. Dans le silence, des vagues noires enroulaient des cordes noires autour d'une gorge dont les os étaient brisés.

« Ouais. Ce bon vieux Picasso est parti. Je suppose qu'il a fait ses valises et qu'il a pris la route. » Jason plaisantait.

J'ai pensé, tout va, tout vient.

« Je vais faire le tour des loyers », a dit Jason. « Tu veux venir ? »

« Non. » Comme il devenait facile de parler avec Jason ! Un haussement d'épaules. Un grognement. Pas besoin d'un grand déploiement de forces.

« Je te verrai après avoir peint. » Jason a raccroché.

J'ai traversé le pont sur Eastern Canal. J'ai traversé Howland Canal et Linnie Canal, et j'ai attendu qu'il parte. Alors j'ai commencé à déposer ses affaires chez lui.

J'ai fait une pile bien nette dans le salon, au pied de la fontaine. J'ai fait six allers-retours. Les choses sont en train de changer, je me suis dit. J'avais une pile de preuves tangibles au pied de sa fontaine. J'acquérais une certitude. Le téléphone sonnait quand je suis rentrée chez moi.

« Le vieux est mort », a dit Jason.

« Le vieux ? » La pièce est devenue noire. Pourquoi est-ce qu'ils avaient appelé Jason ? Jason ne savait même pas que mon père était à l'hôpital. Je titubais. Devenais plaques de glace noire. Et la pièce tanguait. Sans limites.

«Tu sais ? Gordon ? Le vieux décrépi... »

« Je vois. » Je l'ai dit rapidement, aussi vite que possible. La pièce retrouvait petit à petit sa normalité. Mr. Gordon était le vieil homme à la mandoline, dont le bois rouge était fin et luisant comme un cœur dilaté. Avant, il jouait de la mandoline sur les toits de New York au mois d'août. Il avait voulu me la montrer la dernière fois que je l'avais vu. Il était allé la chercher dans un placard dans la pièce du fond, mais j'étais partie. J'avais eu peur de la voir.

« Il rentrait de chez le docteur en bus quand... »

« Épargne-moi les détails. » J'ai raccroché.

On dit jamais deux sans trois, hein ? Si je dis que Picasso est le premier et que Mr. Gordon est le deuxième, la question est : qui sera le troisième ?

Mon salon était presque vide. La lumière se déversait sur les murs, libre, exubérante. Je me suis demandée comment j'avais fait pour supporter tout ce fatras inutile. C'était beaucoup mieux comme ça. Plus aéré. Beaucoup plus facile pour respirer, avoir les idées claires, se souvenir.

J'étais debout sur le porche. Un canard gros et gras flottait, tache noire voguant sur l'eau. L'air était tiède. On se serait cru en été. Un chien a aboyé. J'ai senti la brise marine se déployer lentement et j'ai pensé, s'il réussit à tenir quelques jours, c'est gagné. Le printemps va se dénouer, ensorceleur et enchanteur, soleil soyeux sur les plaies récentes. S'il vit encore quelques jours, il pourra manger et marcher. S'il vit encore quelques jours, il aura vaincu. Il sera plus résistant que le cuir. Il aura terriblement vieilli. La folie sera en lui. Mais il sera debout sur le ring. Et je comprenais intimement ce que se mouvoir impliquait. Une cible mouvante est beaucoup plus difficile à atteindre.

Je me suis assise dans ma chambre. J'ai pris conscience du tic-tac du réveil. Son tic-tac tel un code secret. Petites dents qui grignotent l'atmosphère sombre. Tic-tac, quelque chose qui entre et se casse. Tic-tac sec, murmuré. Et Papa devait se pencher tout près de moi pour me parler. Il devait mettre ses lèvres tout contre mon oreille. Maman a dit, quand papa va rentrer, il parlera d'une drôle de façon. Peut-être comme Billy. Mais Billy mangeait des vers. Mon père ne mangerait pas de vers, j'en étais sûre.

Tic-tac, tic-tac, tic-tac faisait le réveil. Francine a dit : « Écoute, ma petite, le temps passe. Tu as presque trente ans. Tu n'as pas l'éternité devant toi. Une semaine devient un mois, une année, une vie. Arrête de te chercher, trouve. » Ma mère a dit ça une fois. Vraiment ?

J'ai pris le réveil. Je l'ai jeté par terre. Je l'ai repris et je l'ai jeté encore plus fort. À la quatrième fois, il s'est cassé. Je me suis rendu compte que ça n'avait plus d'importance, l'heure qu'il était. Le temps s'était arrêté. En un présent permanent. Définitif.

Le téléphone a sonné. J'ai décroché, d'un bras raide. Mes mains tremblaient. Finissons-en, me suis-je dit. Abats le troisième et part, retourne dans les profondeurs, espèce de saloperie, monstre au cœur de requin.

« Qu'est-ce que toutes ces merdes font dans mon atelier ? » a demandé Jason. On aurait dit qu'il parlait de quelque chose d'exotique, non pas de simples cartons mais d'une série d'étranges ornements en cuir tanné.

« Nettoyage de printemps », ai-je répondu.

« Alors t'es pas en colère.» Jason semblait soulagé.

« Bien sûr que non », ai-je répondu prudemment. Pourquoi aurais-je été en colère, moi en colère, pourquoi ? Intérieurement, je hurlais à la mort.

« Qu'est-ce que tu fais ? »

Je réfléchis à l'esprit, Jason, c'est tout. Je pense à mon père et à la nuit qui perce trous et tunnels. La nuit et son haleine âpre d'armoise. Et mon père était cloué sur son lit blanc d'hôpital. Un vent chaud soufflait. Les sirènes hurlaient. C'était le tout début du mois d'avril. Et je ne voulais pas laisser mon père mourir. Je ne voulais pas qu'il soit jeté comme une page d'éphéméride, mis au rebut avec les pages vierges et mortes de mars et de février.

« Je réfléchis », ai-je dit à voix haute. Oui, Jason. Je pensais aux tissus irradiés qui ne voulaient pas cicatriser et qui s'ouvraient vers l'artère. J'essayais d'imaginer les jolis rectangles de peau, prélevés sur son dos, son épaule et ses cuisses, aussi nets que les pages blanches de l'éphéméride.

Il faut qu'ils lui fabriquent une nouvelle gorge, sinon il sera condamné à vivre (le peu de temps qu'il lui reste) avec une sonde alimentaire rouge plantée dans le nez. Et ça ne durerait pas. Je pense que je devrais arracher le téléphone du mur, couper son stupide petit cou pour en finir, en finir une fois pour toutes.

« Et toi ? » ai-je demandé. Polie et formelle. C'était donc la grande accalmie ? Le calme avant la tempête. Le calme qui avait régné entre mon père et ma mère juste avant leur divorce. Quand ils ont arrêté de crier et de casser la vaisselle. Quand ils ont regardé le même bout de ciel bleu et compris qu'ils le voyaient de dimensions différentes.

« Allons chercher à manger pour ce soir. Passe me prendre dans dix minutes », a dit Jason.

Je me sentais légère, aérienne. Je pouvais lâcher le bord de la chaise, dérouler mes doigts si serrés que le sang n'y circulait plus, et me laisser flotter jusqu'au mur opposé. Flotter, comme la lumière, la fumée, comme une grosse bulle transparente.

Je n'avais plus de réveil. Je suis sortie de chez moi et j'ai garé ma voiture dans la ruelle derrière la maison de Jason. J'étais en avance. J'étais toujours en avance pour mes rendez-vous avec Jason, toujours à attendre. Il est monté dans ma voiture.

« Tu peignais ? » ai-je demandé.

« Ouais. »

Je conduisais. « Tu as bien avancé ? » Est-ce que tu as réussi à mettre une canette de bière en équilibre sur une chatte ? Est-ce que tu as trouvé comment projeter une ombre rance sur la cuisse d'une femme ? Est-ce que tu as remarqué que j'ai commencé à te détester ? J'ai jeté un coup d'œil sur le siège du passager. Jason regardait par la fenêtre.

« Ils ont repeint le magasin », a dit Jason, le montrant du doigt. « Tu vois ? Il est rouge et blanc maintenant. »

Comme mon père. Sang et bandages. J'avais chaud. J'avais besoin d'un shoot. C'était l'accalmie.

J'ai garé la voiture. Le supermarché fermait, le parking presque vide.

« Tu es garée de travers », a fait observer Jason.

« Je sais. » Il avait sorti son épée ? Il allait me trancher la tête ? Et le jour n'était même pas encore levé ! « Ils ferment le magasin. Il n'y a que quatre voitures. » J'ai montré le parking déserté.

« C'est pas une raison pour que ça me plaise. » Jason a fait claquer la portière.

Nous sommes entrés dans le supermarché. Deux pas en avant. Quatre en arrière. Je suis une aile de papillon. Tu es feu. Tu es neige. Je suis une pelletée de vapeur. Et ainsi de suite, jusqu'à l'infini.

Jason s'est figé. « Tu es pieds nus. » Il semblait outré. Il regardait mes pieds nus. Il avait l'air minable.

Je l'ai ignoré. De quoi parlait-il, d'abord ? Je n'avais même pas de pieds. Ils étaient blancs, bien sûrs, et d'une certaine façon attachés, mais pourquoi les appeler des pieds ? N'avaient-ils pas la couleur et la texture des champignons ? Ils étaient une toile. Ils avaient la forme d'une nacelle, de toute évidence prévus pour le transport. Mais, de fait, tout était mouvement si on faisait entrer le temps et le vent dans l'équation.

J'ai pris un chariot que j'ai commencé à pousser dans l'allée. Mes bras étaient forts et envoyaient glisser mon chariot. Léger, tranquille.

« Je n'aime pas ton attitude », a déclaré Jason.

« Incroyable, hein ? » Je continuais à pousser le chariot. « Pieds nus un jour, et demain, quoi ? La transgression des interdits. Le début d'une nouvelle ère. » Est-ce que ça impliquait l'enterrement d'un père ?

« T'es vraiment une salope. »

« Une salope ? » J'ai arrêté de pousser le chariot.

« Ferme-la. »

Je l'ai fermée. J'ai recommencé à pousser le chariot. J'étais le chemin du paradis. Il était le poste de douane. J'étais une fillette enveloppée dans la peau blanche et fine des étoiles. Il était un troll aveugle. J'ai balancé du pain dans le chariot.

« Pas bon. » Il regardait le pain comme si j'avais choisi un gros étron brunâtre. Il a enlevé le pain du chariot. Il l'a remplacé par un autre, plus riche en fibres, sans aucun doute. Avec moins de substances cancérigènes et moins de conservateurs. Il en avait sûrement entendu parler dans une émission pour informer les consommateurs sur une chaîne câblée. J'ai failli me mettre à rire.

« Tu fais tout de travers. Tu es incorrigible. »

J'ai arrêté le chariot. Je l'ai regardé. « Ton vocabulaire est à vomir. Pour qui tu te prends ? Un éducateur ? »

Nous étions face à face. J'ai pensé subitement que si Jason se mettait vraiment en colère, il ne passerait pas la nuit avec moi.

« Tu veux tout diriger », a dit Jason.

« Tu parles de toi, là. » Et puis l'écho, l'écho, l'écho, la chambre d'écho du temps, encore, et encore.

« Tu n'as aucun sens de l'ordre ! » a hurlé Jason.

« Fiche-moi la paix ! », ai-je hurlé à mon tour. Je commençais à fatiguer. J'ai donné un coup dans le chariot. Tout à coup, ça m'était égal qu'il me baise ou pas ce soir – ou jamais.

« Je vais te laisser toute seule, pétasse ! » Jason hurlait. Il est sorti du supermarché. Je l'ai regardé partir. Tire-toi, salopard. Je te hais. Et il avait disparu. Je fixais la porte du magasin. Tout paraissait sombrement évidé, bien trop froid, et je n'avais plus aucune certitude.

J'avais la sensation de me noyer dans des cercles noirs, des maelströms liquides, que l'air sombre sifflait, le grand froid, et j'ai pensé, tout doux, respire à fond. Calme-toi. Ce n'était qu'un rêve. J'avais tort. J'étais sombre, trop acérée. Je saignais, bouillonnais, incomprise, informe. Je vais devenir folle sans lui. Le toit s'écroulera, l'hiver frappera sans prévenir, le sol s'effondrera dans un bruit de succion. La terre sera stérile, les cieux se chargeront de gros nuages de poussière jaune et de locustes sautillants, et je mourrai.

J'ai couru sur le parking. J'ai cherché sur le trottoir, dans la rue, la chaussée grise suivait les ombres où flottaient de grosses formes sombres et hantées. Je suis montée dans ma voiture, percluse de douleurs et résignée, brisée, cassée, en morceaux.

Jason était couché sur le siège arrière. Il mangeait un Mars. « Je ne sais vraiment plus quoi faire », a-t-il dit.

20

J'ai traversé le pont sur Eastern Canal et suis descendue vers la plage. Il était tôt. Le ciel et la mer étaient d'un bleu vif et ardent. J'ai pensé à Jason pelotonné dans mon lit, sa respiration lente soulevant doucement le drap. Les vagues du matin glissaient sur la berge, bleu pastel, bleu victorien, et je me suis demandé comment les choses avaient pu aussi mal tourner. J'ai marché sur le sable mouillé jusqu'à l'endroit où j'avais étranglé le chat, l'endroit où les vagues avaient enlacé son corps d'une étreinte noire. Jaune pâle, jaune acidulé, le sable était comme à l'abandon. Les vagues venaient lentement lécher la berge. J'ai eu une pensée. Comment est arrivée cette destruction ? Comme tout le reste, en avançant d'un pas aveugle et triste.

Je suis allée à l'hôpital. Le temps était clair, bien dessiné, contours nets, centres solides. Pelouses et trottoirs libéraient une floraison de printemps. Lys roses et blancs, bouches grandes ouvertes, amidonnées. Tiges sombres des iris violets. Cannas jaunes, rouges, couleur de lave en fusion. Glaïeuls, roses, et le bougainvillée qui ne dormait jamais, ne s'accordait aucun repos, mais se répandait sans cesse le long des clôtures de jardins et des toits, luxuriant. Et des jardinières de géraniums rouges et roses, des azalées, des bouquets bleus d'agapanthe. La ville semblait presque tangible.

Francine était à la cafétéria de l'hôpital. Elle portait un pantalon blanc et un chapeau de plage blanc en paille. Elle lisait le *New Yorker.* « Borges est un grand écrivain », a-t-elle avancé. « Márquez. Neruda. Tous ces latinos sont de grands écrivains. » Elle a refermé le magazine.

Nous avons médité en silence sur les grands écrivains latinos. J'ai bu un autre gobelet de café. J'étais consciente de la présence de la pendule ronde, noire et blanche, encastrée dans le mur au-dessus de ma tête. Un œil. Elle voyait quelque chose qu'elle mesurait. Elle respirait et battait des paupières.

« Il a l'air d'aller tellement mieux. » Francine était pétillante. « Je prends la journée. Je vais faire du bateau. »

« Tu l'a bien mérité », ai-je répondu.

Francine s'est penchée vers moi au-dessus de la table. Son visage était tout près du mien. « Phillip est tombé amoureux de moi. » Elle chuchotait. « Complètement accro. Mais il a peur de s'engager. Il sait que ça pourrait devenir sérieux. Il a peur d'être vulnérable. Qu'est-ce que tu en penses ? »

« J'en ai marre de ce qui effraie les hommes. »

« Je vois ce que tu veux dire. J'y pensais justement en lisant le *Wall Street Journal* hier. Les nouvelles, c'est rien d'autre que les potins des hommes. » Francine m'a regardée, à l'intérieur, à travers la peau, directement dans le cerveau. « C'est lassant de faire semblant d'être asservie, tu ne trouves pas ? Mais avec Phillip, les règles du jeu ne sont pas du tout les mêmes. » Francine était si proche de moi que je sentais son haleine sur ma joue. « Il est Scorpion, a-t-elle chuchoté, si tu vois ce que je veux dire. »

Il m'est apparu clairement qu'il manquait des cartes majeures dans le jeu de Francine. Au moins un as et deux rois. Sans doute à cause des souris tombées du plafond et qui avaient sauté sur sa tête d'enfant.

« Ils veulent le faire marcher. Il dit qu'il t'attend. Au fait, j'ai compris qu'il bluffait. »

« Comment ? »

« Il a demandé le programme télé. » Francine a éclaté de rire. « Il ne l'a pas demandé. Il a montré la télé du doigt. Ensuite il a ouvert ses mains comme si c'était un livre et il a fait semblant de tourner les pages. Réfléchis, est-ce qu'un homme qui a l'intention de mourir demanderait le programme de la télé ? » Francine s'est levée. « Fait en sorte qu'il marche. »

« Francine, amuse-toi bien. » Je l'ai dit doucement.

Ma mère avait l'air ébahi. « C'est la première fois de toute ma misérable vie que tu me souhaites de m'amuser. Un jour, tu seras dévorée de remords. »

Mon père était assis. Le tube à oxygène et l'intraveineuse avaient été enlevés. Les autres machines aussi. Il lisait *Playboy*. Quand il m'a vue, il a mis le magazine de côté et il a enlevé ses lunettes. Son visage s'est assombri. Il avait préparé un message.

DE LA FOLIE DE PAYER CE PRIX. DE VS FAIRE VIVRE ÇA, F. & TOI. F. SURVOLTÉE. SOURIS DE RETOUR DS LE CERVEAU. AI PEUR DE MOURIR. TOI & F. PAS CAPABLES DE VS DÉBROUILLER.

J'ai lu le message de mon père. Il était bien réveillé. Ses yeux étaient d'un brun profond. L'encre liquide était partie. Ils avaient encore enlevé une partie des bandages de sa tête. Son regard était d'une infinie tristesse.

« Tu as mal ? »

Il a acquiescé.

« Tu veux une injection ? »

Nouvel acquiescement. Il a pris son carnet.

AI DEMANDÉ INFIRMIÈRES. REFUS.

« Ils ne veulent plus te donner de morphine ? Ils pensent sans doute que tu vas mieux. »

FOUTAISES. BANDE DE SADIQUES.

Mon père regardait la porte. Au bout d'un moment, une jeune infirmière est rentrée à pas feutrés dans la chambre. « C'est l'heure des premiers pas. » Sa voix était gaie. Elle a adressé un large sourire à mon père.

Mon père a regardé l'infirmière. Il s'est agrippé des deux mains à sa couverture, qu'il a serrée contre sa poitrine. J'ai vu une croûte grisâtre sur sa main, là où l'intraveineuse avait été enfoncée. Mon père secouait vigoureusement la tête.

L'infirmière a souri gentiment et a quitté la pièce. Elle est revenue avec une autre infirmière et un médecin que je n'avais encore jamais vu. « Il faut marcher », a dit le nouveau docteur. Il n'avait pas l'air de plaisanter.

Mon père a étudié le nouvel arrivant. Puis il lui a fait un doigt d'honneur.

Ils se sont tous activés. Une des infirmières a arraché le drap des mains de mon père. L'autre infirmière et le docteur ont agrippé mon père sous les bras. Ils le tiraient par un bras, le bon, celui qui avait encore toute sa peau. J'ai essayé d'aider mon père à mettre sa robe de chambre. Le pansement de son épaule était trop épais. Il ne pouvait pas mettre son bras dans la manche. Je lui ai passé la robe de chambre sur l'épaule.

Mon père était debout. Ses jambes tremblaient violemment. Il était stupéfait et essoufflé, il était clair qu'il souffrait.

« Allez, un pied devant l'autre », a dit le docteur d'un ton ferme.

Mon père lui a jeté un regard noir. Ses yeux semblaient dire je t'emmerde, enfoiré.

On s'est dirigés vers le couloir. Mon père s'appuyait contre moi. Ses petits pas étaient chaotiques. J'essayais de m'aligner sur lui. Mon père avait toujours été un bon marcheur. C'était un de ses passe-temps. Après le divorce, il avait essayé d'évacuer sa rage en marchant. Il partait de chez lui à l'ouest de Los Angeles, allait jusqu'à l'hôtel de ville au centre, et rentrait. Ou alors il partait vers l'ouest, jusqu'à l'océan, et rentrait. Marcher. Marcher. Une fois, il avait fait presque soixante-dix kilomètres en une journée. Il avait refait le trajet plus tard en voiture pour vérifier le kilométrage. Soixante-sept kilomètres, avait-il annoncé fièrement.

Pour son soixantième anniversaire, mon père s'était acheté une paire d'haltères. Ses bras étaient forts et bronzés. Il m'avait montré de nouveaux muscles dans son dos. Mon père n'avait pas l'intention de vieillir avec élégance, il n'avait pas l'intention de vieillir du tout. Il était on ne peut plus motivé. Il disait qu'il voulait survivre à Francine.

Et voilà qu'il était voûté, amaigri, Lear dans sa tempête blanche et voilée. Il a parcouru l'équivalent de deux longueurs de chambre d'hôpital et s'est effondré contre un mur du couloir. Ils lui ont apporté une chaise roulante. Il avait du mal à respirer. Il pouvait à peine tenir son stylo.

JE MEURS.

« Je crois que c'est juste une impression. Le docteur m'a dit qu'il avait vu de la peau rose toute neuve sous les bandages. La greffe fonctionne. »

DOCTEUR MENT. SIMULACRE. OPÉRATION = FLOP.

« Regarde les choses différemment. Tu vois la ligne d'arrivée. C'est la dernière ligne droite. Tout peut encore arriver. »

Mon père a donné l'impression de penser à quelque chose. Il a pris son carnet.

IMPOSSIBLE MARCHER JUSQU'AU CHAMP DE COURSES. TÉLÉPHONER LES MISES ? BON POUR GOGOS. PEUX VOIR NI COTES NI CHEVAUX BANDÉS. + PEUX PAS PARLER !!!

« On trouvera une solution. »

Mon père m'a lancé un long regard noir. TOUTE CETTE SOUFFRANCE NE RIME À RIEN. POURQUOI ???

J'ai réfléchi un instant. Quand j'ai à nouveau regardé mon père, il avait fermé les yeux. Je me suis approchée et j'ai tâté son pouls. Une chose était certaine. Le vieil homme respirait encore.

Je suis sortie dans le couloir. J'ai croisé le prêtre. Il m'a souri et a soulevé un chapeau imaginaire. J'ai été frappée par sa pâleur. J'ai pensé subitement que le prêtre devait connaître cette saloperie de mort qui se pavanait dans les couloirs, ce monstre à l'haleine fétide. Mais non. Le prêtre ne méditait pas sur le serpent du Mal avec ses griffes et son dard enroulé. Apparemment, le prêtre se demandait que faire d'un philodendron sans propriétaire et en discutait avec l'infirmière-chef. J'ai passé mon chemin.

La femme décharnée dans la chambre qui jouxtait l'alcôve où ils mettaient la morphine recevait sa première visite. Le visiteur était en costume cravate. Il écrivait quelque chose sur un grand bloc. Je me suis dit qu'il s'agissait sûrement de son testament.

Je suis entrée comme une flèche dans l'alcôve où se trouvait la morphine. Les infirmières s'occupaient des plateaux-repas, elles s'affairaient comme autant de souris blanches, tandis que les téléphones sonnaient dans leur bureau, que des visiteurs s'entassaient dans les étroits passages des couloirs de faïence grise, entre les chariots où étaient empilées des assiettes à moitié pleines, et leurs petits tas de purée trop verte ou trop jaune servies aux mourants. L'alcôve était déserte. La clé se trouvait dans la serrure du tiroir. Elle pendait comme un appât. J'ai ouvert le tiroir.

Mon père avait demandé à quoi tout ça rimait. J'avais les bouteilles de morphine dans la main. Elles étaient tièdes, ensorcelées. Je tenais une récolte de lunes chaudes, d'étoiles blanches et claires. J'aurais pu les mettre dans mon sac. Je ne l'ai pas fait.

Une certaine maladie avait été ôtée de la gorge de mon père. Il avait été mutilé, pelé, rapiécé, troué, raccommodé. J'ai pensé aux pas chaotiques et douloureux de mon père dans le couloir. Mon père avait toujours été un bon marcheur. J'avais du mal à le suivre sur les champs de courses. Mon père. Un homme trapu aux épaules larges, et une foulée vigoureuse et décidée. Il avait une bonne poignée de main. Quand je tenais la main de mon père, elle était chaude comme la terre, comme de jeunes pousses chauffées par le soleil.

J'ai remis les bouteilles de morphine dans le tiroir. J'ai longé le couloir encombré. Il y avait eu un homme dans la chambre à côté de l'ascenseur. La chambre était vide. Je savais que l'homme était mourant. Il y avait eu une avalanche de visiteurs avec des bouquets trop chers et trop colorés. Désormais vide et blanc, le lit avait été refait. Les plantes et les corbeilles de fruits étaient reparties. Le pied à sérum et les machines avaient été enlevées. Les stores tirés. Le soleil paresseux inondait sur les draps blancs et raides. La chambre était prête pour sa prochaine victime.

Je me suis assise sur l'herbe à côté de l'entrée des urgences. J'ai mis ma tête dans les mains et j'ai pleuré. Quelqu'un allait peut-être venir m'aider, une gentille dame un peu âgée avec un air pieux, des cheveux gris bleutés, trop laqués, sous un petit chapeau pastel.

Je préparais une explication. Ma mère, Francine, était partie faire du bateau. Je me faisais du souci pour elle. Elle était à la fois ma mère et ma fille. Dans un sens, nous étions sœurs. Francine avait été placée dans des familles, maintes fois battue et violée. Elle vivait dans des maisons dont elle n'avait jamais la clef, où le frigo était fermé par un cadenas. Des souris lui étaient tombées sur la tête. Elle n'avait pas été surprise de voir les souris gambader sur sa peau. Elle savait depuis longtemps qu'elles étaient dans la machine à coudre.

L'homme qui avait été son amant et son mari, son ami et son protecteur, reposait, muet et hanté dans le pavillon des cancéreux, suspendu entre la vie et la mort. Mon père.

Il pense qu'il va mourir. C'est la deuxième fois que les cellules noires le prennent en embuscade. Lui qui avait misé quatre mille dollars dans une course à Santa Anita. Il ne sait pas comment il va pouvoir marcher du parking à la piste. Il pourrait parier chez un bookmaker. Mais ça n'est pas pratique. On ne voit pas les cotes changer. On ne voit pas si le cheval sort du box avec des bandes. Même si les bandes, ça ne veut pas dire grand-chose. Les chevaux bandés gagnent aussi. Mais il ne peut plus parler. Il ne sait pas s'il pourra reprendre le volant un jour. Vous savez, à cause de la greffe de peau, son épaule et son cou sont solidaires, alors il ne peut plus vraiment tourner la tête.

Aujourd'hui, il y a quelques instants à peine, j'étais dans l'alcôve où ils rangent la morphine, et j'ai reposé les bouteilles. Je ne serai plus jamais une petite étoile blanche. Je ne danserai plus jamais enveloppée dans le voile de la lune. Je ne sentirai plus le vent de Santa Ana me fouetter les poumons et je ne serai plus jeune, nue, le nombril rempli de platine. Je ne dériverai plus au-delà des récifs, enveloppée dans des guirlandes blanches, tout en mangeant du raisin, sous l'œil bleu d'émail de la mer qui jamais ne se ferme.

J'ai pleuré longtemps. J'ai attendu la gentille dame. Je lui parlerais de Jason et de mes sept ans de paralysie et de souffrance. Je sentais des pieds passer près de moi. J'entendais des pas. J'apercevais des bas de pantalons, des mouvements de jupes blanches. Les portes de l'hôpital s'ouvraient et se fermaient. Bouche grise et froide.

J'attendais que quelque chose se produise. Personne ne s'est arrêté. Personne ne m'a dit un seul mot.

21

J'ai dormi, agitée, hantée, frissonnante, brûlante, et j'ai rêvé de Gerald, de Jason. J'étais pourchassée sous le voile blanc de la lune, le long de rues blanches désertes, envahies par la sensation du soudain et de l'inexplicable, feu et danger. Quelque part, une femme que je n'ai pas tout à fait reconnue comptait, scandait, répétait sans cesse que si Picasso était le premier et le vieil homme à la mandoline le deuxième, alors qui allait être le troisième ?

Je suis allée à l'hôpital. C'était tôt le matin, mais il faisait déjà chaud et sec, ni brume ni brouillard. Une limite avait été franchie. Les collines derrière la ville semblaient dures, substantielles, possibles.

Francine sortait de la chambre de mon père. Quand elle m'a vue, elle s'est mordu la lèvre inférieure. Mauvais signe.

« La greffe fonctionne. J'ai regardé sous le bandage. Il y a de la peau rose toute neuve. » Francine s'est approchée de moi. « C'est juste cette saleté de mental maintenant. La dépression. »

La lumière dans la chambre était blanche et dure. La roue tourne, d'accord. Tranchante. Elle tourne plus vite que la lumière. Si elle est dangereuse ? Tu veux parier, ma petite.

Francine portait une robe fourreau lavande. Je me souvenais du jour où elle l'avait achetée. Sa première robe de grand couturier, achetée lors de son premier voyage d'affaires à Paris.

Elle haletait quand elle m'avait appelée, à peine rentrée de Paris. Elle m'avait dit : « J'ai souvent pensé à toi, j'aurais voulu que tu sois là. »

Il faisait nuit à Berkeley. Je voyais le Bay Bridge de ma fenêtre de cuisine, ambré, ligne d'yeux énucléés. Gerald étudiait les mathématiques à cette époque. C'était l'ère de la règle coulissante, des équations et des symboles tracés à la craie sur des tableaux, ceux qui allaient guérir Gerald, lui rendre son intégralité.

Ou était-ce plus tard ? Soudain, je me suis souvenue que Gerald avait amorcé un processus de transformation physique juste avant de me quitter. Il avait décidé qu'il avait besoin d'un corps musclé.

« Muscles », ordonnait-il à son miroir. Il se donnait un coup de poing dans le ventre. « Comment l'univers pourrait-il être un orchestre si le corps n'est pas au diapason ? » Gerald posait la question à son miroir. Peut-être le miroir répondait-il.

Il s'était inscrit dans un club de yoga. Il faisait des exercices particuliers de respiration. On lui avait donné une photocopie d'un régime qui comportait certains fruits, des noix diverses et du riz complet. Il avait scotché la feuille sur la porte du frigo. Il m'avait informée que je ne pouvais plus préparer ses repas. Mes ondes étaient négatives. Mon aura insatisfaisante. Mon karma, un tas de fumier.

« Tu essaies de me dire que je contamine ta nourriture ? » Je me préparais pour aller travailler au restaurant. Je m'étais déjà attaché les cheveux et glissée dans mon étroite et courte robe noire de serveuse.

« Il n'y a pas d'obèses dans les sociétés saines. La société occidentale tue pour le plaisir.»

« Tu parles des poulets, des vaches, et des trucs comme ça ? » J'allais être en retard au travail, j'en étais certaine.

« Le corps est un temple sacré. Ce ne sont pas des trucs, ce sont des formes de vie », a-t-il rectifié.

Chaque fois que Gerald parlait de formes de vie, sa voix devenait rêveuse. Quand il parlait de formes de vie, j'avais l'impression d'être sur le pont de l'*Enterprise*. Monsieur Spock regardait dans une boîte de conserve vide. Peut-être une boîte de sauce tomate sans étiquette. Le capitaine James T. Kirk regardait dans ce qui aurait pu être une petite lampe torche.

« Qu'est-ce que c'est, Monsieur Spock ? »

Spock secouait la tête avec ses élégantes oreilles pointues en plastique. Il essayait de paraître vert et sérieux. « Très curieux, Capitaine », disait-il à la boîte de sauce tomate. « Une forme de vie jusqu'ici inconnue. »

« Une nouvelle forme de vie ? » murmurait Kirk, presque sans voix, sous le coup de la stupéfaction. À l'entendre, on aurait dit qu'ils n'avaient encore jamais rencontré quoi que ce soit de bizarre.

« Une nouvelle forme de vie », reprenait Kirk. « Mais peut-on les utiliser ? Peut-on les obliger à se joindre à la Fédération ? Peut-on leur faire payer des impôts ? Les cultiver ? Les manger ? Mais surtout, peut-on les baiser ? »

« J'aurais voulu que tu sois avec moi », répétait Francine. « J'aurais voulu que tu voies Paris avec moi. Imagine une ville où ils vont jusqu'à sculpter des statues sous les ponts ! Imagine une ville avec ce sens de l'esthétique. » Francine était sous le charme, humble et admirative.

J'essayais d'imaginer. Je tenais le téléphone d'une main et je remuais le contenu d'une casserole de l'autre. La vapeur qui montait formait un fin voile blanc entre moi et Gerald. Ma mère m'expliquait qu'elle était allée toute seule au marché aux puces à Clignancourt. Elle avait déjoué les pièges du métro. Je tenais le téléphone et j'étais dans le même état qu'une insomniaque intoxiquée par la fatigue. Je n'arrivais pas à me réveiller. J'étais impressionnée par sa vision de la Ville Lumière et l'appétit de ma mère, immense.

Elle me disait qu'elle me disait qu'elle avait usé ses chaussures jusqu'à la semelle. Marcher, encore et encore. Le fleuve n'y suffisait pas. Elle avait englouti ponts et monuments, sur les deux rives. J'imaginais qu'elle aurait pu aller jusqu'en Normandie à pied, avec son manteau de fourrure et ses tennis, et ses sept semaines de cours intensifs chez Berlitz.

Quand ma mère décrivait le fleuve, je l'imaginais sans eau, seulement plein d'objets au rebut, gris et sans espoir. J'ai pensé que si j'étais allée avec elle, mes pieds et mes mains se seraient transformés en pierre. Je n'en serais pas revenue. Je serais devenue l'arête d'un pont du seizième siècle, catatonique, sans yeux. Francine me parlait des Tuileries, où elle avait effleuré des lèvres des fleurs roses et rouges. Elle voulait tout sentir, tout nommer. Elle avait dîné au sommet de la Tour Eiffel, la ville brillant en dessous, cercle immense et parfait traversé par un fleuve qui, même dans la nuit, semblait se balancer et respirer, vivre.

Gerald me regardait de travers depuis le salon. Même ma voix étouffée était une intrusion. Gerald n'avait rien à faire du voyage de ma mère en Europe. Paris était un symbole de culture occidentale, décadente, drapée dans les péchés de l'impérialisme, et dépassée. Gerald ne se préoccupait que de voyages significatifs. Il voulait aller à Andromède. Pénétrer les trous noirs de l'espace. Retourner dans le Pleistocène avec un appareil photo, prendre des clichés de *homo erectus* découvrant le feu. Et plus loin encore, jusqu'aux trilobites, aux flots de lave et aux invertébrés. Serait-ce une distance suffisante ?

« Qu'est-ce que tu regardes ? » m'a demandé Francine.

« Je me souvenais de cette robe. »

« Mon premier voyage en Europe. » Francine a souri. « Tu te souviens ? Je voulais que tu viennes avec moi. Mais tu avais refusé. Tu étais mariée avec ce connard complètement ravagé. Tu aurais dû le laisser et venir avec moi. »

J'ai fait oui de la tête. Elle avait raison.

« J'ai finalement dîné avec Bernard. » Francine a changé de sujet.

Bernard était-il le type qui avait signé un contrat pour six films, le type légalement séparé ? Celui qui allait se mettre au tennis ? Ou était-ce le psychiatre atteint d'inertie débilitante et porté sur la bouteille ? Ou juste un putain de mirage ?

J'ai cessé d'écouter. Je sentais les éclats blancs dans la pièce quand je bougeais mon bras dans l'air blanc, quand ma main traversait la blancheur de l'air jusqu'à mon gobelet, blanc lui aussi. Je sentais les arêtes dures des espaces taillés au scalpel.

« Ça fait combien de temps ? » ai-je demandé.

« Avec Bernard ? »
« Mon père. Ici. »
« Presque un mois complet. Pourquoi ? »
« Je perds la notion du temps. »
Francine semblait réfléchir à cette éventualité. « T'as pas l'air bien », a-t-elle fait remarquer. Elle a soudain pensé à quelque chose. Ses yeux se sont agrandis. « Tu te souviens quand on était jeunes ? À Philadelphie ? On restait à la maison toute la journée toutes les deux et on jouait. Je t'inventais des contes de fées. Je repassais les rubans sur tes robes de petite fille. T'imagines ? Même les tout petits rubans autour du col. Je n'avais jamais eu de jouet, et tout à coup je t'avais, toi. Tu te souviens ? »
J'ai répondu que oui.
C'était comme si ma mère et moi avions grandi ensemble. On dessinait ensemble. On attendait ensemble que papa rentre du travail. Francine avait à nouveau la chance d'être une enfant. Non, mieux que ça, Francine avait cette chance pour la première fois.
Francine se penche au-dessus de mon lit. C'est ma chambre dans la vieille maison de pierres grises à Philadelphie. C'est l'hiver. Maman me dit de m'habiller et de mettre mes pantoufles en fourrure synthétique bleue. Je dois chuchoter. Il ne faut pas réveiller papa. Il dort. Il sera en colère si on le réveille. Il pensera que maman est devenue folle. Je la suis à pas de velours sur le plancher du couloir, puis on descend l'escalier de bois pour aller dans la cuisine. Pourquoi est-ce que je dois me lever au milieu de la nuit ? « Pour voir la première neige de l'année », dit maman. Elle prépare du chocolat chaud. Mais je pourrais la voir demain matin, non ? Maman secoue la tête. « Ça ne sera pas pareil le matin. » Maman chuchote. Elle explique que dès le matin, la première neige sera souillée par les traces de pas, de voitures, elle aura définitivement perdu sa pureté. On se poste à la fenêtre de la cuisine pour attendre cette naissance.
Il pleut. Je fais du coloriage. J'habille et je déshabille mes poupées. Papa est parti. Il a beaucoup de travail, de maisons à construire. C'est l'après-midi. Maman travaille dans la cuisine. Elle m'appelle, excitée.

« Regarde ! » Elle montre la fenêtre. Je regarde. Je ne vois que la pluie. Je regarde mieux. Puis je le vois, dans un arbre juste en face de chez nous. Un oiseau rouge. « C'est un rouge-gorge », dit maman. Que fait le rouge-gorge ? « Il construit son nid », dit maman. Puis elle ajoute : « Un jour, tu construiras un nid. Regarde. » Je regarde l'oiseau porter des brindilles et ce qui semble être des bouts de ficelle dans son bec. J'en ai assez. Je veux retourner à mon album de coloriage. Le rouge-gorge fait des allers-retours, encore et encore. Chaque fois, il revient avec d'autres brindilles, d'autres fragments brunâtres. Je veux colorier. Maman dit : « Reste ici. Regarde l'oiseau. Tu vois tous ces voyages ? Regarde-le se démener. Tu vois comme c'est dur, comme c'est long ? » Pourquoi est-ce que je dois regarder ce petit point rouge luisant sous la pluie, son bec trop petit pour tout ce qu'il trouve et qu'il ramène. « C'est important », dit maman. « C'est rare. » Alors on regarde le rouge-gorge tout l'après-midi, jusqu'à ce que papa rentre du travail.

Et la roue tourne. Vingt ans passent. Je sais maintenant qu'elle avait raison. Je n'ai jamais revu d'oiseau construire son nid. Juste cette fois-là. Par un après-midi pluvieux. Un rouge-gorge à Philadelphie.

« Tu te souviens du temps où on adorait les contes de fées ? » a demandé Francine.

Je l'ai regardée. Elle avait les coudes appuyés sur la table en Formica de la cafétéria de l'hôpital. Ses yeux étaient d'un jaune pâle rêveur.

Maman me donne un livre de contes de fées. La couverture du livre est d'un jaune d'or éclatant. Quand je touche la couverture dorée, je deviens la princesse d'une des illustrations. Francine me lit une histoire. « Souviens-toi de ce moment », dit-elle subitement.

Je la regarde, ébahie. Nous sommes assises sous un arbre avec de grosses feuilles épaisses vert foncé, des feuilles qui paraissent lourdes, plus grandes que les mains de mon père.

« Si tu ne dois te souvenir que d'un seul moment parfait, souviens-toi de celui-ci », dit maman. Elle se penche vers moi. « Je t'aime. Je veux que tu te souviennes que nous nous sommes assises ici et que je t'aime. Je vais t'aider à te souvenir. Regarde bien. »

J'ai regardé ma mère. Une pensée violette et jaune poussait près du trottoir. Francine l'a cueillie. Elle l'a doucement appuyée sur mon visage. « Tu sens ? On dirait du velours. Regarde le ciel. Tu vois comme il est bleu ? Tu vois les feuilles ? Comme elles sont vertes ? » J'ai acquiescé. Que manigançait ma mère ?

Francine a pris la pensée violette et jaune. Elle a ouvert le livre de contes avec sa jolie couverture dorée. Elle a délicatement posé la fleur sur la première page. Puis elle a refermé le livre. Quand elle a rouvert le livre, la fleur était incrustée dans le papier, empreinte violacée.

« Chaque fois que tu ouvriras ce livre, tu trouveras la fleur. Tu te souviendras du jour où nous nous sommes assises sous l'arbre et à quel point je t'aimais. Ce moment sera éternel. » C'était avant que mon père ait le premier cancer. C'était avant que des étrangers viennent chercher les lampes en cuivre et le service en porcelaine tout neuf. C'était avant qu'ils prennent les fauteuils et le canapé pendant que ma mère pleurait debout sur le porche.

« J'étais une bonne mère ? » a subitement demandé Francine.

« Tu avais de l'imagination. Tu te souviens quand nous avons figé le moment pour l'éternité, quand tu as pris la fleur et que... »

« C'était une pensée. Je l'ai mise dans ton livre de contes de fées. Il avait une couverture dorée. » Francine a allumé une cigarette. « Tu l'as encore ? »

« Oui. »

« J'étais inventive à ma façon un peu névrotique, non ? Tu te souviens quand tu as eu la rougeole ? Tu étais malade. Tu étais toujours malade, depuis le début. Tu brûlais de fièvre. J'ai passé toute la journée assise sur ton lit et j'ai cousu des boutons rouges sur ta poupée de chiffons. J'ai mis huit heures pour broder tous les points rouges. Je voulais te distraire. » Ma mère m'a regardée. Ses yeux étaient ceux d'un chat, d'un tigre, d'un jaune enflammé. Ils étaient éclairés de l'intérieur.

« Qu'est-ce qui nous est arrivé ? » a demandé doucement Francine.

J'étais assise bien droite sur ma chaise en plastique. Je devais absolument rester calme sous toutes les épaisseurs de lumière dure et blanche, sous les éclats et les pointes. Bien sûr, je savais où j'étais. Dans la cafétéria de l'hôpital avec ma mère, où on buvait du café pour essayer de nous réveiller, en attendant que quelque chose commence à s'agiter, à exploser dans mes veines comme un soleil jaune ressuscité. Je veux être réchauffée, bercée par une force secrète et une source de chaleur. J'ai besoin d'un shoot. Depuis des jours. Maman, j'ai l'impression que les os de mon squelette ont été mélangés. Ils sont comme froissés et froids en leur cœur, au plus profond, là où autrefois se trouvait leur moelle. Je veux que la couche de glace s'en aille.

Après une longue pause, j'ai répondu : « On a grandi. »

Mais ça ne suffisait pas, loin de là. Je me suis redressée sur ma chaise. Francine se demandait si elle avait été une bonne mère. Elle voulait savoir ce qu'elle m'avait donné. Est-ce qu'elle était dans le rouge ? Dans le noir ?

« Tu as remarqué les sommets enneigés des montagnes ? C'est la saison des cerfs-volants », a signalé Francine.

Je voulais être un cerf-volant. Je voulais à nouveau me sentir vivante, tendue par le vent, déployée, le cœur battant et les pieds lestes, enfin agiles après cette longue période grinçante et boiteuse. Je voulais sentir mon sang épais et apathique se mettre enfin à circuler. Je voulais enfin apprendre à respirer, pas seulement gober de l'air et l'expédier douloureusement dans mes poumons, par souci du devoir. Je voulais davantage, je voulais que mes cellules dansent, vibrantes de confiance, réelles. Mon dieu, je voulais un shoot.

« Je devrais aller à Aspen », a dit Francine. « Quand tout sera fini, on ira faire du ski. »

J'ai secoué la tête. Francine m'a regardée froidement, bizarrement. Mais en fait, elle ne me regardait pas vraiment. Elle se contentait d'étudier la chose assise à côté d'elle, le paquet froid, morne et apathique, l'usurpatrice.

« Tu continues à m'empoisonner la vie. » Francine a donné un coup de poing sur la table. « Seigneur, depuis le début. Tu n'arrêtais pas de pleurer. Dès que tu es venue au monde, tu as essayé de t'arracher les yeux. À la maternité, il a fallu qu'ils te mettent des moufles spéciales en soie. Tu ne mangeais pas comme il fallait, tu ne chiais pas comme il fallait ! » Francine a allumé une cigarette. « Tu refuses ce que j'ai à t'offrir. Ensuite tu nous fais le numéro de la fille lésée et tu me fais porter le chapeau. »

« Allons, Francine, je suis peut-être détraquée, mais je ne suis pas amnésique. La générosité n'est pas ton point fort. Tu ne fonctionnes qu'à la culpabilité. »

« Mais au moins je bouge. Toi, tu te traînes le cul. Tu es une dépression nerveuse ambulante. Depuis des années. Tu as absorbé ma personnalité, mais sans les tripes. Regarde ton père là-haut », criait ma mère. « Lui, il a des tripes. Il se bat pour vivre quelques mois de plus. Tu as gaspillé ta vie. » Ma mère s'est levée. « Tu ferais mieux de te détendre. Sois éclectique. Arrête de faire de la corde raide. Tu me suis ? Décide-toi : soit tu chies, soit tu quittes le pot. » J'ai regardé ma mère sortir de la pièce.

22

Mon père était assis dans son lit. Sur sa tête, les bandages avaient encore diminué. Il pouvait à nouveau facilement mettre ses lunettes. Il avait le teint gris, il semblait usé, fatigué, montagne de granit qui s'effritait. Il lisait la page des sports.

ILS M'ONT REFAIT MARCHER.

« Tu t'es bien débrouillé ? »

ME SUIS TRAÎNÉ SUR PISTE. PROCHAIN ARRÊT = PATURAGE.

« Repose-toi bien, papa. Pour revenir en pleine forme. »

J'AI VU PORTLAND À LA TV HIER SOIR.

« C'était un beau match ? » Je me suis sentie sourire. Au début, mon père avait refusé de regarder la télé. Il disait que le bruit lui donnait le tournis, lui faisait mal aux yeux.

WALTON = MEILLEUR QUE JAMAIS. CONTENT AVOIR VÉCU POUR ÇA.

Nous avons médité sur cette remarque en silence. Francine avait tiré les stores. Il n'était pas encore midi. Je me disais que si je pouvais m'injecter une seule dose, alors je me réveillerais. Une seule dose et je sentirais le train se remettre en route et me traverser. Je pourrais partir à folle allure le long des rails noirs, traverser les ravins, poings et dents serrés grinçant comme des pièces de moteur tandis que mon corps serpenterait, se balancerait au gré du mouvement, dans les virages en épingle. Si seulement je pouvais me shooter, alors mes poumons deviendraient vapeur et mon cœur se mettrait à pomper. Le train pénètrerait une journée gigantesque et sans limites. Mon cœur, dans sa folie, pomperait à grand peine, imprimant à une multitude de roues son rythme saccadé. Je pourrais me déployer sous le soleil de midi et hurler le long des rails, fins sillons métalliques noirs, double rangée de petits points de suture.

Si seulement je pouvais me shooter, alors je monterais dans ce train. Un shoot et je serais le train. Je serpenterais au bord d'une crête et plongerais dans la vallée. Train. Oui. Express. Oui. Train fou sans conducteur. Train qui avance, encore et encore, toujours plus loin. Le silence serait anéanti par le sifflement noir et aigu dans une gare anonyme, où les phalènes s'agglutinent dans un arc de lumière. Je passerais devant les habituels débris éparpillés, ruines magnétiques et fumantes, prises dans leur propre turbulence. Je les apercevrais à travers la vitre, objectifs, inondés par les néons, tandis que des volutes de vapeur s'enrouleraient comme des doigts blafards s'extirpant d'une tombe.

CICATRICES MOCHES. RESSEMBLE À PATCHWORK RATÉ.

« On trouvera un moyen de les cacher. Elles se verront pas quand tu seras habillé. »

DIRAI QUE J'AI SURVÉCU À ACCIDENT D'AVION.

« Bonne idée. »

Et j'étais un train qui s'enfonce dans l'après-midi. Le train de mon enfance. À Philadelphie, pas loin de chez nous, il y avait une gare sur laquelle donnaient les fenêtres de ma chambre. J'avais des rideaux jaunes amidonnés. À la tombée du jour, je regardais des hommes grimper les collines pour rentrer chez eux, un journal roulé sous le bras. Un défilé d'hommes qui rentraient pour réchauffer et rassurer leurs foyers.

Notre maison est moitié brique moitié pierre grise, entourée d'une clôture métallique pas très haute. Les Murphy habitent en face. Leur père est un ivrogne. Tommy veut devenir prêtre, il a seize ans. Ensuite il y a Teresa, Paul, Billy qui parle d'une drôle de façon, qui parle comme s'il mangeait des vers. Et Caroline, la plus jeune, ma copine.

Caroline a une robe blanche et un voile, et elle va dans une autre école. Je dis à maman que je veux une robe blanche et un voile. « N'y compte pas », dit maman. Caroline m'emmène à l'église. Elle baptise ma poupée de chiffons. On veut être des religieuses, des princesses vêtues de noir, promises à Dieu avec ses yeux de verre et ses carillons glorieux. Je vais donner des noms de saintes à toutes mes poupées. Papa m'envoie me coucher sans manger.

Je suis grande dans la douceur de la neige, emmitouflée dans une écharpe et des moufles au milieu d'une rue balayée par le blizzard. Les toits sont blancs, les branches taillées et les voitures enfouies sous la blancheur. Même les rails au pied de la colline sont blancs. Je ne veux pas que Caroline Murphy prenne ma poupée. Elle dit que j'ai enfoncé des clous dans les mains de Dieu. Je lui dis que Billy parle bizarrement parce qu'il mange des vers. Caroline dit que mon père mange des cailloux. Elle sait. Elle a entendu ma mère dire à sa mère que mon père avait des cailloux à l'intérieur, qu'il allait se faire tirer dessus par un gros pistolet bleu. Ses cailloux grossissaient comme un seau de gros vers noirs.

Crépuscule. On regarde le train de 5h57, d'un noir irréel sur la neige, noir comme une religieuse, comme une valise d'homme d'affaires, noir comme le feutre autour du chapeau d'hiver de mon père.

J'abandonne Caroline au coin de la rue. Il fait froid. Le train est mon signal, il indique que je dois rentrer. Je cours sur le sol verglacé. Papa a son premier cancer et il ne peut ni parler ni avaler. Caroline Murphy a six ans. Elle va bientôt quitter le trottoir au-dessus de la gare. Elle est sur le point de faire un pas sur la route verglacée au crépuscule, dans un monde enveloppé de blanc. Le camion. Plus tard, le chauffeur dira qu'il a senti une bosse. Il a pensé qu'il avait un pneu crevé. C'est pour ça qu'il s'est arrêté.

Mon père est à l'étage. Il est couché sous des piles de couvertures. Tout le monde crie. Quelqu'un tape sur la porte en bois, hurlant : « Où est votre fille ? Où est votre fille ? » Maman m'enveloppe de ses bras et me berce, longtemps. Ils crient. « Une petite fille s'est fait écraser. Il faut une couverture. Qui a une couverture ? Elle est morte. »

Papa descend. On dirait qu'il crie, mais il ne peut pas parler, il crache du sang, passe son temps couché sous les couvertures. Il y a de la poussière sur sa boîte à outils. Maman lui apporte à manger sur un plateau, et il jette la nourriture par terre en disant « C'est de la merde, de la merde ! » Mais maintenant il me prend dans ses bras, contre sa vieille robe de chambre en laine. Il pleure. Je n'avais encore jamais vu papa pleurer.

Ensuite, c'est la saison des cerfs-volants. Quelque chose de terrible est en train de se produire. Les fenêtres de ma chambre donnaient sur la gare. J'avais des rideaux en cotonnade jaune. Caroline Murphy est morte. En bas, la cour arrière est d'un gris sourd. Maman voulait y mettre des fleurs. Elle voulait des tulipes. Mais il est arrivé quelque chose.

Dans la rue, il y avait des lilas, des érables, des sycomores, et des ormes. Les maisons étaient entourées de clôtures métalliques pas très hautes. Elle apportait à manger à papa sur un plateau. Je fais la collection des dinosaures en argile et des fossiles. J'étudie la métamorphose d'une chenille en papillon et je me demande comment c'est possible. Mon père, ce grand homme, redevient un petit garçon.

« Ils mettent des bougies à toutes les fenêtres pour lui », dit ma mère au téléphone. « Superstitions à la con ! »

Pourquoi est-ce que tout le monde allume des bougies ? C'est l'anniversaire de quelqu'un ? Où est mon père ? Pourquoi est-ce qu'elle me laisse toute seule toute la journée ? Je hurle alors qu'on me tire et me traîne jusque chez les voisins, ceux qui allument des bougies. Où est le gâteau d'anniversaire ? Leur nourriture a une drôle d'odeur et je crie, non, non, je n'en veux pas. Je veux mon papa et ma maman. Ils prennent une grosse caisse dans un placard. Quand on l'ouvre, ça devient un petit lit. On me donne une couverture qui gratte. Il y a des gens qui dorment près de moi, je les entends respirer. J'ouvre grand les yeux dans l'obscurité, terrorisée.

Je sais que je ne risque rien. Mais quand je ferme les yeux, j'ai immédiatement la sensation que je vais être battue, mangée. Des choses terribles rampent dans le cercle noir à l'intérieur de ma tête. Est-ce qu'il faut que j'en parle à maman ? Mais papa est parti à l'hôpital. Elle se prépare à l'inévitable et annule mes leçons de piano. Je tape du pied et deviens blême, le sang s'écoule et qu'est-ce que ça veut dire ? Qu'est-ce que ça veut dire ?

« Assieds-toi et sois sage », dit maman. « Regarde par la fenêtre. Laisse papa essayer de dormir. »

Nous sommes dans un train. Il se fraie un chemin jusqu'au Pacifique. J'assiste à la rage essoufflée du couchant devant les ponts qui sont consumés, comme les cartes et les frontières. Le train continue sa route concentrique, puisant son énergie dans les combustibles atomiques, le radium et le cobalt. Bijoux bleus, rayons radioactifs semblables à une guirlande d'asters, des têtes d'agapanthe.

Le train est un express. Sans conducteur. Il avance, c'est tout. Puisant son énergie dans des combustibles atomiques. Il peut faire grincer ses ailes de métal pour l'éternité, visage contre la vitre, j'arpente l'enfance que j'emporte avec moi comme un décor de théâtre enfermé dans une malle.

Des feuilles d'érable. Ma luge. Mon cerf-volant. La sensation rafraîchissante d'une naissance avant la première neige, maman qui me poste à la fenêtre, qui me dit regarde avant que les roues la déchirent, regarde-la qui s'étale, tombe à la faible lumière d'un réverbère, un halo doré, et tu es ma fille, mon ange. Des fleurs poussaient dans la cour d'un prêtre qui m'a pourchassée jusqu'à mi-chemin de la maison un soir d'août où des lucioles mourraient dans des pots de confiture. La fillette écrasée, la tache dans la rue, et mon cœur de six ans déjà fermé. Je n'ai jamais pleuré, même en sachant qu'elle avait traversé cette rue crépusculaire pour jouer avec moi. Il y a un train chaotique qui suit des sillons métalliques comme deux fines rangées noires de points de suture de part et d'autre de la plaie, contagion de mon enfance. Le train puise son énergie dans des combustibles atomiques, radium, cobalt. Joyaux et pensées bleutés capturés entre les pages d'un livre. Le train fait des cercles autour de la tache de Caroline Murphy, lavée au jet, la tache rouge dans la rue, mon cœur déjà fermé, les étranges voisins, les couvertures qui grattent, mon père qui passe des jours entiers au lit sous des couvertures en laine pendant le mois d'août où les lucioles meurent dans des pots de confiture.

AI VU DOC.

« Qu'est-ce qu'il a dit ? » J'avais besoin d'une cigarette. J'avais besoin d'un shoot. J'avais froid, chaud, j'étais à moitié endormie et réveillée en sursaut. D'un âge instable. Comme la géographie. Le monde oscillait, le monde se décomposait.

DEMAIN : ESSAIE MANGER.

« Ils vont te faire manger des ingrédients solides ? C'est que la greffe doit marcher, non ? Il a regardé sous les pansements ? »

ROSE. PEAU NEUVE.

« Je savais que tu t'en sortirais. Depuis que tu t'es levé pour te battre avec la mort. » Mon père m'a regardée bizarrement. « Tu ne te rappelles pas ? »

Mon père a secoué la tête, comme s'il essayait de s'éclaircir les idées. Il a haussé les épaules, sur la réserve.

OU ILS ME RENVOIENT MOURIR CHEZ MOI ? CROIS OPÉRATION = FLOP.

« Tu penses que les docteurs mentent ? »

Mon père a acquiescé. Aucun filet rouge ne jaillissait du trou pratiqué dans sa gorge. La lumière du soleil, soyeuse, inondait généreusement la chambre.

« Tu penses vraiment que tu es en train de mourir et qu'ils s'en branlent ? Qu'ils veulent la chambre pour le prochain client ? Qu'ils jouent la comédie et qu'ils croisent les doigts pour qu'un miracle se produise ? »

GAGNÉ !

J'avais besoin d'un shoot. Je voulais me sentir forte, douce et compétente. La journée était une série de rails de chemin de fer. Avec une dose, je puiserais de l'énergie atomique. Je traverserais des ravins à toute vapeur. Je pourrais percer des tunnels entre Philadelphie et Los Angeles, entre Berkeley et Venice, les cercles de ma vie, les rails noirs comme des rangs de nouveaux points de suture très serrés.

Mon père me regardait.

« Tu as toujours dit que la vie était une loterie, une course pour tocards à quarante contre un. Mais il faut bien qu'il y en ait un qui gagne. Tu sais quelle est la différence entre un héros et un loser ? Deux ou trois centimètres. Un naseau de l'autre côté de la ligne d'arrivée. »

J'AI DIT ÇA ?

« Oui. »

J'AI MENTI.

« Ça n'a pas d'importance. L'important, c'est que tu sois encore dans la course. C'est la dernière ligne droite. »

TA MÉTAPHORE EST NULLE. À CÔTÉ DE LA PLAQUE.

« Mais tu vois ce que je veux dire ? » Je sentais le début de quelque chose. J'étais investie de pouvoir et de douceur. Je faisais les cent pas, je regardais en bas par la fenêtre, la pelouse couverte d'une dentelle de fleurs blanches. On aurait dit une congère. Il y avait de la neige au sommet des collines au nord et à l'est. Par une journée comme celle-là, il était possible d'envisager de ressusciter les morts. Tous les morts. Si je disais que Picasso était le premier et le vieil homme à la mandoline le deuxième, qui serait le troisième ? Mais, et si Caroline Murphy était la première ? Alors Picasso serait le deuxième. Mr. Gordon serait le troisième, et on n'en parlerait plus.

T'AS L'AIR MALADE.

« J'ai été malade. Comme un chien. Mais je commence à aller mieux. »

PARLANT DE MALADE, VU TA MÈRE CE MATIN.

« Qu'est-ce qui s'est passé ? »

PENSAIS QU'APRÈS VINGT ANS DE CANCER FAUDRAIT MISER GROS POUR M'ARRÊTER. AVAIS TORT. FRANCINE = PIRE QUE CANCER.

C'était une vieille blague. Quel que soit le sujet abordé (l'inflation, une victoire des Dodgers, les tocards de fête foraine qu'ils envoyaient courir à Del Mar), Francine était toujours pire. J'ai inspiré à fond.

« Papa, je sais que tu vas vivre. Tu vas rentrer à la maison. » Tu vas retrouver ton lierre déplumé, tes arbres fruitiers, ton havre de normalité pastel dans le cœur rose tendre de West Los Angeles. « Le docteur a dit que tu pouvais conduire. Il a dit que tu pourrais peut-être même reparler un jour. Mais il faut que je parte quelque temps. »

TU VEUX TE FAIRE LA BELLE MAINTENANT ?

Mon père a écrit sa question à toute vitesse. Un gribouillis noir. Rail noir sur la neige blanche. Si Caroline Murphy était la première et Picasso le deuxième, alors Mr. Gordon était le troisième, et la liste était close.

J'ai regardé le message de mon père. Je n'ai rien dit.

MOMENT MAL CHOISI, NON ?

J'ai acquiescé. Quel était le bon moment pour abandonner un père ?

Mon père a regardé par terre. Le soleil y dessinait des formes, des lames de lumière vive, une sorte de couteau sorti de l'ombre.

J'ai regardé l'homme dans le lit. J'en étais la fille. Nous formions une chaîne. Nous étions des lettres dans l'alphabet originel. Au commencement, il y avait A comme Adam. Un homme. Au commencement, il y avait un homme. On lui a donné Eve plus tard, ajout de dernière minute. Elle a tout fait de travers. Elle est sortie de travers de la côte-berceau. Elle avait un penchant naturel pour l'Interdit. Elle est devenue rouge et rage, automnale et objective comme une radio médicale. Elle est devenue objet de rêve, elle est devenue mauvaise. Elle s'est mise à chanter sur les rochers pour faire échouer les navires. Femme. Je ne suis pas un tout, je ne forme jamais un tout. J'ai un trou. Je suis la fille. Y a-t-il jamais un bon moment pour abandonner un père ?

ME LAISSE PAS MAINTENANT.

Je suis allée à la fenêtre. Les toits rouges des maisons étaient plaqués comme autant de marches d'escaliers sur les flancs des collines. La bouche du printemps bâillait, poings d'hibiscus rouges, le soleil déployé au-dessus des citrons mûrs. En bas, sur la pelouse, les fleurs blanches formaient de la dentelle, savamment nouée, au fuseau.

Une infirmière est entrée. Elle a dit à mon père que c'était l'heure de faire une petite marche. Je lui ai passé sa robe de chambre sur les épaules.

Il faisait de petits pas chaotiques. Ses jambes étaient faibles, comme du caoutchouc.

J'ai observé ses pas. Soudain j'ai pensé aux femmes qui clopinent sur des pieds mutilés. En Chine, ils bandaient les pieds des petites filles. La coutume a été maintenue pendant des millénaires, tradition s'il en est. À l'âge de trois ans, la chair tendre des petites filles était emprisonnée dans des linges spéciaux. La puanteur en été ! Une préparation nécessaire pour la puanteur féminine à venir. Les nuits étaient déchirées par les cris des fillettes qui hurlaient dans leur sommeil, alors que les os de leurs pieds s'atrophiaient, que la chair se décomposait, que les orteils tombaient.

La mère trébuchait sur ses moignons et prévenait la petite dès le berceau, estime-toi heureuse que la terre ait craché des récoltes cette année-là, sinon tu aurais été noyée. Tu dois être apprivoisée, portée sur une litière comme un trophée vivant. Impossible de lui faire confiance. Les forêts regorgent de vieilles folles cachées dans des cavernes, qui mangent des sauterelles et hurlent à la mort.

Mon père s'appuyait sur mon épaule. Il cherchait son souffle. La sueur perlait sur son front. Ses genoux tremblaient. Bon Dieu, pourquoi est-ce que j'étais si en colère ?

Son visage était rougi par l'effort. On avait parcouru la moitié du couloir. L'infirmière a aidé mon père à faire demi-tour. On a commencé à marcher dans l'autre sens.

Je voulais expliquer à mon père qu'un jour, par hasard, j'avais claudiqué jusqu'à une fenêtre. En bas, la route regorgeait de réfugiées. Au début, ça surprend, le nombre incroyable de femmes trébuchantes. Elles vendaient tout. Tous les liens. Le linge. La porcelaine. Le chéquier et les enfants. Toutes les preuves tangibles, papa. Elles rongeaient les chaînes attachées à leurs chevilles. Elles voulaient ronger leurs pieds. Essaie de comprendre, papa. Les femmes sont allées dans la carrière. Elles ont gratté pour nettoyer la montagne.

J'ai aidé mon père à se remettre au lit. Il a pris son carnet.

OÙ TU IRAS ?

« Je ne sais pas, papa. » J'ai pensé au soleil blanc tequila au sud, crémeux et piquant à la fois. Soleil de midi éternel et de ports chaleureux, d'odeur de poisson et de cris de mouettes qui se transforment en jungle et en ciel sous la verdure des lianes, grille rampante. Je serai souffle de vent, souffle de chant, souffle de vie nouvelle, ballottée, j'aurai le mal des étoiles et j'aspirerai à la nouveauté, à la propreté. Je serai carillon éolien, sublime dans ma lutte pour échapper au glas de la perdition, perdition et traversée de l'autre, le transcendant.

« Tu as passé des années sur la route, papa. Tu sais ce qu'il en est. On ne sait jamais à quoi s'attendre. » Si tu n'as pas d'ancre, le vent prend de l'importance. Si tu te retrouves à nu, des instruments de survie apparaissent. Des branches à la dérive viendront à toi, et la peau tendue se transformera en voile. J'inventerai le feu, les clans, les noms, les limites.

Les yeux de mon père s'étaient assombris. Il était appuyé sur son oreiller, parfaitement immobile. Il était gris. Il était granit. Il était le père, fondamental, le commencement. Il distribuait les cartes. Il était la maison. Il avait fait en sorte que ça arrive. Il avait frotté la première allumette, et le monde s'était enflammé et avait tournoyé autour de son grand œil jaune, le soleil.

COMMENT TE DÉBROUILLER TOUTE SEULE ?

« Je ferai confiance à l'intangible. Le plus important est de trouver un équilibre entre classe et condition. Je confronterai les chronos à l'état du terrain. Je me souviendrai qu'en Californie le terrain est toujours rapide, et que même les tocards courent leurs 1200 mètres en une minute dix et des poussières. Je guetterai les élevages du Kentucky, les changements de poids, les vieux chevaux bandés, les jockeys qui pètent le feu, l'évidence. J'essaierai de faire la différence entre les valeurs sûres et ceux qui font illusion. Je me souviendrai qu'il est toujours difficile de monter. Je vérifierai les performances passées, mais sans y attacher trop d'importance. Ils ne courent jamais plus vite que nécessaire. » J'ai regardé mon père. « Je vais essayer de tenir la distance. »

T'AS JAMAIS ÉTÉ D'UNE FORME OLYMPIQUE. PAS FIABLE. MANQUE DE SOUFFLE.

« J'ai eu des problèmes de condition physique. Ma forme laissait à désirer. »

ADMETS-LE. TU ABANDONNES TROP VITE.

« J'ai fait des modifications côté équipements. Je cours sans œillères désormais. De plus, je suis restée au repos longtemps. Je suis fraîche et dispose. Et beaucoup moins lestée, papa. Je peux en couvrir du terrain. »

LA VIE A MAL TOURNÉ. TOI. FRANCINE.

J'ai eu l'impression que mon père avait soupiré. Il était granit. Il était la montagne dont la roche s'éboule. Il diminuait, s'effritait. Alors, il s'est mis à pleurer.

« Que veux-tu ? » J'ai demandé doucement, ma voix douce comme un souffle.

J'ai tendu le carnet à mon père. Son stylo était tombé sur le sol carrelé de gris. Je l'ai ramassé. J'étais son aboutissement, à la fois plus et moins que la totalité de ses biens. J'étais sa nécessité, son pas en avant vers les générations futures, le premier barreau sur l'échelle du millénaire. J'étais l'instant transmué en forme, la passion de ses années d'adulte, une unité de mesure intrinsèque et envahissante.

VEUX TOUT RÉCUPÉRER. JEUNESSE. RÊVES. CIGARES. FEMMES. CHEVAUX. RECOMMENCER À ZÉRO.

« Comme tout le monde, non ? » J'ai compris que c'était aussi mon cas. Peut-être que tout le monde voulait tout recommencer. Peut-être que la différence, c'était que certains avaient la chance de pouvoir le faire. Peut-être qu'après avoir compris cette règle, on avait un atout supplémentaire. J'ai vingt-sept ans, et un pin de mon âge en sait plus sur la vie que moi. Ceci dit, après avoir modifié l'équipement, enlevé les œillères, la longue période de repos, et beaucoup moins de leste...

J'ai longé le couloir. Je n'ai pas regardé dans la pièce où ils mettent la morphine. Je n'ai pas regardé dans les petites alcôves vertes et leurs lits bien faits, leurs tables de chevet nettoyées, leur soif de sang. Tout ça n'avait plus d'importance. Je n'ai regardé ni sur le côté, ni derrière moi. J'ai marché droit vers la lumière. Il y avait encore quelques détails à régler.

23

J'étais debout près du pont d'Eastern Canal. Je me disais que si je restais là assez longtemps, toute ma vie dériverait sous mes yeux. Les jouets d'enfance surgiraient, entraînés par un lent courant. Les minuscules plats à tarte et les blouses roses amidonnées aux cols ornés de rubans que maman repassait toujours. Les patins à roulettes et la luge. Et les pêches mangées les soirs d'été, humides et chauds, à Philadelphie, et papa en haut dans son lit, toussant et crachant des trucs rouges, frissonnant sous les couvertures de laine. Les lampes en cuivre et le tout nouveau service en porcelaine que des étrangers enlevaient à maman. Et cette masse de coton, c'était quoi ? Ma poupée en chiffon, celle sur laquelle Maman avait cousu des pois rouges quand j'avais la rougeole. Et là, regarde, les voilà. Près de ce vert léger, cette algue vert citron, là, près des échelons sombres du pont effleurant les canettes de bière et les gros canards bruns et noirs. Tout est revenu, revenu.

J'ai regardé de l'autre côté du canal. Le jaillissement du printemps était indéniable. J'ai ressenti une clarté soudaine. Un vent léger mordillait les nouvelles branches, goûtait les bourgeons, les trouvait à point, et passait sa route, passait sa route. Les cours éclataient de kyrielles de muguet rose, tiges sensuelles et langues parfaites reflétées dans l'eau. Et des grappes d'agapanthe, des œillets aux visages touffus, des coquelicots aux fins pétales de crêpe, de jeunes fraises encore roses rampant lentement sur des tuteurs filiformes. Un colibri tourbillonnait sur place, battant l'air pour l'éternité. Des tournesols hochaient des têtes gonflées comme des ballons. Et je voulais crier, hé, les tournesols, votre intensité vous a rendu cinglés. Si avides de soleil, qu'il vous a empoisonnés, vidé le cerveau, et vous voilà désormais fous. Vos descendants seront fous. Et vous retournerez à la terre. Vous finirez tubercules, en enfer, le ciel scellé.

Je voyais mon enfance dériver dans l'eau jaune et rêveuse. Je parlais aux tournesols. Mais que pouvais-je dire à Jason ?

Écoute.

Il y a des possibilités. Tu dis que c'est une question de forme et de couleur. Tu pourrais peindre n'importe où. Viens avec moi. Laisse-toi porter par l'air, chanter par le vent, réchauffer par les étoiles. Quittons ce lieu. Venice, les canaux, la ville, les boulevards, les panneaux d'affichage, le bruit, les impasses, la tentation, la solitude et la ruine, intenses et abominables. Les fous dans leurs terriers de stuc. Les fous sur la promenade sous le soleil éclopé, cette dinde dérangée qui tombe, floc floc, dans ce fichu océan moribond. Tu te souviens des odeurs de poisson dans la baie ? Avant qu'ils accrochent les panneaux CONTAMINÉ sur la jetée ? Avant qu'ils brodent les signes CONTAMINÉ sur notre chair ? Autrefois, nos bras bougeaient sans crainte, sans les stries rouges, sans les taches reptiliennes sur nos peaux. Et, Jason, tu entends ce sifflement étrange ? Écoute. C'est le bruit d'un naufrage sans fin. C'est la longue sieste blanche d'une race. Et cet endroit tout entier est un service d'incurables.

Écoute.

Je suis fatiguée d'être Shéhérazade à 5 heures du matin. Voici ma dernière histoire. Il était une fois une femme. Pas une femme, véritablement. L'esquisse d'une femme, une approximation. Je vivais comme un arbre en hiver, branches décharnées, à moitié endormie, simplement désireuse de tenir le coup. Ma vie était l'aube perpétuelle d'un février froid. Regard orchidée de corail et carillons marins ne m'avaient pas encore été gracieusement accordés. Je ne savais rien du passage à travers les récifs quand on chevauche les crêtes de la mer, son épine dorsale cerclée d'acier, même si j'en rêvais.

Courtisée par la folie. Je prétendais qu'il y avait un mystère. Je me disais exploratrice. Cela donnait l'illusion d'un motif à mes mouvements. Je vivais sur les rives d'une rivière en crue. Je pouvais contempler l'approche agitée de l'eau. J'empilais avec soin des sacs de sable. Cela m'occupait. Me paraissait même important.

Tu as pris mon enfance aussi simplement que l'on retourne une feuille, tu as mis à nu le manque affectif et l'attente. Il n'y avait pas grand-chose à prendre. Pourtant, tu l'as pris. Je l'ai accepté. Je pensais que la naissance était, par nature, un cri, une malédiction, un jaillissement de sang, la lente torture du soleil et de la solitude. Et tu m'as appris. J'ai creusé des galeries dans une terre desséchée sous des vents hurlant et des étoiles déchirant mon visage avant de voir poindre les premières rives de jade libératrices d'arbres à l'ombre dense. D'une certaine manière, tu m'as rendue plus forte. La glaise s'est mise à respirer. Il m'était égal de n'être que présence. J'étais sans référence. Tu étais mon compas. J'ai appris à reconnaître le chemin des profondeurs. J'ai appris à reconnaître le chemin de la fêlure. Essaie de comprendre. Ce n'est pas sans une certaine gratitude que je te souhaite de sombrer et d'être lentement écartelé.

Écoute.

Je comprends ton désir compulsif de taillader notre vie, tes canines secrètes de chien, ta peur du sang de ce loup inconnu, et ton amour de prendre la nuit, seul, comme une épreuve de force, la grâce dissimulée entre les vagues noires démoniaques. Mais tu vas regretter tout ça. Désormais, mes yeux sont coquilles de cristal, et je te vois tel que tu es, une suite d'erreurs. La parcelle de rêve, ce bas-ventre de mensonge, sèchera sans laisser de traces. Tu resteras avec des vestiges à tamiser, des détails, des objets. Les preuves tangibles hors contexte se révèleront inadéquates. Tu souffriras. Tu te souviendras de l'époque où, ailés de noir, nous traversions des tourbillons concentriques, concrets, sombres et flamboyants, les extases des excès des nuits printanières, nos danses spontanées et nues. Ne resteront que décombres.

Je suis restée un long moment sur le pont de Eastern Canal. Puis, j'ai marché jusqu'à l'atelier de Jason.

Jason était assis à la table que lui avait donnée mon père. Son corps de petit garçon était pâle. Il luisait comme certaines variétés d'émail. Je me suis dit que le monde entier commençait à ressembler à l'intérieur d'une coquille d'abalone, un blanc émaillé et turquoise. Bleu, blanc. Ciel de nuages. Les vagues portant désormais constamment leurs crêtes d'écume en relief sur le dos.

Jason essayait d'attacher son bras. Tu sais tout de suite si ça colle. Le sang jaillit dans la seringue. Tu laisses tomber le garrot. L'aiguille à moitié enfoncée, tu sais déjà. Tu sens le vent doux de Mars danser dans ta cage thoracique, derrière tes yeux qui viennent de prendre une couleur lie-de-vin. Tu soupires et c'est doux comme de la mousse, une fraîcheur de glace. Tu marches sur une lune des origines, verte, jusqu'aux pieds de ses océans d'ambre aux lents clapotements. Ses langues jaunes. Ses falaises à peine sorties de terre sont douces sous les pieds. Un vent se déploie. L'air exhale des effluves de jasmin, ensorcelé. Le sol est mousse et fougères. Et tu te découvres grand écologiste. Bâtisseur de planète, qu'est-ce que l'on te sert ? Le tonnerre et les volcans ? Une nuée d'oiseaux marins chantant ? Des icebergs, un bleu-blanc ? La lumière perpétuelle ? Ou la nuit éternelle ? Là. Prends une voûte de lumières, la nuit scalpée, de la gaze.

Puis tu te souviens du sol en lino. Le reste est mécanique, pur instinct de survie. Chercher les bulles d'air, sortir l'aiguille. Tu te retrouves au-delà des divisions classiques. Ta plastique est cosmique, une peau de nuages. Tu tournes autour de golfes noirs dans lesquels viennent se nourrir les planètes.

Jason m'a proposé l'aiguille.

J'ai détourné la tête. « J'ai arrêté. »

« Depuis combien de temps ? » a demandé Jason. Il faisait couler de l'alcool à travers son aiguille.

« Deux jours. » C'est ça ? J'étais debout au milieu de la salle à morphine désertée. Des infirmières se précipitaient avec leurs plateaux-repas. J'ai pris les bouteilles dans ma main. Puis je les ai reposées.

« Tu trembles et tu transpires ? Est-ce que tu luttes chaque seconde contre la tentation ? » a demandé Jason. On aurait dit qu'il faisait un sondage.

« C'est pas aussi dur qu'avant », ai-je dit. Pas dur comparé à cette saison de cerfs-volants et d'enterrements intimes. Les fossiles de mon enfance dépouillés et entreposés dans des boîtes. Mon père. Les pièces de ma maison, à bout de souffle, pressentant la mort. Mes plantes, dans le jardin, perdant leurs feuilles comme des poings amputés. La traîne de mes péchés.

« Tu as déjà pris un bain aujourd'hui ? » a demandé Jason.

J'ai fait non de la tête. Dehors, c'était la fin de l'après-midi. Des branches ondulaient, oscillant sous l'emprise du soleil, ensorcelées.

« Bien », a dit Jason. « Viens t'asseoir sur mon visage. »

Je l'ai suivi jusqu'à la chambre. J'ai touché son épaule avec légèreté, comme l'on touche une statue dans un musée sous l'œil des gardiens. Jason, ma perle rare, peau blanche de porcelaine. Il faut absolument te protéger, te mettre sous verre. Tu es l'œuvre d'art. Rare comme un rouge-gorge qui construit son nid sous la pluie. Ce que je n'ai vu qu'une fois, et que je ne reverrai probablement jamais. Tu es beau. Mais, tu me coûtes tant. Et voici venue l'heure de la survie. De toi, je ne peux plus payer le prix. Je prends le large. Il est temps de lâcher du lest.

« Jason, le mépris que j'éprouve envers toi m'ennuie profondément. Ma rage s'est étiolée. » Autant qu'une gorge évidée, mon pote. Autant que les mains sculptées de mon père, croûte grise de l'intraveineuse et os saillants compris. « Je veux autre chose. »

« Tu n'es jamais satisfaite. Toujours le même refrain. » Jason a regardé le plafond.

J'ai mémorisé les os de ses côtes, les poils roux frisés de ses cuisses, qui semblaient vouloir saisir quelque chose. Homme fragile, hémophile émotionnel, bien trop rare et délicat pour ce monde. Tu dois demeurer tel que tu es, sous verre, étrangement protégé, et démesuré, démesuré.

« Je m'en vais. »

Jason a pris appui sur son coude. Peau blanche de porcelaine. Comme une statue. La dernière des preuves tangibles. Il a allumé une cigarette. « Je pensais bien que ces cartons voulaient dire quelque chose. Tu enveloppais des objets. Ça ne te ressemble pas. » Jason m'a regardée. « C'est pas un peu précipité ? »

« Je me prépare depuis des semaines. Mon père a le cancer. Mais il va s'en sortir. À propos, j'ai tué Picasso. Je l'ai étranglé sur la promenade. Les vagues l'ont enterré. C'était un rituel de sacrifice. Si tu étais rentré cette nuit-là, j'aurais pu te tuer. »

« Tu ferais bien de ralentir », a dit Jason. Il s'est assis.

« Je ne fais que commencer. » J'ai marché jusqu'à la porte, me sentant complètement sobre tout en me disant, il est possible de tout recommencer. Quelques modifications à apporter à l'équipement, laisser tomber œillères et bandages, lâcher du lest. C'est possible. La folie est un orage comme les autres. Elle passe.

« Tu es en manque », a observé Jason, quelque part derrière moi.

J'étais dans la pièce de devant. Ses nouvelles toiles étaient accrochées au mur. Les sols disparaissaient sous une tapisserie de fils jaunes et pourpres. Des rectangles de peau étaient avalés par des motifs à l'intérieur d'ombres, de dimension identique. On aurait dit que les ombres bougeaient, phalènes voraces rognant les bords. J'ai entendu l'eau s'écouler paresseusement dans la fontaine, comme ivre, tandis que les poissons rouges faisaient étinceler leurs nageoires, nuées d'éventails orange vif derrière moi.

« Tu n'y arriveras pas », a crié Jason.

Debout sur son porche, je me suis dit que j'avais été aimée par un fou. J'ai vingt-sept ans et je sais que le meilleur est déjà derrière moi. Puis j'ai refermé la porte.

J'ai rejoint ma maison en zigzaguant. Le Gynécée. Un canard nageait en dessous de moi, lentement mais résolument. Une mouette a hurlé et s'est précipitée vers la mer. Bientôt, la péninsule ne serait plus qu'un phoque flottant lentement, énorme et sombre. Bientôt le ciel abattrait ses serres roses sur la terre, le sable de corail gris. La folie est un orage comme les autres. Elle passe.

La brise marine est devenue plus forte. N'était-elle pas en train de parler ? Ne disait-elle pas : va, va. Nous sommes avec toi. Nous sommes tes bras, ton carburant. Va. Va. Nous sommes tes voiles, ton courant. Si tu décides de nager, nous serons tes branchies.

J'ai senti la brise déchirer la maison comme un chœur de voix, des voix de femmes. Des femmes avec des fichus sur la tête, papotant devant un cours d'eau tout en battant le linge contre les rochers. Un chœur de voix yiddish et polonaises. Flot de klulles[1], malédictions sombres et sinueuses. Mais non. Elles sourient. Elles disent, va, va. Fais ce que nous aurions fait si nous avions su que la terre était ronde, si nous avions su que c'était possible, si nous avions eu des cartes, la maîtrise des mers, et apporté quelques modifications à notre équipement, si nous avions eu l'espoir et la clé de nos chaînes.

C'était la nuit. J'ai allumé la lumière de la cuisine. J'ai trouvé un bloc de papier et un crayon.

Début du printemps

Chère Rachel,

Tant de choses à dire et le temps est une cymbale que l'on frappe. Et le temps est un disque de cuivre frappé à intervalles réguliers puis oublié. Lorsque l'on se rend compte qu'il se fait tard, il s'est déjà envolé.

Je dois te parler de l'appartement de notre grand-mère. Il porte les ruines d'une vie laissée en rade, de la peinture écaillée, des fenêtres maculées de poussière, des écoulements de tuyaux jamais réparés. Tout ça, oui. Mais à l'intérieur de ses limites, elle réussit à maintenir ses deux petites pièces, propres et immaculées. Tout brille. Ses faux cendriers en cristal trônent sur des tables de brocante toujours cirées. Ses bouquets vifs de fleurs artificielles sont époussetés. Ses tapis élimés aspirés. De la porte d'entrée, j'ai senti une odeur légère d'ammoniaque.

Un mur entier de son salon est recouvert des souvenirs qui nous concernent. Sur le plâtre, elle a punaisé les faire-part de mariage envoyés par nos mères. Elle a punaisé des articles de presse qu'elle a

[1] Klulle : yiddish pour l'anglais «curse» : juron, malédiction.

réussi à trouver sur nos mères, tranches jaunies de leurs parcours professionnels. Toutes les miettes qui, d'année en année, ont dérivé jusqu'à elle. Une carte de Fête des Mères, un cœur rouge vif, probablement fabriqué par un enfant, est accroché au centre du mur, entouré des faire-part de ma naissance et de la tienne.

Un calendrier avec les dates importantes de nos vies cochées au stylo noir est collé sur sa porte d'entrée. Cochées d'une croix noire.

Elle m'a expliqué que lorsqu'elle voit s'approcher le jour de ma naissance ou un anniversaire, elle prend le bus et se rend dans un grand magasin. Elle vole un cadeau pour nous. Ce sont les seules occasions où elle s'autorise à voler.

Et le temps est une cymbale que l'on frappe, que l'on frappe. Quand nous nous rendons compte que nous sommes mortels, nous sommes déjà vieux. Quand nous nous rendons compte qu'il se fait tard, il s'est déjà envolé.

La première chose que Grand-mère Rose a faite, a été de me donner mes cadeaux. J'ai remarqué des objets bizarrement emballés empilés le long du mur, en dessous du cœur rouge d'enfant. Le cœur en papier comme un œil dans le mur, et les piles de paquets, une sorte d'autel. Il y avait quatre piles d'objets.

Je ne peux pas vraiment dire que les cadeaux étaient emballés. Tu dois comprendre que ces choses, elle les avait volées. Souvent, elle les rangeait simplement dans des bandes de vieux journaux attachés par une ficelle. Je me suis assise à la table de sa minuscule cuisine et j'ai commencé à déballer mes cadeaux. Ils étaient empilés dans l'ordre. J'ai commencé par mes cadeaux de bébé, un bonnet en soie avec des fronces en dentelle, une paire de mitaines bleu ciel, une blouse en coton rose qui avait l'air amidonnée.

J'étais assise à la table de sa minuscule cuisine, dans la même cuisine où nos mères s'asseyaient le dimanche quand elles venaient en métro de l'orphelinat et lui montraient la géographie dans des livres de cartes qu'elles avaient volés spécialement pour elle dans des bibliothèques. Lentement, j'ai ouvert chacun des cadeaux. Un porte-monnaie de petite fille, un poudrier avec mes initiales gravées sur la surface brillante, un foulard avec des fleurs bleues au pochoir sur le coton bon marché et un tablier imprimé de fraises et de muguet qui, d'une certaine façon, avaient l'air frais, incroyablement ensoleillés.

Mes doigts ont commencé à se sentir hantés. Tout ce que je touchais avait son odeur, cette odeur de rose, de parfum, de fêlure.

Aujourd'hui encore, je sais que lorsqu'elle s'aperçoit qu'un anniversaire se profile, elle réussit, malgré son infirmité, à descendre les six étages de son immeuble et à se frayer un chemin douloureux jusqu'à un grand magasin pour mettre la main sur un foulard ou un poudrier. Et si la journée est belle, sans verglas, pluie ou vent, elle s'arrête dans un bazar pour acheter une feuille de papier cadeau. Alors, le nouvel objet va rejoindre les autres sur l'une des quatre piles en attente.

J'ai vu vingt années d'anniversaires sur la table en face de moi. Une progression, une chronologie, une histoire complète de la naissance à l'âge adulte en passant par l'enfance. Les derniers cadeaux étaient des objets pour la maison. Sets de tables imprimés de rondes de fleurs jaunes, serviettes assorties, crochets à casseroles, une louche avec un long manche en bois. « Pour ta maison », a dit Grand-mère Rose. « Pour ton mari ? »

Après l'ouverture des cadeaux, nous sommes restées assises en silence. Elle m'a expliqué que les autres cadeaux étaient pour ses filles et pour toi. Et j'ai humé son odeur, quelque chose de rose, comme brisé, teinté d'ammoniaque.

« J'ai encore d'autres choses pour toi », a dit Grand-mère Rose.

La nuit est tombée comme un poing noir. Le ciel lui-même semblait retenir son souffle. Elle s'est assise près de moi, voûtée, oui, presque aveugle, avec sa canne. J'avais le sentiment que quelque chose de noir dansait dans ses yeux. Et j'avais peur.

J'ai commencé à parler. « Pas encore », a-t-elle prévenu. Et je suis restée assise à la place qui m'était assignée dans sa minuscule cuisine, à regarder la pénombre s'épaissir dans la pièce, et à attendre, mes cadeaux empilés sur la table en face de moi et un parfum de chagrin irradiant des fils de coton du tablier, des crochets à casseroles et des fichus.

Mais j'étais impatiente. Je voulais lui poser des questions sur la ferme, sur le village de Pologne, les Cosaques, le voyage en bateau jusqu'en Amérique. Je voulais lui poser des questions sur nos mères et sur l'orphelinat, sur les familles d'accueil. Je voulais que mon histoire soit belle et complète à la manière des rubriques que l'on remplit dans certains questionnaires, les dates et les lieux clairement mentionnés, afin de cocher les bonnes cases. Je voulais que la carte soit coloriée. T'ai-je dit que je voulais des cookies au beurre tout chauds, à peine sortis du four dans des moules ronds et décorés ?

L'obscurité s'étendait comme une blessure sur de la chair tendre. Après quelques instants, elle m'a laissé babiller, radoter sur les choses que l'on faisait pousser dans la ferme en Pologne, est-ce qu'elle allait tirer l'eau au puits, comment était apparue New-York à ses yeux ahuris il y a plus de cinquante ans ?

Tout à coup, elle a allumé la lumière. Pour une vieille femme voûtée, elle se déplaçait à une vitesse surprenante. Elle a passé son bras au-dessus de la table sans aucun effort pour atteindre le mur et faire la lumière sur les cafards. Partout. Des cafards qui rampaient sur les murs de la cuisine, sautant sur le pain et le sucre dans leurs boîtes en métal brillantes et polies.

J'ai hurlé. J'ai essayé de quitter la pièce, les murs grouillaient de pattes de cafards noires et hérissées, pattes de cafards rouges et hérissées, des vagues de cafards, une mer d'insectes dégoûtants faisant leurs minuscules bruits d'insectes, des bruits d'étoiles lointaines qui grésillent et s'enfoncent dans leur propre chaleur terrible et boursouflée.

Grand-mère Rose a attrapé mon poignet. « Regarde », a-t-elle ordonné. Sa voix était puissante et pleine comme les ordres hurlés par les morts. « Tu les vois danser ? » Elle a souri aux murs noirs. « Toutes ces années », a-t-elle soupiré. « Mes seuls amis. Toutes ces années pendant lesquelles personne n'est venu me voir. Personne. » Elle m'a regardée. « Tu voulais savoir », a-t-elle dit d'une voix douce. Il y avait quelque chose de cinglant et de rusé dans sa voix. « Ils disent que je suis folle. Ils ont peur de moi. Mais tu es venue. Tu savais que j'avais des secrets. Mais tu voulais en savoir plus sur la ferme. L'époque où je portais les plateaux. Les après-midi quand les petites filles venaient et s'asseyaient ici avec moi. »

« S'il te plaît, laisse moi partir », ai-je hurlé.

Ma grand-mère m'a regardée. Elle a hoché la tête de droite à gauche, tristement. « Tellement peur », a-t-elle fait remarquer. « Tu as tellement peur. »

Un cafard a rampé sur mon bras, le bras que tenait ma grand-mère. Elle m'a observée. « Tu les vois danser ? » Elle fixait les murs, évaluant quelque chose. « Les traînards », a-t-elle soupiré. « Les noirs qui sont effrayés ? Les bébés ? Tu vois comme ils s'amusent, mes petits amis ? »

J'étais toujours en train de hurler. « Tu voulais en savoir plus sur ma vie », a-t-elle répété. Elle a rejeté sa tête en arrière et s'est mise à rire. Puis elle a relâché mon bras.

J'ai traversé la salle à manger en courant, passant devant les trois piles de cadeaux emballés, devant le calendrier, le cœur rouge en papier et l'autel. J'ai couru dans le couloir au carrelage noir, des tambours battaient derrière des portes closes, des radios hurlaient, et sa voix, projectile, ricochait quelque part derrière moi. « Ils dansent », criait-elle. « Souviens-t'en. »

Sa voix m'a suivie alors que je dévalais les marches raides de l'escalier. Sa voix a rebondi et a résonné sur le carrelage en une sorte de bénédiction finale et effroyable.

Rachel, je te raconte cela parce que j'ai laissé mes cadeaux sur la table de la cuisine. La même cuisine dans laquelle nos mères, chaque dimanche, débarquaient de l'orphelinat en prenant le métro pour l'aider à retracer l'itinéraire exact entre Cracovie et New-York pendant qu'elle étudiait la carte en maudissant le monde entier. J'ai laissé mes cadeaux là-bas et je l'ai toujours regretté.

Le temps est une cymbale que l'on frappe, que l'on frappe. Je suis désolée, mais je ne pourrai pas t'écrire pendant quelque temps. D'une certaine façon, j'ai peur qu'un jour tu me fasses part de ton désir d'être étudiante, que tu me parles de tes sorties en discothèque, les garçons, la bière et l'herbe. J'ai peur que tu développes une fascination pour la succession des rois d'Europe, les disputes de frontières au quinzième siècle, le Moyen Anglais et l'art Maya. Toutes ces choses ont une signification. Mais ce n'est pas suffisant. Loin s'en faut.

Il existe des fissures dans la peinture murale qu'est notre monde. Un jour vient où les cellulles/instants/temporalités de chaque individu s'ouvrent soudainement. Ce sont ces moment-là qui comptent. Lorsque j'étais assise avec notre grand-mère dans sa cuisine, et qu'elle a soudainement tourné l'interrupteur, ce fut l'un de ces moments. Si je pouvais le revivre, je le revivrais différemment.

Je joins à ma lettre l'adresse de notre grand-mère.

Puissions-nous rencontrer des vents cléments et des ports abrités.

J'ai glissé la lettre dans une enveloppe. Que restait-il ? Des canapés et des chaises ? Simples coquilles, sans substance, anonymes. Jason pouvait bien les garder. Après tout, je ne lui avais pas donné de préavis.

24

J'ai pris Pacific Coast Highway jusqu'à Sunset Boulevard. La route la plus longue. En contrebas, les crêtes sombres des vagues déferlaient, en contrebas des falaises érodées, ces victimes en phase terminale qui s'affaissent lentement sous les vents cinglants et les glissements de boue. Avec le temps, les falaises viendraient nourrir la mer, avec le temps. La nuit était sombre, claire et nette. Je n'étais pas pressée.

J'ai suivi Sunset Boulevard vers l'intérieur des terres à l'endroit où il serpente entre des collines et des ravines soudaines. J'ai senti la mer battre derrière moi, les vagues qui se brisaient sur le sable et se retiraient, les vagues qui labouraient la plage, puis refluaient, vaincues. Fracas et silence d'écume. Fracas et silence soudain. Et si Caroline Murphy avait été la première et Picasso le deuxième, le vieil homme et sa mandoline en bois rougeâtre et fin comme un cœur dilaté était le troisième, et le dernier. Cela suffisait. Terminé.

J'ai sorti les cartons de mon coffre, l'un après l'autre. Francine a mis un certain temps avant de venir ouvrir la porte. Elle a comme hésité.

« Il est plus de minuit. » Ramenant les plis de soie vert sombre autour de son cou, elle a regardé les cartons que je traînais dans le salon.

Un homme dégarni et à l'air rigide était assis sur le sofa ocre et capitonné du salon. Il reboutonnait sa chemise quand je suis entrée. Il a essayé de ne pas me regarder, essayé en quelque sorte de disparaître, de se fondre dans les gris huître et les blancs coquille d'œuf. Il a tendu la main vers la grande table à cocktail et pris un verre. Il l'a serré dans sa main et l'a fixé comme s'il essayait de se connecter à quelque chose. Je suis passée devant lui, tirant les cartons derrière moi.

« Fais vite », a murmuré Francine. « Qu'est ce qui ne va pas ? C'est ton père ? »

« Non. »

« Parce que je viens d'appeler l'hôpital. Ils l'ont enlevé de leur liste des cas critiques. Ça va être comme l'autre fois, à l'Hôpital Jefferson. Tu dois pas t'en souvenir. Tu n'avais que trois ans. »

« J'en avais six. »

« Pas si fort », a dit Francine rapidement. « De toute façon, il s'est rétabli tellement rapidement la dernière fois. Il attrapait la tête de l'infirmière. Il lui pinçait les fesses chaque fois qu'elle entrait dans sa chambre. Ils l'ont interdit de séjour. En disant qu'il pouvait se passer n'importe quoi, il ne serait jamais plus admis à l'hôpital Jefferson. »

Nous étions assises dans la chambre de ma mère. Les murs étaient ocre. La lumière de la lampe nimbait la pièce d'une teinte rose. La porte était fermée.

« Eh bien ? » Francine m'a observé du coin de l'œil. Elle a allumé une cigarette. Elle a posé ses mains sur ses hanches, élégante, redoutable.

« J'ai besoin d'argent. »

« Dis-moi quelque chose que je ne sache pas déjà. »

Francine a paru soulagée. Peut-être qu'elle allait pouvoir régler les choses vite fait bien fait. Elle avait eu une grosse journée. L'hôpital le matin. Un repas d'affaires. Une réunion budgétaire. Il y avait l'homme dégarni et rigide qui l'attendait en bas. Et maintenant, moi, bloquée à huit ans, sans défense, effrayée par un rien, les ramures épaisses des palmiers, l'énorme soleil évidé, mes après-midi solitaires.

Ma mère a ouvert un tiroir. Elle a sorti une enveloppe et rapidement parcouru une liasse verte. Elle m'a tendu un billet de cinquante dollars. Il était neuf et craquant. Il faisait un bruit sec entre ses doigts.

« J'ai besoin de plus. »

« Combien ? » Francine avait l'air de retrouver son calme.

« À combien tu m'estimes ? » J'ai ouvert mon porte-monnaie. Apparemment, nous étions parties pour un stud[1] à sept cartes . J'ai sorti les munitions de mon sac à main. C'était ma mise. « Voilà la bague, le bracelet et les actions. »

« Quelles actions ? »

« Les Disney que tu as crachées quand j'ai épousé Gerald. La bague vaut 5000 dollars. Je l'ai fait évaluer », ai-je dit. Je lui ai tendu les bijoux et les titres. Je me sentais bien. Ça valait une carte habillée.

« Tu me prends pour qui ? Une banque ? Un prêteur sur gages ? » Francine s'énervait. Il fallait miser gros. J'avais la main. Et un as en réserve.

Quelque part en bas, l'homme a toussé. Une toux polie. Francine a jeté un œil à la porte. Je pouvais la comprendre. Ses mondes parallèles se percutaient.

« Débarrasse-toi de lui », ai-je suggéré. J'avais la main. Allait-elle suivre ? C'était son tour.

« Il a eu un vol horrible depuis Atlanta. En rentrant, il a découvert que sa maison avait été cambriolée. Ils ont même piqué les balles de tennis. Il vient juste d'arriver. Il est cardiaque. Il repart pour Tokyo demain. » Francine m'a regardée, essayant de se faire une idée. De jauger. De gagner du temps. De bluffer ?

Allait-elle balancer un jeton, oui ou non ?

« On pourrait pas parler ? Demain par exemple ? Tu pourrais passer toute la journée avec moi. Je t'emmènerai déjeuner.

« Mets ce trou du cul dans un taxi, Francine. Il ne se sent bien que dans les aéroports de toute façon. » J'avais toujours la main. C'était à moi de miser. J'ai avancé un jeton. « Débarrasse toi de cette dinde avant que je la plume. »

Francine m'a observée dans la lumière rose de la lampe. Elle a allumé une autre cigarette. Puis elle a décroché le téléphone et appelé un

---

[1] Stud : catégorie de poker ouvert. Stud Seven ou Seven Stud : stud ordinaire dans laquel chaque joueur reçoit deux cartes fermées, quatre cartes ouvertes et une dernière fermée.

taxi. L'homme est parti. Finalement, elle allait suivre. Elle devait avoir du jeu, elle aussi.

J'ai suivi Francine dans son cabinet de travail. Elle s'est versé une rasade de whisky. Je me suis servi un verre de whisky. Nous étions assises sur des chaises basses couleur crème, face à face. Allions-nous mettre cartes sur table ?

« Pourquoi t'as besoin d'argent ? »

« Je suis enceinte », ai-je dit en le regrettant aussitôt. Mauvais mensonge. La première chose qui m'était venue à l'esprit. Mais ça ne faisait rien. J'avais encore une paire d'as à venir. Deux as dans la couleur.

« Un avortement ? » Francine a incliné la tête. On aurait dit qu'elle reniflait l'air. « Ça, c'est pas très cher. Va au planning familial. Dis-leur que tu es une hippie. Arrange-toi pour faire payer l'état. »

J'ai dit non.

« Tu n'es pas enceinte », a soudain dit Francine, déchiffrant à merveille la partition qui était en train de se jouer. Son regard a glissé de mon visage aux cartons dans le salon. « Tu t'en vas », a compris Francine. Elle a paru se détendre. Elle regagnait du terrain, ok. Elle commençait à se sentir mieux, question jeu. Elle pourrait même doubler la mise. Me suivre et relancer.

« Je m'en vais », ai-je admis. J'avais la bague, les actions, les cartons. J'ai lancé un autre jeton imaginaire.

« Tu n'as pas le droit. Et ton père ? Il a besoin de toi. Il est en train de mourir. »

« Il est pas en train de mourir », ai-je hurlé. Je me suis levée. Le verre rond et la table chromée étaient entre nous. « Regarde-moi, mère. Concentre-toi. Fais comme si j'avais une bite, mère. Imagine que ce que je dis est important. Je te le répète, il n'est pas en train de mourir. »

« J'ai parlé aux docteurs, aux spécialistes. Tu ne comprends pas. Le pronostic est... »

« J'emmerde le pronostic. Qu'est-ce qu'ils en savent ? » J'ai allumé une cigarette. Pourquoi Francine pensait-elle avoir une main forte ? Est-ce qu'elle relançait par rapport au pronostic ?

« Très bien », a dit Francine. « Très bien. Mais nous avons besoin de toi. Je suis seule, tu ne le vois donc pas ? Je suis terrorisée. Et ton père a besoin de toi. Tu le lui dois », a-t-elle dit, avançant un gros jeton. Un gros de cinq cents dollars.

« Non, j'lui dois rien », ai-je dit d'un ton égal, voyant sa main avancer un autre jeton. Un noir. « Papa et moi, on est quittes. »

Francine ne voulait pas abdiquer. « Nous avons besoin de temps pour réfléchir. Tu veux de l'argent, il faut faire des arrange... »

« Me casse pas les couilles », ai-je crié. « Je suis désespérée. » J'étais toujours debout. Je me suis assise.

Francine me regardait à travers deux yeux écarquillés et jaunis. Sa lèvre inférieure tremblait. « C'est moi la désespérée », a-t-elle dit. « Le vieux est en train de mourir. Je vais me retrouver toute seule. Tu n'as pas le droit de m'abandonner. Tu es le fruit de mon désir, de mes espoirs, ma passion. Je n'ai pas de petits-enfants. Je n'aurais plus rien », a-t-elle dit. Quelque part, elle a avancé un autre jeton.

Le pot devenait de plus en plus gros. J'ai commencé à me demander quel était vraiment l'enjeu de cette partie.

« Je serai toute seule », a haleté Francine. « J'en mourrai », m'a-t-elle assuré. « Comme à l'orphelinat. Quand les souris me tombaient sur la tête. Tu savais qu'ils avaient excité un chien pour qu'il m'attaque ? Un berger allemand ? Ils étaient irlandais, je m'en souviens. C'était l'été. Le chien m'a pris un morceau de la jambe. J'avais seulement cinq ans quand ça s'est passé. Il m'a fallu dix-neuf points de suture. Regarde. » Francine a écarté les pans de son peignoir en soie. Il y avait un pâle cercle blanc gravé sur sa cuisse. « Je serai toute seule. » Ma mère s'est mise à pleurer.

« Mais tu n'es pas toute seule. Tu as ta sœur », ai-je dit , égalant sa mise. Ma mère a fait une grimace comme si elle venait d'avaler quelque chose d'infect. De la chair humaine, peut-être. Avais-je encore la main ? J'ai inspiré profondément.

« Tu as ta mère aussi », ai-je avancé avec précaution. C'était mon as caché. J'étais en veine. Je savais que j'allais gagner.

Francine a bondi de sa chaise. Apparemment sans aucun effort. Pouvait-elle défier les lois de la gravité ? « Ma mère ? » a-t-elle répété.

« Tu appelles mère la créature qui m'a abandonnée ? »

« Mais elle est encore en vie ! » Qu'est-ce qui pouvait bien clocher ? Francine ne voyait-elle pas mon as, ma paire d'as ? « Tu l'as connue quand tu étais petite. Elle est toujours dans le même appartement. Elle refuse de déménager. Elle veut y rester pour que tu n'oublies jamais où elle se trouve si tu as besoin d'elle. Elle a des cadeaux pour toi, maman. »

J'ai regardé ma mère droit dans les yeux. J'avais une paire d'as. J'ai examiné son visage. Francine n'a même pas cillé.

« Tu étais au courant », ai-je enfin compris. « Et de tes demi-sœurs et frères aussi aux quatre coins de ce putain de pays ? »

Francine n'a rien dit. Le silence a semblé durer une éternité.

« Bien sûr, tu étais forcément au courant. Depuis toujours », ai-je dit.

Silence. Alors, elle aussi avait deux as pas encore retournés. J'ai regardé ma mère. Par la baie vitrée, elle regardait la terrasse coincée contre la montagne, un pin perché sur la colline qui projetait des rais d'ombres noirs dans l'obscurité. Quelque part, j'ai avancé un jeton imaginaire. Je devais suivre, même si je savais qu'elle m'avait battue.

« C'était un coup à un contre un million », a débuté Francine. « Un homme vient me voir au Regency. Je suis en train de prendre mon petit déjeuner. Je suis en voyage d'affaires. Je suis pressée. Il dit que je ressemble trait pour trait à une femme qu'il connaît. Est-ce que j'ai une sœur ? Et je me rends compte qu'il n'essaie pas de me draguer. Sa femme est à côté de lui. Et je dis que j'ai une jumelle dans le Maine. Et l'homme dit non. La femme dont il parle habite Seattle. Je lui ai donné ma carte de visite et un jour la femme m'appelle. Nous avons commencé à parler et bingo. » Francine m'a regardée, m'a fouillée du regard. « Est-ce que j'aurais dû te le dire ? »

J'ai réfléchi un instant. « Non. C'est bon. Tu as gagné. J'abandonne. »

« Tu n'as pas le droit de faire ça. »

« Je viens juste de le faire. Paie mon dû, et basta », ai-je hurlé.

D'un coup, Francine s'est réveillée en bondissant de sa chaise. Elle était debout. Elle bougeait. « Il y a tant de choses que tu ne sais pas », a-t-elle hurlé. Elle a attrapé le vase en cristal qui était sur la table et l'a jeté dans la baie vitrée. La fenêtre a semblé se briser au ralenti, en douceur, comme des plumes, une nuée d'oiseaux jaunes. J'ai remarqué qu'un long éclat de verre était tombé près de ma cheville. Il pointait de la moquette comme une dague.

« Tu penses que toute cette merde signifie quelque chose pour moi ? » a demandé Francine. Elle a rapproché son visage tout près du mien. Ses yeux étaient énormes, orageux, dangereux. « C'est une illusion. Tu crois que je le sais pas ? »

« Arrête », ai-je hurlé. Je me suis levée. Je ne savais que faire.

Francine prenait des bouteilles de whisky sur la surface du bar en marbre noir importé et les jetait contre ses murs crème et ocre. Les bouteilles se cassaient en laissant de vilaines taches, comme de l'urine sur les murs des allées. C'est alors que j'ai remarqué le sang. Elle s'était coupé le pied. Elle s'est mise à sautiller à travers sa tanière, en hurlant, « Ce n'est rien », son pied en sang recourbé dans l'air.

J'ai tenté de l'attraper mais elle est passée devant moi en sautillant, sautillant jusqu'aux cartons que j'avais apportés avec moi. Elle a attrapé un poster encadré acheté dans une exposition à Rome et l'a jeté contre le mur. Il s'est brisé.

« Tu ne voulais pas voir le monde, a sangloté Francine, alors j'ai essayé de t'amener le monde. »

Un vase de Barcelone peint à la main s'est cassé. La statue délicate d'une petite fille se brossant les cheveux a percuté le mur. Décapitée.

Puis, aussi soudainement que ça avait commencé, tout s'est arrêté. Francine s'est affalée sur le sol. A mis sa tête dans le creux de son bras gauche, le bras qui peut encore se plier, et elle a pleuré, sangloté, épaules tremblantes. J'ai mis une serviette autour de l'entaille sur son pied. J'ai tapoté sa tête avec gentillesse. « Ça va aller mon bébé », ai-je répété encore et encore. « Ça va aller, mon bébé. » Ses cheveux avaient l'air rouge dans la lumière de la lampe. Après un long moment, elle a levé la tête.

« J'ai commis des erreurs », a commencé Francine. « Des erreurs monumentales. J'ai lu récemment quelque chose sur les expériences de Harlow. Sur ces singes enlevés à leurs familles. Ils leur donnent des mères de substitution en peluche. Comme des parents adoptifs. Et quand les singes atteignent la maturité, ils sont incapables de fonctionner. » Francine m'a regardée avec les larges orbites de ses yeux jaunes. « Tu penses que les expériences de Harlow ont une chance d'avoir un large impact populaire ? »

J'ai réfléchi à la question. J'ai dit non.

J'ai aidé ma mère à se frayer un chemin au milieu des éclats de verre jusqu'à son cabinet de travail. Elle a fini son whisky et s'est resservie J'ai fini le mien et me suis resservie. J'ai regardé sa coupure. J'ai posé un morceau de gaze et du sparadrap autour de son pied.

« Je me suis cassé le bras quand j'avais six ans. L'année après que le chien a emporté un bout de ma cuisse dans sa gueule. J'avais glissé sur le verglas et ils ont pas voulu m'emmener pour le faire remettre. Mon bras ne veut plus se plier. C'est pour ça que je suis une joueuse de tennis aussi merdique », a dit Francine.

Ma mère a fini son verre. J'ai fini le mien. Je nous en ai resservi un troisième.

« Tu te rappelles quand nous nous faufilions dans l'escalier à Philadelphie et que je te montrais la première neige de l'année, avant qu'elle soit souillée ? »

« Je m'en souviens. C'était magnifique. On buvait du chocolat chaud. »

« Je préfère le Chivas. »

« C'est vrai. »

« Tu n'as jamais passé la nuit ici », a dit Francine. Elle semblait chercher quelque chose dans l'air. « Est-ce que tu quittes vraiment Jason ? »

« Oui. »

« Bien. Est-ce que tu vas d'abord passer voir ton père ? Pour être sûr que sa trachéo marche bien ? »

« Oui », ai-je dit. « Mais je sais que ça va marcher. »

« Tu penses que je cherche un homme ? » a soudain demandé Francine. Elle semblait évaluer une bande d'ombre rosâtre près du mur couleur crème. « Eh bien non. Je sais tout sur les hommes. Je le sais depuis l'âge de onze ans. » Francine a bu une gorgée de whisky. « Je ne cherche pas d'homme. J'essaie juste de rester occupée. Je continue à cogner. La cloche sonne et je retourne sur le ring en distribuant des swings. Je suis sonnée. Mais je n'attends rien des hommes. » Francine a souri. Ses yeux semblaient éclairés de l'intérieur de la même lumière que lorsqu'elle me racontait qu'elle savait depuis le début qu'il y avait des souris dans sa chambre, dans la machine à coudre et le plafond. « Les hommes craquent toujours au bout du compte », a dit Francine. Elle me regardait. « Est-ce que je peux te brosser les cheveux ? Comme lorsque tu étais petite et qu'on passait nos journées à s'amuser ? »

J'ai dit oui. Ma mère a trouvé une brosse à cheveux et a sautillé jusqu'à moi. Elle s'est agenouillée sur le sol et s'est mise à brosser mes longs cheveux emmêlés.

« Je te brossais tout le temps les cheveux quand tu étais petite », m'a dit ma mère. Elle a approché son visage tout près du mien. « Je mettais des rubans dans tes cheveux. J'avais un couloir rempli de rubans de toutes les couleurs. J'aimais assortir tes rubans à tes chaussettes. »

J'ai remercié ma mère de m'avoir brossé les cheveux à l'époque, quand j'étais encore bébé, puis une petite fille, et aujourd'hui. Fini désormais. Dehors, la nuit était profonde, un noir dense sans nulle trace d'aube.

« On n'abandonne pas une mère en plein milieu de la nuit », a dit Francine. « C'est comme ça que je fuyais les familles d'accueil. Je disparaissais tout simplement. Mais ce n'est pas ainsi qu'on quitte une vraie mère. Pas une mère qui te mettait toujours les rubans aux bonnes couleurs dans les cheveux. On ne quitte pas sa vraie mère en plein milieu de la nuit, pas vrai ? »

J'ai dit non. J'ai fini mon whisky. Francine m'en a versé un autre. L'entaille sur son pied avait cessé de saigner.

« Je ne peux plus continuer », ai-je finalement dit.

« Je sais. Je suis exactement comme toi. Il n'y a pas de frontière entre nous. C'est juste que je suis passée par là plus souvent. » Elle regardait l'arc de lumière rose s'ouvrir un chemin dans la nuit.

« À l'intérieur, je suis la même. Ton père m'a aimée autrefois. Tu m'as aimée autrefois. Mais malgré tout, le cœur de ce que je suis ou de qui je suis est resté le même. Les seules fois où j'étais autorisée à pénétrer dans la cuisine, c'était pour y faire le ménage. Si je voulais un verre d'eau, je devais aller dans la salle de bain et j'avais peur des hommes, les pères, les oncles qui dormaient là, complètement saouls. » Francine m'a regardée. Que cherchait-elle ? Elle a rempli nos verres une nouvelle fois.

« Chaque fois que je changeais de famille d'accueil, je changeais d'identité. Ils pouvaient venir nous chercher à tout moment. Une assistante sociale apparaissait, et je faisais mes valises pour être conduite dans une nouvelle famille d'accueil, une nouvelle école. Je prétendais que je venais juste de débarquer du Wyoming. T'imagines ? Le Wyoming ? » Francine a ri. Elle a posé la main sur mon bras.

« Ton père disait que j'étais trop abîmée pour avoir un enfant. Il avait tort, pas vrai ? »

« Oui, Maman. » J'ai tenu sa main. « Il avait tort. Tu te souviens du rouge-gorge qui construisait son nid sous la pluie ? »

« Tu t'en vas vraiment ? »

« Oui. »

« Peut-être que l'on pourrait se conduire en adultes », a commencé Francine. « Tu ne penses pas que de partir comme ça, c'est juste une régression ? Une fuite dans l'imaginaire ? Romancer ton enfance et idéaliser ton passé ? »

« À peine. »

Francine a fait mine de se lever. Elle s'est souvenue de la coupure sur son pied. « Ça a déjà été fait, ma petite », a-t-elle dit. « Le trip Woodstock, c'est dépassé. La route vers l'est, vers le sud. Y a pas plus éculé comme cliché. »

« Ça n'a rien à voir », ai-je dit.

« C'est du plouc à chaque coin rue qui t'attend dehors. Les salles de bain sont sales. Tu vas pas aimer ça », m'a assuré Francine.

« Je vais bien au-delà, ai-je dit à ma mère, vers quelque chose de plus grand. Je prends le large. »

Un ange est passé, lentement. Un rouge-gorge solitaire et mouillé construisait un nid sur une branche basse. Nous le regardions se démener. La neige tombait dans un halo de lumière, parfaite, intacte. Une pensée était glissée entre les pages d'un livre. Empreinte pourpre sur la page de titre. Un instant arraché au temps, préservé.

« Prendre le large ? » a finalement dit Francine. « Ça me plaît. J'attendais que tu te réveilles. Que tu te connectes. Que tu ouvres les yeux. Que tu tendes les bras pour quelque chose qui en vaille la peine. Seul un fou reste à une table où il perd. Change de cartes. Change de jeu. Barre-toi. Pars tant que tu en as l'énergie. J'en ai croisé des portes », a soupiré ma mère. « Des terminus de train. Des tournants. Quelques pas dans une direction, et c'est toute ta vie qui s'en trouve bouleversée. J'aurais pu être quelqu'un. »

« Tu es quelqu'un. »

Elle a ri. « Je voulais dire quelqu'un de bien. »

« Tu es quelqu'un de bien. Mère. »

« J'ai merdé grave. »

« Moi aussi. »

« Mais tu peux tout recommencer. Tu as encore une chance », a dit ma mère, ses yeux larges et luisants, vibrant pour une raison inconnue.

« Je sais. »

Après un instant, Francine a dit : « Parle-moi de ma mère. »

Je lui ai raconté. La nuit devenait grise. Des rais d'aube déchiraient la nuit, la nuit était un oiseau aux ailes qui se déployaient. Ma mère et moi étions assises ensemble sur sa terrasse en brique, attendant le lever du soleil. L'air commençait à piquer.

« Tu ferais mieux d'y aller », a dit ma mère. Sa voix était fluette, celle d'une petite fille.

« J'ai peur », ai-je dit.

« Il n'y a rien à craindre. Tu ne trouveras que médiocrité à l'extérieur. Une vraie course de tocards. Notre père nous a appris ça. »

Nous étions debout près de la porte d'entrée. Les éclats de verre brillaient dans la première lumière du matin. Les oiseaux gazouillaient. Ma mère a essayé de sourire. Ses lèvres ont frémi. On aurait dit que des parties de sa peau s'effritaient, tombaient en éclats blancs.

« Pars maintenant tant que tu as le vent en poupe », a dit Francine. « Sors et boxe de manière intelligente, frappe fort. Sors et conduis-toi mieux que je ne l'ai fait. Plus proprement. Sans mensonges. Assure. » Francine a ouvert la porte d'entrée.

« Tu me surprends », ai-je lancé.

« Tu es facilement surprise, ma petite. »

J'ai fait quelques pas en direction de ma voiture. Je savais que je devais marcher vite et bien, sinon, en moi, se lèveraient encore les vagues, le contre-courant soudain et noir, le courant impossible, le tournoiement et le tourbillon en cercles concentriques noirs, inutiles, inutiles.

« Attends », a crié Francine derrière moi.

Je me suis retournée. Francine s'est dirigée à cloche-pied dans la rue. Elle avait toujours l'énorme gaze blanche autour du pied. Elle portait quelque chose. « Pour ton voyage », a-t-elle dit. Elle m'a donné un sac en papier kraft. Elle s'est penchée vers moi. « Tu vas revenir ? »

« Oui. »

« Promis ? »

J'ai démarré. Au premier feu, j'ai regardé dans le sac. Une petite boîte de thon, un oignon, une boîte de crackers, une torche, une grosse boîte de haricots de Lima, un couteau à beurre, un billet de cinquante dollars, des serviettes de toilette et une carte de crédit gold de l'American Express. Mon dieu, Francine, quel pique-nique de déglingué. Et puis, je me suis mise à rire.

Je sentais toujours le rire à l'intérieur de moi en descendant le couloir de l'hôpital, en traversant les replis d'ombres incertains qui ondulaient sur le carrelage couleur boue émaillée. Mon père était assis dans son lit. Il regardait les nouvelles du matin. Quand il m'a vue, il a éteint la télé. Ses gestes étaient abrupts, vifs. Ses yeux exigeaient l'attention. Quelque chose s'était passé.

BONNE NOUVELLES. VU DR. MANGÉ.

« Tu as déjà mangé ? »
CRÈME À LA VANILLE.
« Et ça a marché ? Tu as réussi à avaler ? »
Mon père a acquiescé. Il y avait quelque chose de différent en lui. La couleur de sa peau peut-être ?
BOURBON ?
« Peut-être demain. » Les stores de mon père étaient grands ouverts. Dehors, le ciel était d'un bleu pâle nonchalant. Le soleil semblait uniforme, chaud et lactescent, proche, si proche.
Mon père s'est levé tout seul. Il a pris sa robe de chambre. Je l'ai aidé à la passer sur ses épaules. Il m'a fait signe de le suivre. Nous avons marché dans le couloir. Mon père a sorti un carnet et un stylo de la poche de son peignoir.
PAS APRÈS PAS. COURU TOUTE LA DISTANCE AUJOURD'HUI. SUIS VIEUX CHEVAL DE GUERRE. SACRÉ OUTSIDER. REVIENDRAI.
Nous avons parcouru la distance de trois chambres d'hôpital. Il m'a fait signe de m'arrêter. Il s'est appuyé contre le mur du couloir. Il a respiré profondément. Une infirmière est apparue. Elle a demandé si mon père avait besoin de quelque chose. Mon père a sorti son carnet et son stylo.
ELLE A UN PETIT AMI ?
Nous avons repris notre marche et avons atteint la moitié du couloir, à mi-chemin des ascenseurs. Mon père s'est arrêté net. J'ai cru qu'il allait s'effondrer. Il a tendu les bras. Serré les poings. Que se passait-il ? Est-ce que je devais aller chercher un fauteuil roulant, un médecin ? Puis il s'est mis à boxer dans le vide. Ses pieds ébauchaient une danse lente, et il envoyait des directs, esquivait, trouvant de nouvelles combinaisons, tournant son cou bandé et décochant swings et crochets. Et derrière nous, dans la salle de repos des infirmières, ils se sont tous arrêtés. Ils ont laissé les téléphones sonner, bloc-notes encore en main, et regardé mon père bousculer le vide. Puis ils ont applaudi. J'ai reconduit mon père à son lit.
Après un moment, je lui ai dit que je m'en allais.

TU VIENS D'ARRIVER.

« Je veux dire loin de la ville. Ailleurs. Il faut que je me lance. »

Mon père a regardé le sol. Une larme s'est formée au centre de l'un de ses yeux. Il a cligné des yeux et la larme a disparu.

LA VIE A SI MAL TOURNÉ.

« Je sais. Je sais. » Je faisais les cent pas. Les collines étaient comme de jeunes corps, fins et fermes. Je pouvais presque les sentir. J'ai regardé mon père. « C'est pas le monde que tu avais prévu, pas vrai ?

Mon père a hoché la tête.

« Je comprends, papa. Les changements, les perturbations, la désintégration de la famille nucléaire, l'échec du mariage et des institutions religieuses. La perte des valeurs humaines. L'effondrement des traditions. » J'ai respiré profondément. J'ai remarqué que mon père était en train de m'observer attentivement. Son expression paraissait intense et déconcertée.

« Je peux comprendre. Je peux imaginer. Autrefois, l'homme aux cheveux gris était un sage. Révéré, il accordait sa sagesse. Autrefois, les villes étaient différentes. Elles étaient des lieux sacrés, enclaves du savoir. C'était avant les mutations et le long processus d'aliénation de l'homme de la terre et de son héritage animal. C'était avant l'industrialisation, la déchéance, la pourriture, les drogues, la liberté sexuelle. »

SUIS NÉ 30 ANS TROP TÔT. AURAIS ÉTÉ UN HIPPIE.

J'ai dévisagé mon père. Il m'a dévisagée à son tour. Puis il m'a montré son poignet. Je suis sortie dans le couloir à la recherche d'une pendule.

« Il est onze heures trente. »

Mon père a mis ses lunettes. Il a ouvert le programme télé.

GOLF À 13 H.

J'étais toujours debout, faisant les cent pas et regardant les montagnes à travers les stores grands ouverts. Je me suis dit tout à coup que les montagnes étaient une sorte d'épine dorsale. Je me suis assise sur le lit de mon père. J'ai pris sa main.

« Je sais ce que tu dois ressentir. Tu te sens abandonné, déserté, largué. Le monde tourbillonne. Tu as soixante-cinq ans. Tu te souviens d'un autre monde, d'un autre été. Tu as connu le Bronx quand il y avait encore des champs cultivés, des forêts avec des arbres et des torrents. Et tu te retrouves ici, un des derniers représentants de ton espèce. C'est comme être le dernier d'une tribu. Toutes les compétences se sont brouillées, perverties. La façon de construire les canoës, les pièges à poisson. »

PIÈGES À POISSON ??

« Pas à poisson. Oublie le poisson. Je voulais seulement parler de l'ancien temps. Tu es capable de te souvenir d'une époque où n'importe quel gars d'un mètre quatre-vingts pouvait jouer au basket. Tu as vu évoluer le baseball. Tu as tout vu. Le Hall of Fame tout entier. La dynastie des Yankees des années vingt. La maison que Ruth a construite.[2] Les immortels[3]. Gehrig en premier. Lazzeri en second. Mark Koenig suivant de près. Tu as vu le premier All Stars Game.[4] Tu connaissais le monde avant le ralenti immédiat. C'est comme si tu étais le dernier représentant d'une espèce en voie de disparition. »

Mon père me dévisageait. Lentement, il a hoché la tête de gauche à droite.

« Je sais que tu voyais un autre avenir pour moi. Pour nous. Moi, mariée avec des enfants. Des petits-enfants que tu aurais pu emmener au match. Leur apprendre à devenir shortstops.[5] Les initier aux formes culturellement déterminées de la masculinité. »

GAMINS TRÈS PÉNIBLES AU MATCH.

« Écoute, papa. Je t'ai déçu de bien des façons. Des choses se passent. Pense à Native Diver[6] terrassé sans crier gare à sept ans. Les choses se passent juste. Le monde doit te sembler étranger. L'inversion des rôles. L'émergence des femmes. La chute de l'Amérique. La montée du Tiers-Monde. Tu as même détesté l'expansion du baseball.[7] »

S'EST AVÉRÉ BON POUR LE JEU.

« Papa, je ne te parle pas de baseball », ai-je dit.

Mon père a hoché la tête de droite à gauche. Tout à coup, j'ai compris ce qui était différent en lui. Le petit tube en plastique rouge de la sonde alimentaire avait disparu de son nez. Mon père me dévisageait. Il a pris son carnet et son stylo.

T'ES TIMBRÉE.

---

[2] Surnom du « Yankee Stadium ». Avec Ruth, les Yankees gagnent les World Series. [3] Joueurs des Yankees de 1927, équipe surnommée The Murderers' Row (Les tueurs). [4] Tournoi où s'affrontent les meilleurs joueurs nationaux, sans distinction d'équipe. [5] Joueurs de défense au baseball. [6] Pur-sang des années 60. [7] À partir des années 50, le base-ball élargit sa portée géographique aux villes de l'Ouest.

J'ai ri. La sonde alimentaire avait disparu. Je me sentais pure. Je me sentais claire, bénie. Une infirmière a apporté à mon père une assiette de gelée verte. Il l'a mangée lentement. Entre deux bouchées, il me regardait. Son visage laissait voir une sorte d'incrédulité.

TIMBRÉE.

« Tu me pardonnes de t'avoir déçue ? Je vais faire mieux. Tu seras surpris. »

T'ES CINGLÉE. ON EST QUITTES.

« J'espérais que tu le dirais. »

OÙ EST L'AUTRE FOLLE ? LA STAR DE TENNIS SUR LE RETOUR ?

« Blessure. Elle viendra plus tard, papa. » J'ai regardé mon père. « Tu prendras soin de Francine ? »

JE SUPPORTE SON FOUTU MERDIER DEPUIS SES 16 ANS.

« Tu es quelqu'un de bien, papa. »

TU SAIS CE QUI ARRIVE AUX GENS BIENS ?

« Durocher avait tort. Tu t'en sors comme un champion. »

FINIRAIS BIEN COMME ÉTALON REPRODUCTEUR.

« Sur ce coup, je ne peux rien faire pour toi. Je peux t'apporter quelque chose ? Il y a une boutique de cadeaux en bas. »

Mon père a semblé examiner ses possibilités. Il a acquiescé de la tête.

VA ET RAMÈNE UNE NOUVELLE FAMILLE.

Quelque part en lui, mon père souriait. J'ai embrassé ses lèvres. Il me montrait quelque chose. Il me montrait la porte. Il a fait mine d'arracher quelque chose avec ses doigts.

« Tu veux que j'arrache la porte ? »

Mon père a hoché violemment la tête de gauche à droite. Il m'a regardée comme si j'étais la plus étrange des anomalies. Il a pris une inspiration profonde et m'a remontré la porte.

J'ai observé la porte. Il ne voulait pas que je casse la porte. Non, bien sûr que non. Je n'avais même pas d'outils sur moi. Juste une porte. Une porte avec un morceau de papier qui disait non aux visiteurs. Oui, bien sûr. Il voulait que j'enlève l'écriteau.

Mon père a fait un geste pour me faire comprendre qu'il voulait que je revienne. Je me suis approchée du lit. Puis il a tendu le bras, pris ma main et a embrassé ma paume. J'ai fermé la main et serré le poing.

Je marchais dans le couloir, longeant le vert des alcôves, les chambres de la mort, le bourdonnement, les aquariums humains. Mon poing était refermé sur le baiser de mon père. Quand j'étais enfant et que j'avais peur, mon père m'embrassait la main. Il disait que si je refermais les doigts assez vite, le baiser serait pris à l'intérieur. Mon père me disait que le baiser resterait avec moi toute la nuit. Je pouvais le déposer soigneusement sous mon oreiller. Je pouvais le glisser dans ma poche. Et qu'une partie de lui resterait avec moi tout le temps. Et le baiser dans ma main me réchaufferait. Il disait que c'était un feu magique.

J'étais à mi-chemin des ascenseurs. Je savais que j'allais y arriver. J'avais une boîte de thon, une de crackers, une torche, une énorme boîte de haricots de Lima, une American Express gold, des serviettes, un oignon et le baiser de mon père, ce feu instantané, remisé dans mon porte-monnaie. C'était le début de l'après-midi. Je suis montée dans ma voiture. Une femme pouvait-elle désirer autre chose ?

25

Partir, oui, passer les immeubles gris en pierre taillée du Civic Center qui s'élèvent comme des falaises. Se faufiler à travers étroits canaux, tourbillons de soleil, remous jaunes et liquides. Floue de vitesse, je passe des gorges de ciment étroites et tortueuses, pâles cicatrices entre les blocs de béton et les sifflements pétrifiés des bombardements, l'asphalte, les Minotaures, le cancer, la futilité. Vertes anti-chambres de la mort récurées, aquariums humains, suintements, bourdonnements. Et je plonge, au-delà des complexités, dans l'inconnu, brut, absolu, sans nom. Je conduis. Tout glisse derrière moi. Échangeurs feuilles de trèfle d'alternatives empoisonnées et fusantes de voies sans issue, derrière moi. Los Angeles, cuvette d'illusions, d'arnaques brutales et claustrophobes, désordre, sinistre, gluant, horrible. Ils sont venus, ils ont vu, et sont devenus aveugles. Ô, hallucinations des blocs urbains grisâtres, inanimés et pourrissant derrière moi. Douleur solaire des ruines pitoyables et tristesse pour la démente Cité des Anges, cité du tourment blanc et des hideux oiseaux de proie albinos.

J'ouvrirai les yeux.

J'ouvrirai les yeux. Je recommencerai. Tout est mantra. Ouvrir les yeux. Recommencer. Je ne suis pas la première. La création née du vide, l'eau, le feu, les quêtes visionnaires, le sacrifice humain. Je choisirai, j'inventerai. Au commencement était la lumière frappant une soupe primordiale et forgeant les acides aminés, l'alphabet originel. Au commencement, les roches noires volcaniques, gneiss et basalte. Au commencement, un village de Pologne. Et hors du chaos, de l'ignorance, des folies d'une cour des miracles en pleine partouze, des plafonds qui s'effondrent, des souris qui détalent. Quelque chose. Une inspiration gravée dans la peau, auto-lacération. Francine, c'est de toi que je parle. Magna Marta, l'originelle, déesse céleste de la naissance et de l'entrelacement, de la mort, de l'inconscient, des ancêtres. Je dépose ma rage, mes pêchés, mon mépris et mon chagrin. Je suis au-delà, dans quelque chose de plus grand, de plus ancien, une impulsion, les visages lacérés de certains rochers.

Je sillonne des rues de boîtes pastel, des rues hérissées d'antennes de télé pattes de poulets, grincements de poulaillers, ciel mutilé de toiles électroniques noires. Je suis une somnambule qui s'étire, qui essaie de trouver la bonne distance, poussant par-delà les fondations, les preuves tangibles. Je suis libérée des sillons familiers et des rails noirs métalliques de mes mondes parallèles, de la folie, du désespoir, engourdie, brûlante et vidée. Jason, j'ai essayé de me faire assez petite pour toi, de m'entraver sans fin, de me hacher les membres, mais toujours ils repoussaient, toujours. Et j'avance au gré des vents, chaînes brisées, j'avance. J'avais un cerf-volant en forme d'oiseau. Son vol s'est achevé dans un arbre mort, mais j'ai pardonné, j'ai pardonné. Je suis le cerf-volant terrifié face à une route qui file à l'infini, ample et grise, distance imprévisible et silencieuse. Les voitures se faufilent autour de moi, autocollants des pare-chocs GROTTESDECARLSBAD LESFORÊTSPÉTRIFIÉESGATORLANDMONTAGNESMAGIQUES GROTTESDECRISTAL. Et je me dirige vers l'épine dorsale arc-boutée, le fondamental, l'origine de l'os. Bien avant les fondations et les points de référence. Bien avant le primordial. Bien avant le mal. La route devient au désert brut, à perte de vue, à perte de vue. Je transperce sable, rochers affleurants, scorpions gris et graviers blanchis. Des yuccas exhalent des bouffées de poings blancs. Le Joshua Tree aux bras tendus de suppliant, pèlerin fou aveuglé de soleil.

Je me dépouillerai de la complexité.

Je me dépouillerai de la complexité pour en revêtir une nouvelle. Je suis la grâce en action et je me déplace vite. J'ai vingt-sept ans et un pin de mon âge en sait plus sur la vie. Voiles déployées et sans amarres. Je serai plus légère, nue. Derrière moi les canyons de pierre des visages monstrueux, anguleux, tortueux et inutiles de l'ambivalence et du doute. Brume blanche sifflant sur la ville à peau de reptile, derrière moi, le fracas, derrière moi. Je plonge dans l'ère des vents, me fonds à la route, le rythme, l'asphalte luisant. Tu m'écoutes, papa ? Chronomètre ces temps. Quelques centimètres séparent le héros du loser. Je continue à avancer, chaleur atroce qui me déchire le visage de ses doigts de pinceau raide et desséché. Bien sûr, je n'échapperai pas aux longues nuits brutales en solitaire, aveugle dans l'obscur et le danger. Mais déjà, je pressens autre chose, un matin ponctué de mille chants, dans l'extase et l'exaltation. Je courrai une classique. Et, aussi un Grand Prix, nom de dieu.

Je file dans l'après midi, la porte pourpre du Mohave s'entrouve. J'aurai des tambours. Toum ! Toum ! Je pénètre le territoire des noirs prédateurs et me faufile hors du chas de l'aiguille. Je m'obstinais à creuser à ciel couvert, artificielle et recourbée. Je me dépouille de ma coquille, des gris huître et des silences cinglants, des flacons inutiles de sang séché. Rat-bougrie, je me métamorphose en courants d'air ascendants, carillons rocheux, efflorescences rouges et dures des cactus, et se souvenir est douleureux. Je sillonne les rues de Victorville et je suis folle. Je suis le rouge qui fonce dans des murs de rouge, des étourdissements de rouge. Je suis Rose. Il y eut combat, disgrâce, échec. Je me dépouillerai de tout cela. Transportée par le vent, je traverse les trames ténues du crépuscule, les empreintes des pères et les roulements de tambour. Toum ! Toum ! Je serai folle, alors, mais poursuivrai mon chemin. Je me dépouillerai de tout ce que j'ai un jour pris pour ce qui n'était pas, ce qui peut-être ne fut jamais. Et le tourbillon de soleil est derrière moi. Los Angeles, brûlure hideuse d'avidité et de destruction, sauvagement consumée, maudite parmi les maudites. Cent-vingt kilomètres de Barstow, dernier avant-poste. Je n'arrêterai pas le moteur. La route m'appartient. Le vent m'appartient. Je le laisserai jaillir de mes lèvres. Je porterai cymbales et tambours.

Le souvenir devient palpable.

J'étais jeune encore. Et je disais, ceci m'appartient. Big Sur. Berkeley. À moi. Aspen. À moi. Le souvenir devient palpable. C'était avant les baïon-

nettes et la guerre. Mendocino et Laguna Beach étaient les pierres précieuses éclatantes dont je me parais. Je disais, cette ville m'appartient, ce pays, cette terre. Et j'avance, le volant bien en main, sans répit, sans relâche. Trente kilomètres de Barstow, ultime balise urbaine oubliée. Danses des nuages dans le ciel du désert, claquement d'ailes blanches. Salut, les nuages. Où allez-vous ? À l'ouest ? N'y pensez pas. Je m'empresse de dépasser Barstow et j'avance. Franchis la case départ et continue. Et mon billet de deux cents ? Non ? Va te faire foutre. Pas besoin de ça.

Le souvenir devient palpable.

J'étais dormante, engourdie, abêtie. Je disais que je n'avais jamais essayé de mettre un terme à la guerre. Je disais que si c'était moi, ce moi était un autre moi, inadapté. Je disais n'adhérer à rien. Je disais accepter et me soumettre, battue, anéantie, réduite à voguer dans la brume blanche du long sommeil blanc d'une race. Mais je mentais. Oui, je mentais à dessein. Chuchotement de vent apaisé que je pourrais enfin devenir, être enfin, étrangère, tranchée, unique, hors du temps, ligne originelle et ultime à la fois.

Je file dans le dédale provisoire et déclinant de l'obscurité veloutée et fragile, à mi-chemin de la frontière de l'Arizona, les possibilités, le fondamental et les étoiles en fusion. Je vais plus loin. Je le dirai à voix haute et laisserai jaillir les mots de ma bouche. J'arrache ces putains de briques, épines et pansements. Je me souviens lorsque le monde était mien. Au Nord jusqu'à Mendocino, des séquoias tapissés de mousse et au sol jonché d'écailles de pommes de pin. Sacré. Le chemin vers le sud, une entaille sacrée dans le visage liquide, soleil blanc tequila. Sacrée. La frontière de l'Arizona à la nuit tombante. Sacrée. Je peux le dire. Enfin. Je peux cracher les briques puantes et dire Salt Lake, Taos. La terre tremble. Elle m'appartient. Moi, je ne tremblerai pas. Je m'agripperai au volant et prendrai le large. Je conduis, le visage déformé par les voiles du crépuscule qui tombe entre les tiges d'armoise noircies au fusain. Collines pâles virant au pourpre dans la nuit. Rochers obstinés et ramassés que chevauchent des vents cinglants.

Papa, j'ai peur. Le monde est une course de tocards estropiés incapables de franchir le poteau. Et je peux à peine regarder droit devant. Un vent souffle, froid et chaud. Je tremble, tremble, tout tourne à l'état de manque.

Déjà, je pénètre les terres Navaho. A leurs yeux, les collines étaient carcasses de monstres et les falaises spongieuses de lave noire, le sang pétrifié de ces monstres. Résidus vivaces, processus en cours. Les pierres ont des visages. C'est ce que tu voulais me dire, papa ? Resteras-tu alors toujours avec moi, visage et torse ciselés dans la roche ? Au commencement était le père. Au commencement était le gneiss, le granit, les nuages d'orage, la vapeur, l'éclair. La création soudaine. Et tu es le père, feu. Des éclats de quartz, tu as fait naître les étoiles. Tu as creusé les coquilles d'abalone et fait naître le ciel. C'est ton visage que je vois dans la lave.

J'ouvrirai les yeux.

Je recommencerai.

Je me dépouillerai des complexités pour l'inconnu.

Les derniers vestiges du soleil suspendu au-dessus de moi, un rose sec et intact, doux comme de la craie, et possible. Le désert de noir absolu, coup d'arrêt au béton. Et la pointe flambée des étoiles, cercles dans cercles, yeux glorieux des prophètes exaltés. Les possibilités, du quartz déchire la voûte céleste flamboyante et sans retour. Hors du feu et des nuits de sang dans la nuit noire déferlante éclairée par les yeux des automobiles. Arcs argentés balayant scorpions et petits êtres fuyards et luisants. La prochaine fois, peut-être ? Mais il me faut continuer, franchir la frontière de l'Arizona, limite clairement définie, symbolique. Au sud, les sables blancs se déploient jusqu'au Mexique, jusqu'aux cascades velouteuses obstruées de fougères qui surplombent la chaleur des ports. Soleil de tequila, soleil d'absinthe et de mezcal, crabes des sables et cocotiers. Bogota, Lima. À l'est, le désert peint et les mesas, terre de pourpre et pur magenta, pères sculptés sur les plateaux. Au nord, le Grand Canyon, équation résolue des vents cinglants, de l'eau et du temps. Et quelque part, les grandes montagnes où les forêts se ramifient de pins éternels et de persistants, verts éternels qui percent le granit, la crête, substantiels et possibles, possibles.

CHEZ LE MÊME ÉDITEUR

Ron Butlin	*Le Son de ma voix, Visites de nuit*
Eva Figes	*La Version de Nelly*
Undine Gruenter	*La Cache du Minotaure*
B.S. Johnson	*R.A.S. Infirmière-Chef, une comédie gériatrique*
	Christie Malry règle ses comptes
Michel Karpinski	*La Sortie au jour*
Robert Perchan	*La Chorée de Perchan*
Vedrana Rudan	*Rage*
Maïca Sanconie	*Amor, De troublants détours*
Bruno Testa	*Dépression tropicale, l'Adoption*
Romain Verger	*Zones sensibles*
Olivier Vigna	*L'Appendice des jours*

Achevé d'imprimer sur les presses
de La Manutention à Mayenne en mars 2006

Éditeur n° 16 – Dépôt légal avril 2006 – Imprimeur n° 44-06